A TEXTBOOK
OF COLLOQUIAL
SPANISH

Brian Steel

A TEXTBOOK
OF COLLOQUIAL
SPANISH

SOCIEDAD GENERAL ESPAÑOLA DE LIBRERÍA, S. A.
MADRID

mera edición, 1985
nda edición, 1991

Produce:
SGEL - Educación
Marqués de Valdeiglesias, 5. - 28004 Madrid

ISBN: 84-7143-306-0
Depósito Legal: M. 401-1991
Impreso en España - Printed in Spain

Compone e imprime: NUEVA IMPRENTA, S. A.
Encuaderna: F. MÉNDEZ

To the memory of Piluca

PREFACE

This textbook, with its copious textual and supplementary examples, is designed to serve as an ancillary coursebook for advanced students of Spanish and às a specialized reference work for them and for Spanish teachers and translators.

Most of the subject matter is not dealt with in existing language teaching texts and much of it is neither included in reference grammars nor adequately explained in bilingual dictionaries. And yet all of the material dealt with may be met either in daily speech in Spain or Latin America or in representations of speech in contemporary Hispanic literature.

The material is, in fact, an essential part of the Spanish that advanced students and teachers need to understand (and sometimes to translate): colloquial Spanih; its classification and presentation in this textbook is an attempt to speed up and render more efficient the processes of recognition and comprehension. Both the explanatory examples in the text and the 1560 supplementary examples for study and translation have been carefully selected to illustrate the colloquial points and to offer a great deal of additional lexical and cultural information of interest and use to potential readers.

The inspiration for this textbook, as for its predecessor (A Manual of Colloquial Spanish, Madrid, S.G.E.L., 1976), hàs been my concern over many years to contribute to the improvement of the advanced teaching of Spanish. Although the selection, classification and presentation of this material are entirely my own, I have been greatly aided in my task by a làrge number of books and articles which are listed in the first part of the Bibliography. Rather than encumber the textbook with footnotes, additional to the large number of language Notes that I have felt necessary to add in the body of the text, I have preferred to incorporate in the text examples from my major academic sources where these were short enough and not too obscure in isolation from their accompanying text. Such examples, as distinct from all others, which are drawn mainly from my reading and study of modern Spanish and Latin American literature, are acknowledged both in the text and in the supplementary exercises, by the scholar's name (rather

'iat of his/her source, where this is different), the year of
ᵎ   'on, where relevant, and the page number.

         further acknowledge, with gratitude and unabated admiration,
a pₑ   rly heavy debt to the indispensable major reference works
by Werner Beinhauer (1980), H. Keniston, María Moliner, M. M. Ramsey
(revised by R. K. Spaulding), M. Seco (1967), and R. K. Spaulding (1959).
Other constant sources of guidance and of food for thought were the
classifications and examples offered in the works of N. D. Arutiunova
(1965), Aura Gómez de Ivashevsky, Sara Suárez Solís, E. Lorenzo,
J. Polo (1969), M. Regula, C. Smith et al., and J. Vallejo. For helpful
comments and words of encouragement on the colloquial manual which
served as the basis for the present work, I am grateful to the late
Werner Beinhauer, José Polo (as always), and Colin Smith. Needless
to say, none of these nor any other of my sources is to be held
responsible for any misuse or misinterpretation of their material on
my part, nor, indeed, for any other shortcomings of this textbook.
To my wife, Eve, who brought inspiration (and so much else) back
into my life, I offer my loving thanks.

Monash University
Melbourne
December 1983

CONTENTS

LIST OF SYMBOLS AND ABBREVIATIONS

[**NOTE:** For a complete list of references, see the two parts of the Bibliography at the end of this book.]

/	denotes an alternative form
( )	denotes optional items
[ ]	denotes author's comments and translation hints
Alcina	= J. Alcina Franch and J. M. Blecua, *Gramática española*
Am. Sp.	= American varieties of Spanish; American Spanish
Arg.	= Argentina
Beinhauer	= W. Beinhauer, *El español coloquial* (1980)
Coste	= J. Coste and A. Redondo, *Syntaxe de l'espagnol moderne*
Cuestionario	= *Cuestionario para el estudio coordinado de la norma lingüística culta...*
Esbozo	= Academia Española, Comisión de Gramática, *Esbozo de una nueva gramática de la lengua española*
esp. Am. Sp.	= especially used in American varieties of Spanish
Keniston	= H. Keniston, *Spanish Syntax List*
Mex.	= Mexico
Moliner	= María Moliner, *Diccionario de uso del español*, 2 vols.
Ramsey	= M. M. Ramsey, *A Textbook of Modern Spanish*, revised by R. K. Spaulding
Seco	= M. Seco, *Diccionario de dudas y dificultades de la lengua española* (1967)
Spaulding	= R. K. Spaulding, *Syntax of the Spanish Verb* (1959)

INTRODUCTION

Spanish language courses for beginners and intermediate students normally aim at presenting the most essential or basic morphology and syntax of the language via a study of the categories described by traditional grammar (parts of speech, clause types, etc.). Thus the student is given a description of the basic standard language. However, in addition to this basic system, there is a mass of syntactical, semantic and lexical information which also has to be absorbed or acquired in some way or other if the student is to understand and use the language adequately in different situations and, indeed, in different geographical areas. The gathering and teaching of this additional information will be determined by the practical needs of the students, which will usually depend on the type of course they are taking.

One such collection of information that is needed by most students of language and literature courses (and which should not be left to be acquired haphazardly) consists of those language items (other than purely lexical ones, for which good dictionaries provide adequate help) which occur uniquely or principally in various uses of the spoken language and which are, by definition, different from (and often alternatives for) the basic sentence structures and components that the student has learnt or whose meaning (s)he can easily deduce.

Although this textbook does not set out to find theoretical solutions to vexing questions of terminology, the term «Colloquial Spanish» has been chosen as being preferable to «Spoken Spanish» because the latter is a much broader term in that it refers (too ambiguously for our present purposes) to *any* Spanish that is spoken and this would include all sorts of disparate elements, like literary and political discussions, lectures, and all types of radio and TV broadcasting, etc. These types of spoken Spanish undoubtedly have their own syntactical and other peculiarities, which are eminently worthy of investigation and teaching (where they are not already part of standard syntactical structures) but most of them are not our present concern. Even much of what all of us, intuitively, would label as being «Spoken Spanish» uses the vocabulary and structures of the basic language and therefore needs little or no attention from the language teacher once basic syntax and vocabulary have been covered. For example, in the following extract from an approximation by a Peninsular dramatist to spoken Spanish, whatever structures the linguist might decide on as being significant for stylistic description, there are no sentence patterns or components which an intermediate student would find particularly difficult to understand:

> «*Ahora veo que todo es de otra forma. Y veo... que si tú hubieras muerto..., es horrible pensarlo..., pero si tú hubieras muerto..., yo tendría ahora alguna justificación y no estaría tan..., tan perdido...*»   (A. Sastre.)

This extract is composed, then, of basic or 'standard' syntactical structures or patterns. (The term 'standard' is used throughout this textbook as a convenient contrastive label for basic morphology and syntax, the common core of Spanish, and it in no way implies that what is not standard is 'sub-standard', in the usual meaning of this term; in fact, the opposite of standard, for the purposes of this book, will be 'non-standard'.) Such patterns are found not only in the above type of spoken Spanish but in other types, spoken and written, as well.

The term «colloquial», on the other hand, is commonly felt —albeit often pejoratively— to refer to particular informal (often 'racy' or 'popular') spoken usage, especially that usage which differs in some way from 'formal' language. Since the material singled out for description in this textbook IS different from standard Spanish and since much of it is emotional, informal or popular, the term «colloquial» provides a much better general label, intuitively understood by all of us. «Colloquial Spanish», then, will be taken to be a collection of language phenomena characteristic of the spoken language because

a) they lie outside the areas (and often the categories) described by standard syntax;

b) they display peculiarities of meaning not amenable to literal interpretation;

or

c) they fulfil particular dialogue functions and needs.

In short, this book describes those language phenomena (apart from items of vocabulary) which need to be added by students to their basic learners' 'dialect' in order to understand informal and other everyday varieties of spoken Spanish. (One important linguistic aspect of colloquial usage, namely the common and inevitable tendency to use unfinished sentences, false starts, self-corrections and changes of syntactical direction in mid-sentence, was largely ignored, partly because to do it justice would have necessitated the large-scale recording and analysis of spontaneous conversations, which was beyond the means available to me, but also because, in my opinion, the *practical* teaching or learning value of much of this sort of information would be minimal, if not nil.)

Gathering this sort of material is a relatively simple, if laborious, matter, because the items selected are those which show structural or semantic peculiarities different from those of the basic or standard language, and many of these have already attracted the attention of scholars such as those referred to in the Preface and in the Bibliography (Part 1). Classifying the material in a useful and coherent way for practical purposes is much more difficult, however, and although a classification is presented in this book, I have been conscious, in more than one moment of doubt, of the possibility that the inexorable practical need to insert all these linguistic features into classification slots may have led me to force a few square pegs into round holes.

Classification of the assembled material took into account the form and meaning of sentences, especially where their interpretation with reference to standard structures and literal values would be erroneous or confusing. Also, where this seemed reasonably clear, the special dialogue function of sentences or components was taken into account.

This led to a preliminary separation of those structures which, for one reason or another, were not suitable for a traditional *subject-verb-object* or *main clause-subordinate clause* type of analysis, or which, if amenable to such a syntactical analysis, still presented comprehension problems because of their non-literal or *ritualized* meaning (e. g. certain negative and ironic responses). It should be pointed out here that, although all meaningful language is subject to conventions and although much language use is ritual in nature, the words 'ritual' and 'ritualized' are used in this textbook to refer to the particular conventions of colloquial Spanish sentences which may prevent the non-initiated —i. e. the foreign student in this case— from fully understanding their exact meaning or dialogue function.

From this mass of material I separated those ritualized sentences with a fixed, non-patternable form which are used for specific dialogue functions (including, for the sake of completeness, much 'obvious' information, like a selection of courtesy formulae, affirmative and negative responses and other common basic exclamations). These RITUAL SENTENCES are given in Chapter 1. Chapter 2 contains those productive non-standard ritualized sentence PATTERNS used to express a wide variety of emotional responses and reactions. Such patterns are labelled EMOTIONAL COMMENT SENTENCE PATTERNS.

Grouped in Chapter 3 as COLLOQUIAL ADJUNCTS are those numerous and very characteristic items of colloquial language which may be *added* to both standard and non-standard sentences to fulfil various important dialogue functions. The remainder of the material consists of colloquial variants of structural components of standard sentences. The variation is of three types: ellipsis (omission), alternative forms and replacement forms. Many of these variations affect the central feature of the sentence, the VERB, and Chapter 4 is therefore devoted entirely to the numerous colloquial variations in verb forms and uses. Finally, in Chapter 5 are listed other colloquial variants for, or equivalents of, other standard structural items (e. g. pronouns, negatives, intensifiers, noun phrases and adverbial elements).

The fact that there are standard Spanish alternatives not only for the colloquial sentence components listed in Chapters 4 and 5 but also for many of the sentence units and patterns described in the first three chapters merely reinforces the basic assumption that these colloquial phenomena represent 'stylistic' choices or variants (however spontaneous or unpredictable they may be) with which non-native students of Spanish should be familiarized if they are to be expected to develop a sound understanding of the real meaning of colloquial Spanish.

Because my approach to the classification was based on a study not only of the form but also of the possible dialogue purposes (conscious or unconscious) dictating the use of some of these forms, the results, as I have suggested, may contain some wrong assumptions or impressions on my part, but this, though regrettable, should not be too important since the purpose of the textbook is to facilitate the comprehension of colloquial Spanish, and, after presenting the salient features (in what I hope is a palatable and clear form) and sample translations into English, I leave the rest to the reader. By careful observation and translation of the examples presented, and of others like them, (s)he should be able to acquire a more systematic, accurate and permanent understanding of colloquial usage than is usually achieved by relying *solely* on help from the dictionary or from the specialized notes of an edited literary text. Moreover, it is to be hoped that the observant and interested reader will gain from the study of the many examples offered not only a better understanding of colloquial structures but also an increase in his/her *passive* vocabulary, some experience of common but not generally recommended usage (e. g. the constant popular Peninsular use of *la* for *le*; the preterite ending *-stes* for *-ste*: *oístes, fuistes*, etc.; the pronunciation of participles ending in *-ado* and *-ido* as *-ao* and *-ío*), as well as many further insights into the cultural content of the Spanish language.

As an examination of the various structures and elements described in this textbook will make obvious, a very wide range of emotional, social and geographical colloquial usage has been covered, so that the result is not the exhaustive description of any particular social or geographical style of usage (although, because of my own background and because of the preponderance of examples from Peninsular literature, there is an inevitable strong bias toward Castilian Spanish). What I hope IS selectively represented here are those features of colloquial usage most likely to be met by students (particularly in their reading of twentieth century Castilian and Spanish American literature).

If readers are constantly aware of the heterogeneous nature of the contents of the book —which can be checked, where necessary, by careful reference to the Bibliography of literary sources— they are more likely to be guided by their own observations and linguistic discrimination in arriving at a decision on the most appropriate meaning of a given colloquial sentence or component in a given situation. To further aid readers to sharpen these necessary abilities, I have offered suggested (but by no means rigid) translations only where I felt them to be indispensable. To this end also, supplementary examples for study and translation (and, possibly, for linguistic analysis and the study of cultural content) have been included as a *basic* part of each of the descriptive chapters. For those requiring it (for example, for revision, consolidation, self-testing, or more demanding translation practice), there is a further chapter (Chapter 6) consisting of four exercises of miscellaneous examples, many of which contain a mixture of characteristics dealt with in different parts of this book.

The basic terminology used in this textbook is that of traditional and structural grammar. Where I have been obliged to borrow, adapt or invent terms for the purpose of description and classification, I have tried to keep them simple and self-explanatory since it was not my aim to blind the reader with science but to state the facts in a comprehensible way and, as far as possible, to let the examples speak for themselves.

This aim, and, indeed, the whole concept of trying to 'pin down' and label the salient facts of colloquial usage will inevitably have led me to make some over-generalizations but, for the practical purposes for which this textbook is intended, I hope that the advantages will outweigh the disadvantages. *De todos modos* (3.33.1), *a lo hecho, pecho* (1.30.2). *¡Adelante!* (1.23.1). *¡Y buena suerte!* (1.5).

Of the 174 authors from whose 297 literary works most of the examples have been taken, I have used the following (represented here, as in the text, by initials - see Bibliography, Part 2) much more frequently than the others. I am indebted to **ALL** my sources, of course, but especially to these and to the Spanish magazine *Cambio 16*.

Spain		*Latin America*	
ABV	JLR	CF	(Mex.)
AG	JM	JC	(Arg.)
AL	JMG	LS	(Mex.)
AML	JS	MB	(Uruguay)
AP	MD	MVL	(Peru)
AS	MM	RA	(Arg.)
CJC	PB	RM	(Puerto Rico)
FGP	RC	RU	(Mex.)
JAZ	RSF		
JFS	VRJ		
JLCP			
JLMV			

1

RITUAL SENTENCES

1.0 In this chapter, which poaches across the boundaries of syntax into lexicographical territory, are grouped a variety of ready-made colloquial sentences representative of the store of special ritualized syntactical and semantic units which are frequently used as responses or initiatives in dialogue situations, either alone or as parenthetical additions to other sentences. Examples have been selected either because they are used as complete units in predictable situations (e.g. courtesy sentences) and/or because aspects of their syntax or meaning are different from those of standard or 'literal' sentences. (It should be noted that where the term 'response' is used, it implies a reaction to a preceding sentence, whether by a second speaker or the same speaker.)

The fact that some of these ready-made sentences are derived from sentence patterns encountered elsewhere in this textbook or in standard syntax need not concern us here; for most teaching and study purposes, we should simply accept them —once we know where and why they are used— for what they are in contemporary Spanish: sentences whose ritualized meaning do not make it profitable or necessary for us to try to break them down into smaller syntactical or semantic units. In this sense, the colloquial sentences listed in this chapter, and others like them, may be regarded as idiomatic sentences which serve one or more dialogue situations or functions.

Throughout this textbook, but particularly in this chapter, both with the Spanish examples and the suggested English translations, a wide range of colloquial usage (emotional, social, and geographical) has been covered. Because of this, the reader should, as always with translation, observe the context of a sentence and exercise common sense and linguistic discrimination before deciding on the exact meaning or the closest English version for specific sentences. Perhaps these pages will help the reader to accomplish the task more systematically.

COURTESY

1.1 Of all colloquial ritual sentences, those required or available by the rules of courtesy for given situations are among the most stereotyped. In order to keep the material within manageable and useful proportions, I have tried to select (in sections 1.2-1.7) those courtesy sentences which are most frequently met or needed. Although some of them will be familiar to many readers, they are included here because they represent important aspects of colloquial Spanish and because they are not usually dealt with in detail outside the larger dictionaries.

1.2   *Greetings*

The most usual and formal are

    Buenos días.   *Buenas tardes.*   *Buenas noches.*

These, and others below, may be followed by *¿Cómo está usted?* or *¿Cómo estás?*
Also frequently heard, at least in Spain, are:

Hola, buenas or *Hola, muy buenas.*

Less formal greetings are:

Hola.
Hola, ¿qué tal?
Hola, ¿qué hay?
Hola, ¿cómo te/le va? / *¿qué es de tu vida?* / *¿qué (te) cuentas?*

Usual replies to the latter group are:

    Bien (gracias), ¿y tú? / *¿y usted?*

    —Hola, Elvira, ¿cómo le va?
    —Bien, gracias, ¿y usted?   (RMC, 15)

    —¿Qué tal?
    —Bien, gracias, ¿y usted?   (Beinhauer, 162-163)

✳ On passing someone in the street or elsewhere, *Adiós* is the required greeting. (Contrast with English *Hi!*, *Hello!*, etc., in similar circumstances.)
On the telephone, the greeting varies from area to area, but the most common forms are:

Diga. / Dígame. [*Spain*]
¿Bueno? [*Mex.*]
Hola. / Holá / Aló [*Am. Sp.*]
A ver. [*Colombia*]

Typical courtesy formulae to accompany introductions are:

Mucho gusto, señor/señora/señorita.
Tanto gusto (en conocerle/conocerlo), señor.
Tanto gusto (en conocerla), señora/señorita.
Encantado, -a (de conocerle etc.), señor, etc.

(One of these forms is normally used again when the first meeting comes to an end.)

NOTES

1. Variant greetings: *¡Cuánto bueno por aquí!* [rustic], *Buen día* [*Arg.*], *¿Qué hubo?* [*Mex.*]. The latter is often informally rendered as *¡Quihúbole!*

   Se acercan los guardias. El gitano los saluda con mucho afecto: —¡Cuánto bueno por aquí!   (IA, 334)

   —Buen día, señora.
   —¡Oh! Buen día.   (CG, *Arg.*, 1964: 56)

2. In Spain it is becoming the rule, among young people at least, to replace the formal introduction formulae with the simpler *Hola* or *Hola, ¿qué tal?*

3. The following greeting and ritual reply is religious or rustic:

   —Ave María Purísima.
   —Sin pecado concebida.

4. In popular or rustic language, another polite reply on being introduced to someone is *Por/Para muchos años* [*Pleased to meet you, I'm sure.*]:

   En la calle, señalando a los pequeños, Joaquín dijo al hombre:
   —Es mi familia.
   —Pa [=*Para*] muchos años —contestó el hombre, sacándose la gorra de la cabeza—. Me llamo Celestino...   (ALS, 60)

1.3   *Farewells*

Hasta luego   *Hasta pronto.*
Hasta lueguito. [*Am. Sp.*]   *Hasta la vista.*
Hasta mañana (si Dios quiere).   *Hasta ahora.*

Adiós [more formal and sometimes more final].

The Italian *ciao*, usually hispanicised in print to *chau* or *chao* is in very common informal use nowadays, especially in American Spanish, where it may also be converted into *Chaucito*.

> —Bueno, chao, chinita.   (SE, 19)
>
> —... chaucito, hermana.   (MVL, 1973: 72)

NOTES

1. The forms *Vaya (usted) con Dios, Abur* [from Basque *Agur*], *Hasta más ver* and *Hasta siempre* are in much less general use:

> —Me voy a comer. Abur.
> —¡Hasta luego...!   (ABV, 1963: 33)

2. On taking leave of someone, whether in person or by letter, or on the telephone, one's respects or best wishes to the other person's wife, husband, etc., are presented by the formula *Recuerdos a su (esposa,* etc.).

3. Other ritual ways of signalling the desire to end a conversation are *En fin...* and *Lo dicho.*

> —Bueno, adiós —dijo el *Tenazas*—. Lo dicho.
> —Hasta más ver.   (JMCB, 226)

[See also 1.5 and 3.33.]

1.4   *Requests*

The usual polite ways of framing requests in Spanish involve the use of a question form, often introduced by the verbs *querer* and *poder*:

> *¿Quiere abrir(me) la ventana?*
> *¿Me puedes decir dónde vive?*
> *¿Podría usted decirme su nombre?*

22

¿Me pone un café (por favor)?
¿Nos trae la cuenta (por favor)?

Por favor is less frequent than *please*. Some alternatives are:

¿Me hace(s) el favor de...?
Haz(me) el favor de...   } + infinitive.
Haga/Hágame el favor de...

... si me hace el favor.
... haz el favor.

¿Sería usted tan amable de...? } + infinitive.
Si usted fuera tan amable de...

Ritual requests for directions are of the following types:

¿Me puede dirigir a la oficina de Correos?
¿Para (ir a) Zaragoza, por favor?
¿(Para) La calle Cervantes, por favor?
Disculpe, ¿la calle San Martín?   (Frida Weber de Kurlat, 159).

To attract someone's attention [*Excuse me*]:

Oiga (por favor).   [See also 1.22.6]

To obtain a repetition:

¿Cómo?
¿Cómo dice (usted)?
¿Mande?   [less frequent but esp. *Mex.*]

Other requests:

Con (su) permiso.   [*Excuse me.* i. e. before leaving]
(In some parts of Latin America, a reply may be offered
  ritually: *Es suyo; Propio; Usted lo tiene.*)

¿Me permite?   [*May I?*]
(Used as a request when the speaker wishes to do something
  on behalf of the listener or to see something that the
  latter has.)

¿Se puede?   [*May I come in?* Also: *May I see it/them?*]
(Answered, in the first meaning, by *Pase* or *Adelante.*)

There are more of these courtesy formulae in common use in Spanish than in English. The most common are:

Que te diviertas. / *Que se divierta(n)*.	*Have a good time*.
Que te vaya bien. / *Que le/les vaya bien*.	*Good luck*.
(Buena) *Suerte*.	
¡Suerte y al toro!	*Good luck and get on with it*.
Buenas noches, que descanses.	
Buenas noches, que (usted/ustedes) descanse(n).	
Hasta mañana, que (usted) descanse.	*Good night*.
Hasta mañana, si Dios quiere, que usted descanse.	

Que te mejores.	
Que se mejore.	*(I hope you) Get better soon.*

Enhorabuena.	
Felicitaciones.	*Congratulations.*

¡Bravo!	*Well done!* [especially at public spectacles,
¡Olé!	like sporting events and the theatre].

Feliz Navidad.	*Merry Christmas.*

Felices Navidades.	*Merry Chrismas* or
Felices Pascuas.	*Happy Easter.*

Feliz Año Nuevo.	*Happy New Year.*
Feliz cumpleaños.	*Happy birthday.*
Feliz santo.	*Happy Saint's day.*

Muchas felicidades.	*Happy birthday*, etc.
	Congratulations.

Que aproveche.	[Said when witnessing people eating or about
Buen provecho.	to eat.]

(The full 'ritual' is for the 'eaters' to offer to share the food with the onlooker by asking him *¿Usted gusta?* and for the latter to decline politely with *Gracias, que aproveche*. Note the negative sense of *Gracias* in this answer to an offer.)

¡Jesús!	[Said to someone who sneezes. (cf. *Bless you!* and *Gesundheit!*)]

Le/La acompaño en el sentimiento.
Reciba usted mi más sincero pésame.
Mi más sincero pésame.
Mi más sincera condolencia.
\} *My condolences.*

Que en paz descanse.
Que en gloria esté.
Que Dios lo/la tenga en la/su gloria.
\} [These and similar ritual sentences are uttered (often as parentheses) when a dead person known to the speaker is referred to.]

NOTE

The drinking toasts *A tu/su salud, Salud y pesetas, Salud y pesetas y tiempo para gastarlas* do not seem to be at all as frequent or as automatic in Spain —unless prompted by the foreigner— as the English equivalents (*Cheers!, Your health!, Chin chin!*, etc.).

1.6   *Apologies*

Lo siento (mucho).   *I'm (very) sorry.*

Perdón.
Perdóname.
Perdóneme.
Discúlpame.
Discúlpeme.
Usted dispense.
Dispénseme usted.
\} *Sorry.* Also *Excuse me* when interrupting a conversation.

Con (su) permiso.   *Excuse me* [before leaving others or when moving in front of someone].

1.7   *Polite Replies*

1.7.1   General:

Gracias.
Muchas gracias.

(Note that *Gracias* may be used either to accept **OR** to turn down an offer. Therefore, context and tone may be of importance in interpreting the meaning.]

More formal:

(Gracias.) Muy amable.
Muy agradecido, -a.
Dios se lo pague. [Normally reserved for very formal use, particularly by someone who accepts charity, a donation or a favour, e. g. a beggar or a member of a religious order]:

> —Siéntese, hermanita. Siéntese.
> —Dios se lo pague. Muchas gracias.   (MM, 1967: 204)

At the end of a telephone call:

Gracias por llamar, *(¿eh?).*

In reply to wishes (where appropriate):

Gracias, igualmente.
Lo mismo (le) digo.
Y usted que lo vea. [More deferential or jocular]:

> —¡Que sea verdad!
> —Y usted que lo vea.   (CJC, 1961: 93)

NOTES

1. The phrase *y gracias* may also be used in a response to indicate *and that's quite enough, (thank you)!*:

   > —¿Cuántos nietos tienes ya, Manuel?
   > —Dos y gracias, Lotario.   (FGP, 1981: 23)

2. Both *Mande* and *Mándeme* [see also 1.4] are deferential signals of recognition that one has been called or asked to do something, especially by a superior. [English: *Yes, sir.*]

   > —¡Romualdo!
   > —Mándeme el señor.
   > —¿Quién era?   (JCS, 1962: 83)

   In military language, *¡A la orden!* or *¡A sus órdenes!* are the ritual forms of obedience and assent. They are usually followed by *mi* plus the rank of the superior addressed:

   > —¡Martí!
   > —A la orden, mi capitán.   (JBE, 171)

26

1.7.2 To dismiss apologies or thanks:

De nada.
Nada, hombre/mujer.
No es nada.
No faltaba más.   [see 1.13]
No hay de qué.
A mandar.   [*At your service.*]

—¡Y muchas gracias!
—De nada. ¡A mandar!   (JMB, 387)

—Gracias, Paco. Gracias por todo.
—No hay de qué, hombre.   (AS, 1967*a*: 549)

1.7.3 In positive answers to requests:

Con mucho gusto.
No faltaba más.⎱
No faltaría más.⎰   [see 1.9]
¡Cómo no!   [*esp. Am. Sp.*]
De/Con mil amores.

—Abre.
—No faltaba más. Un momentico.   (FGP, 1981: 149)

—Dora, hazme el favor de traerme mis cigarros...
—Con mucho gusto.   (LJH, 454)

NOTE

To decline a request for charity (e. g. by a beggar), *Dios le/la ampare (hermano/hermana)* is used.

1.7.4 In answer to invitation questions headed by *¿Cómo?, ¿Cuándo?,* or *¿Dónde?,* a deferential reply is *Como/Cuando/Donde quiera(s).*

1.7.5 Invitations to the listener to go ahead with a matter he has expressed a wish to bring up or appears to want to discuss are indicated by the expressions *Tú dirás* and *Usted dirá.* In English: *Well? I'm listening, Go ahead, OK, Fire away, It's up to you, Whatever you say,* etc.

—Discúlpenos... Queríamos preguntarle algunas cosas...
—Usted dirá.
—¿Es realmente tan grave esa enfermedad?   (ABV, 1969: 57)

—Ven a sentarte.
—Como gustes. Tú dirás...
—Supongo que ya te habrá dicho tu mamá.
—Sí, todo absolutamente.   (CG, Mex., 85)

AFFIRMATIVE RESPONSES AND REINFORCEMENTS

1.8 Such responses indicate agreement, confirmation or acceptance, for they may be added as reinforcements of other affirmative responses. The following English samples may help to illustrate how wide the range of meaning is:

Yes.	*OK / Okay.*	*Yeah. / Yep.*
Of course.	*Sure.*	*You're telling me!*
Naturally.	*Fine.*	*You said it!*
By all means.	*Certainly.*	*You can say that again!*
Rather.	*(All) Right.*	*Not half!*
Quite.	*Right you are.*	*You bet. / You betcha!*
Quite so.	***Rightio!***	*I'll say!*
Absolutely.	*Very well.*	*That's for sure!*
That's it.	*ᶠair enough.*	*Sure enough!*
That's the trouble.	*Exactly.*	*My word!*

NOTE

For affirmative sentence patterns and formulae, see 2.10.

1.9   *Basic Spanish Responses*

Sí.	*De acuerdo.*
Claro.	*Conforme.*
Claro que sí.	*Con mucho gusto.*
Y claro. [Arg.]	*¡Ya lo creo!*
Naturalmente.	*¡Cómo no!* [*esp. Am. Sp.*]
Desde luego.	*¡Por Dios!*
Desde ya. [Arg.]	*¡No faltaba más!* ⎫
Por supuesto.	*¡No faltaría más!* ⎬ [see also 1.7, 1.13 and 1.26]
Lógico.	*Sin duda (alguna).*
Bueno.	*¿Qué duda cabe?*
(Está) Bien.	*No cabe duda.*
Estupendo.	
Regio.	
Perfecto.	
Perfectamente.	
Exacto.	
Exactamente.	
Precisamente.	

En efecto ⎫
Efectivamente. ⎬ [also to confirm: e. g. *Yes, he does; Yes, they can.*]

—Yo misma reconozco que el encuentro me dejó un poco atontada, lógico, después de tanto tiempo.   (MD, 1967: 123)

—Es preciso que usted y yo seamos buenos amigos... ¿Quieres que nos hablemos de tú?
—Bueno.   (MM, 1967: 63)

—Lo esperaré.
—Perfectamente.   (AS, 1967a: 899)

—No, por favor, yo no sirvo como ejemplo. Hablemos de usted, mejor.
—Está bien, acepto.   (RMC, 46)

—¿Quieres que te lleve al cine?
—¡Ya lo creo!

—Pues ya somos amigos, ¿no es así?
—Cómo no, pues, señor...   (ABG, 315)

—Me darás algo, entonces, ¿verdad, abuelo?
—¡No faltaba más!   (JAZ, 1972: 935)

—Y usted, pronto se irá también, según nos dijo.
—En efecto. Dentro de una semana.   (MM, 1967: 311)

NOTE

See also 1.7.1 Note 2.

1.10   *More informal or emotional responses*

Ya (ya).
¡A ver! [see also 1.23.2]
¡Eso!
¡Eso sí!
¡Y tanto!
Vale. [Spain]
(Así) Como lo/me oye(s).
(Así) Como lo oye (usted).
(Y) a mucha honra. [= *Yes, and proud of it, too!*]
(De) Toda la vida. [Arg.]
De/Con mil amores.

With *decir:*
¡Digo!
¡Y que lo digas!
¡Y que lo diga usted!
¡Di (tú) que sí!
¡Diga usted que sí!
¿A mí me lo vas a decir?
¡Me lo vas a decir a mí!
¡Dímelo a mí!
¡Ni que decir tiene!

Ahí está.
Ahí está la madre del cordero.   }   *That's it.*
Ahí está el busilis.   *That's the trouble.*
Ahí le duele.

With *saber:*
¡Si lo sabré yo!
¡Si lo sabría él! [in reported
    speech or thought]
¡No voy a saberlo!
¡No lo sabes bien!
¡No lo sabe usted bien!
¡No quiera usted saber!

—¿Sabes que no te admiten?
—Ya.   (Seco, 350)

—Muy aprovechado me pareces tú a mí.
—A ver.
—Y encima lo dice. Qué fresco.   (FU, 1966: 22)

—¡Qué calor, hijo!
—Y tanto...   (JMCB, 28)

—Cada uno es como es.
—Eso sí, desde luego.   (ABV, 1964: 102)

—Vendré a buscarte sobre las cinco.
—Vale.

—... anoche, cuando estábamos cenando, el oficialito Manríquez le
   dio un beso a Candelaria.
—¡Hombre!, ¿de veras?
—Como usted lo oye.   (ABG, 183)

—... la señora y doña Teresa merendarán con nosotros.
—De mil amores, hija mía.   (RRB, 59)

—En cuanto a manera de vivir... ustedes se parecen mucho a Fran-
   cia, claro.
—A mucha honra.   (JMG, 1961 *a*: 93)

—Es lamentable ser analfabeto...
—Si lo sabré yo.   (CR, 88)

—¡Ay, Braulio, qué acierto fue casarnos!
—Y que lo digas.   (MS, 1968: 319)

—Una noche así lo compensa todo.
—Di que sí.   (AG, 1964: 58)

Said with a sarcastic tone, _Ya, ya_ may indicate disbelief or rejection similar to English _Oh yeah?_ or _Huh!_

—Papá me ha dicho que me puedo llevar el coche.
—Ya, ya.

NEGATIVE RESPONSES AND REINFORCEMENTS

1.11 Negative responses may indicate a very wide range of refusal, rejection, non-acceptance and disbelief. The following English samples give an idea of this range.

_No._	_Not likely!_	_Go on with you!_
Not at all.	_Nothing doing!_	_Get away with you!_
Of course not.	_No fear!_	_Come off it!_
Certainly not!	_Huh!_	_That's what you think!_
Heaven forbid!	_Nonsense!_	_You must be joking!_
Anything but!	_Rubbish!_	_Tell it to the marines!_
Far from it!	_Tripe!_	_You'll be lucky!_
Not by a long way!	_My foot!_	
Not by a long chalk/shot!		
Not a chance/hope!		

1.12   _Basic Spanish Responses_

_No._	_De ninguna manera._
Claro que no.	_De ningún modo._
En absoluto.	_Eso sí que no._

—Si desea usted hacerme alguna sugerencia...
—¡En absoluto!   (JFDS, 18)

—El aire del mar, las distracciones de la ciudad, le harán mucho bien.
—No, eso sí que no. A éste no me lo llevas ni por pocas semanas.   (EB, 262)

—¿Quiere pedir a todos los vecinos... que perdonen a doña Balbina...?
—¡De ninguna manera!   (ABV, 1964: 136)

—Voy a llamarla...
—¡No, de ningún modo!   (MU, 1956: 52)

Nada.
Nada de eso.
De eso, nada.
Ni mucho menos.
¡Qué va!
¡Ca!
¡Quia! / ¡Quiá!
¡Narices!
¡Naranjas (chinas/de la China)!
¡Ni hablar!
¡Ni pensarlo!
¡Ni soñarlo!
¡Ni por asomo!
¡Ni por pienso!
¡Ni en sueños!
¡Ni por ensoñación!
¡Ni por un remedio!
¡Ni por ésas!
¡Ni a tiros!

¡Dios me libre!
¡Líbreme Dios!
¡(Vamos) Anda/Ande (ya)
   [see 1.22]
¡Venga (ya)!
¡No faltaba más! [see also 1.7.2,
   1.7.3, 1.9 and 1.26]
¡Quita (allá/de allí)!
¡Quite usted (allá/de allí)!
¡Vaya usted a hacer gárgaras!
¡Que te crees tú eso!
¡No crea(s)!
¡Eso se lo contarás a tu abuela!
¡A otro perro con ese hueso!
¡Está(s) listo! ⎫
¡Estaría bueno! ⎬ [see 2.15]
¡Tu madre! [*vulgar*]
¡(Pero) Que si quieres (arroz, Ca-
   talina)!
¡Y un jamón(cito) (serrano/cura-
   do)!

—Pero considere usted...
—¡Nada, nada! Si insiste usted, se lo diré a la señora **marquesa**.
(Ramsey, 212)

—¿Se queja de que lo hago trabajar mucho?
—No. Nada de eso.   (SV, 14)

—¿Y qué estudia? ¿Idiomas?
—No. De eso, nada.   (MM, 1967: 304-305)

—¿Tú crees que hará lo que dice?
—¡Qué va!

—¿Difícil hablar de Federico Robles? ¡Qué va!   (CF, 1958: 170)

—¿Pero no se cansa usted de hablar?
—¡Ca!, al revés, me encuentro mucho mejor.   (Seco, 196)

—¿Vienes conmigo?
—¡Ni hablar!   (Beinhauer, 207)

—Aguarda un poco y te acompaño.
—Ni hablar.

—Debe ser tarde... Me tengo que ir.
—Ni pensarlo. Tome usted otro vasito.   (AG, 1964: 49)

—¿Qué se creía usted? ¿Que yo era un analfabeto?
—No, no, Dios me libre. ¡Yo no creía nada!   (CJC, 1971: 547)

—Déjame mil pesetas. Te pagaré mañana.
—¡Venga ya!
... *Come off it!*

—Siéntese, si me hace el favor.
—Después de usted.
—No faltaba más.
—Entonces permaneceré en pie.   (MAU, 162)

—¿Usted no va a la fiesta esta noche...?
—¿Yo? ¿A ese precio? ¡Quite usted! Ni siquiera tengo ropa para
  eso.   (JLR, 1960: 29)

—Ya le conocéis... Tiene sus manías. Es de otra generación.
—¡Que te crees tú eso! ¿Cuántos años piensas que tiene Emilio?
                                                    (JGH, 41)

—Tú vives bien.
—No creas, regular nada más.   (JLCP, 113)

El otro le alarga el cigarrillo y le da lumbre.
—¿Y de trabajo? [¿qué tal?]
—¡Que si quieres!   (JAM, 62)
'What about work? / Any work?'
'Not a sausage!'

—¡Serás mía! ¡Mía!
—¡Y un jamón!   (M. Seco, 1970: 404)

NOTES

1. The ritual responses *¡Qué va!*, *¡Quia!*, *¡Quiá!* and *¡Ca!* are derived
   from the response patterns *¿Qué va a +* infinitive? and *¿Qué ha
   de +* infinitive? See 2.11.2 and 2.22.

2. Since *No faltaba más* may be used as an affirmative *or* a negative
   response, tone and context are vital to comprehension and translation.

3. The ritual formula *¡Qué más quisiera (yo/él*, etc.)!*, meaning *I wish
   I could* (etc.) also implies a negative response *(I'm afraid not / Not
   exactly.)*:

   —¿Qué?, señor Paco, ¿satisfecho?
   —Qué más quisiera yo, chaval.   (LO, 1968: 31)

RESPONSES INDICATING INDIFFERENCE AND RESIGNATION

1.14 English Samples:

I don't care.	*He's made his bed, now let him lie in it.*
I couldn't care less.	*Too bad (for him, etc.).*
Who cares?	*That's his (etc.) affair/bad luck/funeral.*
What does it matter?	*Hard luck!*
It's no skin off my nose.	*Bad luck (mate)!*
So what?	
What will be, will be.	

1.15   *Verbal Responses*

¿Qué (me) importa?	*¡Que se fastidie!*
Es igual.	*¡Con su pan se lo coma!*
(Me) Da igual.	*¡Ahí me las den todas!*
(Me) Da lo mismo.	*¡Allá se las componga/haya!*
Lo mismo (me) da.	*¡Tal día hará en un año!*
¿Qué más (me/te, etc.) da?	*Lo que es por mí...* [see 3.19.3]
¿Qué (se) le va(mos) a hacer?	
Lo que sea sonará.	
Así sea.	
¡Todo sea por Dios!	

—¿Quién ganará la guerra?
—¿A ti qué más te da?   (CJC, 1963: 216)

—Hoy, ¿qué día es?... ¿Qué día? Lunes, martes, ¿cuál?
—Lo mismo da.   (LS, 1973: 50)

—Pero si lo matan...
—Qué le vamos a hacer. De algo tenemos que morir todos.
                                          (ECC, 1969: 202)

—Pero si ella prefirió la muerte que [= a] su enorme tórax y su pelo
   rojo, con su pan se lo comiera.   (MD, 1963: 113)

NOTE

The response *Es usted muy dueño* (and the sentence pattern *Es usted muy dueño de* + infinitive) may indicate either a positive response or one of indifference. English: *You can if you like* or *You are perfectly entitled to* (plus verb):

—¿Me permite usted que fume?
—Es usted muy dueño.   (Beinhauer, 143)

Por mí...   *Allá él/ella/el portero,* etc.
A mí, plin.   *Peor para él/ella,* etc.
Por mí, plin.   *Y (a mí/eso) ¿qué?*
                              ¡De tal día en un año!

... que ella crea lo que quiera; a mí, plin...   (MD, 1967: 67)

—¿La gente no dirá que estás loca?
—Peor para ellos.   (SO, 6)

—¿Se van?
—Alicia no está bien. Por mí..., ya sabes.   (RMC, 75)

—Juan dice que no quiere ir.
—Allá él.

—Mi novia no puede ir al baile.
—¿Y qué?

—Ya me haré rico alguna vez, si puedo, y si no, pues, mire..., ¡de tal día en un año!   (CJC, 1961: 121)

RITUAL EQUIVALENTS OF *No lo sé*

1.17

¡Qué sé yo!   *How do I know?*
¡(Y) Yo qué sé!   *How would/should I know?*
¡Cualquiera (lo) sabe!   *Who knows?*
¡Vete (tú) a saber(lo)!   *Search me.*
¡Váyase usted a saber(lo)!   *I haven't got a clue.*
                            I wouldn't have a clue.

—¿Y a dónde van?
—Qué sé yo, déjame ahora —dijo la madre...   (JLP, 302)

—¿Cómo es posible que trabajase de lavaplatos en un cabaret?
—¡Y yo qué sé!   (MM, 1967: 265)

—¿Cuándo te casas?
—Cualquiera sabe.   (JFS, 1967: 79)

—Y vete a saber dónde irían a parar estas joyas.   (JAZ, 1973: 296)
Who knows where those jewels may have ended up.

OTHER RITUALIZED EXCLAMATIONS

1.18 In colloquial language, ritualized exclamatory sentences (including those already described in this chapter) are not only frequent and extremely varied but also, for the foreign learner of the language, difficult to understand accurately, partly because of their peculiar structure and semantic content, partly because they need to be heard in context and with appropriate intonation, and also partly because they do not necessarily have a single obvious equivalent in the learner's native language. For these reasons, and also because such exclamations cover a wide range of emotional reactions, it is virtually impossible to submit them to a rigorous classification However, some ritualized exclamations are so common or so varied in use (or both) that the student must be given some guidance on how to interpret them, especially if, left to his/her own resources, (s)he is not to fall into the trap of translating them literally. Consequently, the following attempt at a basic learning and reference classification has been undertaken with the aim of grouping the most common ritualized exclamations, mainly according to the feeling or attitude expressed, and the situations in which they are used, but also according to their form, where this seemed to be of particular use.

Although translation suggestions are offered, the reader must remember that, with these idiosyncratic sentence types, context (in the widest sense) and intonation, which cannot be adequately rendered in a work of this sort, may be of vital importance for the correct interpretation of the exclamations. In spite of these practical obstacles, it is hoped that what follows in sections 1.19-1.29 will at least provide a short cut to a basic understanding (and to better translation) of a large number of relatively common ritualized exclamations. (As with preceding ritual sentences, the exclamations may occur alone as separate sentences or as parenthetical additions to other sentences.)

1.19   *Forms of Address*

In addition to the use of names and titles (e. g. *Juan, María, señor*) as calls and forms of address, frequent use is made in colloquial Spanish of the terms *hombre, mujer, hijo, -a (mío/mía)/(de mi vida/ alma), chico, -a, chiquillo, -a, amigo (mío)* and *mano/manito* [Mex.]. Of these forms the following observations may be made:

   a)   *hijo* and *hija* are by no means limited to their literal (family relationship) meanings;
   b)   the terms do not usually translate literally into English and they may have to be omitted in translation, although often *well* (in various tones) may be enough;

36

c) the terms may be used alone as exclamatory sentences, or as adjuncts (see Chapter 3), to express surprise (pleasant and unpleasant), indignation, remonstration, emphasis, or hesitation. In the latter two functions they are similar to the adjuncts described in sections 3.12-3.13;

d) the most frequent and versatile of the series is *hombre*, which may be addressed to females as well as males. It may be followed by the Christian name of the person addressed;

e) occasionally, in remonstrations, the epithet *de Dios* is added to *hombre, mujer, hijo* and *hija*.

—¿Me puedes ayudar?
—Sí, hombre/mujer, hijo/hija.
Yes, of course. / Yes, dear.

—¡Hombre, un camarero!　(Beinhauer, 39)
Well, well, a waiter (at last)!

—Quiero decir si eres mi amigo de verdad.
—Hombre, yo creo que lo soy; pero eso quien tiene que decírmelo eres tú.　(JLCP, 211)

—Pero, hombre de Dios, ¿no ves que eso es imposible?

—¿Quién nos dice que no trae una bomba escondida?
—¡Mujer!　(JLR, 1960: 105)
Really!

—¿Qué te ha parecido?
—Hombre... —alcé los hombros—. Es una chica de ciudad.　(JGH, 17)
Well..., she's a city girl.

—¿Te encuentras verdaderamente bien?
—Hombre ..., bien... todo lo bien que yo puedo estar ya.
　　　　　　　　　　　　　　　　　　　　　　　　(DS, 1961: 26)
Oh, as well as I can expect to be at my age.

NOTES

1. *Niño, niña, señor* and *señora* are also used to express or emphasize indignation or remonstration:

　　—Pero, niño, ¿qué has hecho?
　　What on earth have you done?

2. In familiar American Spanish, *mi* often precedes *hijo* and *hijas*:

　　—Sí, mi hijo.
　　—Mi hijito, ahora quiero pedirle un favor.　(GCI, 1971: 186)

The wide range of these exclamatory calls and parentheses, varying not only from period to period but also according to region, social class and style of speech, and including relevant vulgar and taboo terms, can only properly be dealt with in the fullest type of dictionary. However, since endearments and insults, along with imperatives and *¡Qué!/¡Cuánto!/¡Cómo!* exclamation patterns [see 2.1-2.4], are among the most characteristic features of colloquial Spanish, they deserve at least token mention here. Some common general examples are:

Endearments: [= *darling, (my) love, dear,* etc.]

     mi vida, mi alma, mi amor, amor (mío), tesoro, cariño, cielo, cielito (mío), corazón, prenda, mi negro/viejo [*Am. Sp.*], mi negra/vieja [*Am. Sp.*].

Insults: [= *you fool, idiot, nitwit, twit, pig, swine,* etc.]

     tonto, idiota, imbécil, granuja, desgraciado, burro, cochino, sinvergüenza, animal, fiera, bestia, hijo de puta [*vulgar: son of a bitch/whore*].

NOTES

1. For exclamatory expletives, see 1.28.

2. For expletive intensifiers, see 3.10.

1.21   *Basic Interjections*

The use of special words with no other function or lexical meaning apart from the expression of basic emotional responses and indications to the listener is another obvious characteristic of colloquial language. Below are offered many of these basic interjections. Possible translations in terms of English interjections are also offered after some of the forms, but it should be noted that such translations will not be appropriate in all contexts and that other interjections or other exclamatory forms like *Oh dear!, Gosh!, Good heavens!, Good Lord!, Come on!,* etc., may be needed according to both context and tone of voice.

[see next p.]

¡achís! / *¡atchís!* [= sneezing:
     atishoo!]

¡ah! [= *oh!*]

¡ajá! [= *aha!*]

¡ajajá!

¡ala! / *¡ale!* [= *Come on!*]

¡alá! [= *Hey!* / *Wow!*]

¡arre! [= *Gee up!*]

¡aúpa! / *¡aupa!* [= *Upsadaisy!*/
     Up we come!]

¡ay! [= *Ouch!* / *Oh!* / *Oh dear!*]

¡bah! [= *Huh!*]

¡chist! / *¡chitón!* [= *Sh!*]

¡ea! [= *Come on!*]

¡epa! [*Am. Sp.*] [= *Come on!* /
     Hello!]

¡hala! / *¡hale!* [= *Come on!*]

¡huy! [= *Huh!*/*oh!*]

¡ja, ja, ja!
¡je, je, je!   } [laughter: *Ha, ha, ha!*,
¡ji, ji, ji!   *Ho, ho, ho!*, etc.]

¡jo! [= *Wow;* see 1.28 Note 2]

¡oh!

¡olé! [= *Hooray!*/*Well done!*]

¡pchs!
¡psh(e)!
¡psché! } [= *Huh!*/*Bah!*]
¡pschs!
¡psé!

¡puaf! [= *Phew!*]

¡pucha! [*Am. Sp.*] [= *Wow!*/
                Gosh!]

¡so! [= *Whoa!*]

¡uf! [= *Phew*]

¡upa! [= *Upsadaisy!*/*Up we*
     come/go!]

¡uy! [= *Huh!*/*Oh!*]

¡zape! [= *Shoo!* - to cats]

—El señor se ha despertado.
—¿Ah, sí?   (JCS, 1962: 51)
Oh, really?

—¡Ay, Julio, ay, ay! ¡Ay, qué daño me haces!
                        (Sara Suárez Solís, 151)

—¡Ay, mi mamita! ¡Ay!, ¿qué le habrá pasado? ¡Ay, Dios mío!
                        (Sara Suárez Solís, 151)

—¡Chitón, que viene Federico!   (MS, 1968: 514)

—¿Qué quieres, que cojamos las maletas y nos vayamos ahora
   mismo? Pues hale, hale, por mí estoy dispuesto) (RRB, 35)
Right, come on then, I'm ready.

—Usted me entiende...
—¡Huy, hija! ¡De sobra! (JLR, 1969a: 475)
Oh, only too well!

—He ganado mil pesetas hoy, mamá.
—¡Olé mi niño!
That's my boy! / Good for you!

—¿Te ha gustado mucho el concierto?
—¡Pschs! Regular nada más. (Beinhauer, 99)

—Pucha, qué tipo: parece una pesadilla. (MVL, 1977: 89)

Also typical of colloquial Spanish is the use of certain interjections (usually in a narrative sequence) to express or refer to a sudden (surprising) action or noise or to recapture the surprise or other emotional effect produced suddenly in the speaker (and aimed at in the listener) by an unexpected event. English *bang!*, *click!*, *crash!*, *pow!*, *smash!*, etc., are similarly used. Among these 'noise' interjections are:

> ¡cataplún!, ¡catapún!, ¡paf!, ¡pam!, ¡pim!, ¡pum!, ¡zas!
> and ¡zis!

—Estábamos escuchando la radio y, ¡zas!, se cortó la corriente.
(Moliner, II: 1578)
We were listening to the radio when, click!, off went the power.

—... y ahora, cuando menos lo esperaba, ¡zas!, la hija de un peón caminero me saca de mis casillas.   (Beinhauer, 365)
... and now, when I'm least expecting, it, bang!, a navvy's daughter drives me crazy!

Notes

1. In Spain, the forms ¡ele! and ¡ele mi niño! [*Bravo/Good for him/you!*, etc.] may be used as variants of ¡ole! and ¡olé mi niño!

2. For ¡caramba!, ¡caray!, etc., see 1.26.2.

1.22   *Common Verbal Exclamations*

Because of their frequency and in some cases their multiple meanings, it is convenient to list under this heading a small number of verbal forms which act as ritualized exclamations.

1.22.1   ¡Anda!
                       ¡Ándale!
                       ¡Ándele!   [Mex. and Central America]

These forms may express any of the following nuances:

a) surprise or alarm (for extreme surprise: ¡andá! or ¡andáaa!):

—Dijo que te conocía.
—¡Anda!
Well, well!

—Ha llegado tu marido.
—¡Anda!
Good heavens!

40

b) encouragement, persuasion, impatience, or a request (in which case the form *¡ande!* is also used):

—Anda, vete a casa. ¿Por qué diablos te complicas la vida así?
Come on now, go home... (JM, 1970a: 97)

—¿Podemos hablar?
—Sí, sí, claro. Y ande, que nos tiene nerviosas. (JCS, 1962: 68)

—¡Ándale! Ya va siendo hora de que te levantes. (JR, 1970: 53)
Come on! It's about time you were getting up.

c) affectionate reproach or scornful or emphatic rejection (in which case *ya* may follow and *vamos* may precede - see 1.22.3 Note 1 and 1.13):

—Me da un poco de miedo.
—¿De mí?
—Anda ya, tonto. De esto. (AG, 1964: 33)
Don't be stupid! / Get away with you!

—Y ella, ¿lo sabe?
—¡Anda, ésta, que si lo sabe! Como si esas cosas no se supieran.
(DM, 1967: 37)
Huh! Just listen to her, will you? As if these things weren't common knowledge.

NOTES

1. For other uses of *anda*, see 2.7.1, 2.10.2 and 2.14.

2. The strong exclamation *¡Anda ya y que te/le*, etc., *zurzan!* is equivalent to *To hell with you/him*, etc.!

—Don Emilio es amigo mío... A un amigo mío no te consiento que...
—¡Anda, y que te zurzan... a ti y a tus amigos! (DS, 1965: 161)

1.22.2 *¡Vaya!*

This exclamation may express a wide range of feelings: surprise, regret, sarcasm, annoyance and impatience. (English *Well!, Well, well!, There now!, Oh dear!, Damn!*) It may also be used as an absent-minded expression of relief, as a mechanical reply *(Well, well!)*, or as a vague answer to a question *(So so)*.

—Tú no harás nada.
—¡Vaya! Mi padre me dirige la palabra por fin. (ABV, 1969: 27)
Well! Well!...

—¡Vaya! Se me han roto las gafas. (Moliner, II: 170)
Damn! My glasses have broken.

—La revolución es... Vaya: es algo que no puede explicarse, que hay que sentir. (LS, 1973: 56)

—Hemos llegado.
Suspiró Alba:
—Vaya. Menos mal. Gracias a Dios.   (AMA, 29)

—¿Qué tal tu mujer?
—¡Vaya!   (JFS, 1967: 26)

NOTES

1. *¡Vaya por Dios!* also expresses annoyance, surprise, or regret:

—Don José María está enfermo.
—Vaya por Dios. Supongo que no tendrá nada grave.   (JGH, 165)
Oh dear...

2. For other uses of *vaya* as the nucleus of a colloquial sentence pattern, see 2.2.3, 2.6.1 and 2.10.2.

1.22.3   *¡Vamos!*

¡Vamos! is widely used to express encouragement, impatience, entreaty, rejection, remonstration, indignation, reproach, or mockery. (English: *Come on!, Come come!, Steady on!, Hey!, Well!, Really!, Huh!*) It can also precede or follow a comment or an expansion with the meanings ... *that is, in fact* or *at least.*

—¡Vamos, que cierro! ¡Salgan de una vez!   (ABV, 1964: 49)
Come on! I'm closing up. Go!

—Vamos, Segundo, serénate, cálmate.   (Beinhauer, 76)

—¡Vamos, es el colmo!   (Beinhauer, 76)
Well, that's really too much!

—¡Ahora subirá mi Juan a ver si salen o no salen ustedes!...
—¡Su Juan! ¡Vamos!   (ABV, 1964: 53)
Her Juan! Huh!

Se empeñaba en pagar, hasta que llegó la cuenta, vamos.
He insisted on paying, until the bill arrived, that is/at least.

NOTES

1. In its remonstrative and dismissive uses (i. e. when equivalent to *Huh!* or *Come off it!*), *¡vamos!* may be followed by *anda* or *anda ya*, or *ya* and in popular speech it may be abbreviated to *¡amos!*

—¿No quieres que te ayude siquiera, mujer?
—¿Ayudarme? Vamos, anda. Si tú no tienes idea de lo que es trabajar.   (AML, 1965: 199)

—¿Por qué no haces tú también oposiciones?
—Eso. Y a mantenerte a ti, ¿verdad, rico? Amos, anda.   (JMRM, 139)

2. For the derived use of *vamos* as a colloquial adjunct, see 3.18.2 and 4.25.2.

1.22.4   *¡Venga!*

This invariable verbal exclamation is used to express encouragement or impatience of an imperative sort, and may convey an indication for someone to hand over or talk about something which has just been referred to. (English: *Come on!*, *Come on then!*, *Out with it!*, *Let's have it!*)

> —¡Venga, Juan! Vamos a llegar tarde.
> *Come on!... / Hurry up!...*

> —Pues ni una palabra más.
> —Sí, una palabra más.
> —Venga.   (Beinhauer, 68)
> *Out with it, then!*

> —¿Quiere usted un pitillo?
> —Bueno, venga. Gracias.   (Beinhauer, 68)
> *... OK, hand it over, Thanks.*

NOTES

1. As an extension of this use, the form *venga* and the noun denoting the object required may be run together to form an imperative sentence. (English: *Give me the...*):

> *—Venga la cesta —pidió—. Iré yo.   (JRO, 444)

> —Venga esa chaqueta.   (AG, 1970: 270)

Occasionally the plural form *vengan* is used with or in reference to a plural noun:

> —Vengan esos cinco.   (Beinhauer, 362)   [= *cinco dedos*]
> *Let me shake your hand. / Put it there.*

> —¿Me das tres duros?
> —No tengo más que dos, amor mío.
> —Vengan...   (CJC, 1971: 395)

(For a different use of *vengan* + plural noun, see 4.12 Note 1).

2. For *venga (a/de)* + infinitive, see 4.12; for *venga ya* as a rejection, see 1.13; for *venga ya de* + noun, see 2.11.1 Note.

1.22.5
 　　　　　　　　　¡Y dale!
 　　　　　　　　　¡Dale que dale!
 　　　　　　　　　¡Dale que le/te pego!

These forms as pure exclamations indicate exasperation, impatience, or boredom provoked by something just mentioned or, less frequently, just done. (English: *There he goes again!, Just listen to him!, You're always going on about that!, On and on!*)

> —Vienes cuando quieras y por el tiempo que quieras, pero me devuelves los libros.
> —¡Y dale! Siempre tengo que ser yo. Los puede haber cogido tu hijo...　(ABV, 1967: 81)
> *There you go again! You're always accusing me! Your son could have taken them.*

> La costumbre de la siesta eterna, la costumbre de llevarse la vida durmiendo. Dale que dale, durmiendo por la mañana, por la tarde y por la noche.　(AGR, 200)
> *...On and on! Sleeping in the morning, in the afternoon and at night!*

NOTE

For the use of *dale que dale* as a verbal stereotype, see 4.11; for *dale con* as part of an exclamatory sentence pattern, see 2.6.1.

1.22.6　Other ritual verbal exclamations are:

¡Oye! *¡Oiga!/¡Oigan!*	Used literally as a call (*Listen!, Excuse me!*: see 1.4) but also as a rebuke (*Hey!, Watch it!, Careful!*).
¡Toma! [often pronounced as *¡To má!*] *¡Toma ya!* *¡Toma del frasco!* *¡Toma castaña!* *¡Atiza (manco)!*	To indicate surprise (*Gosh! Wow!*, etc.).
¡No me digas!	For surprise or mock surprise (*You don't say!, Really!*).
¡Acabáramos (ya)!	*Get to the point!* *Why didn't you say so?* *So that's it!*

> —¡Oye, Pepe: espera un poco!　(Moliner, II: 554)

> —Oye, ¿qué manera de hablar es esa?　(Moliner, II: 554)

—¡Oiga, señora, que se le ha caído una cosa!   (Moliner, II: 554)

—Antes que nada, ¿podría saber por qué he sido llamado?
—¡Toma!... Para que nos des tu opinión.   (JMG, 1961a: 211)

Echaron a andar.
—De modo que la Olga de veraneo. Toma del frasco.
(FGP, 1981: 119)
So (old) Olga's on her summer holidays? Well, well!

Le dice algo al oído.
—¡Atiza! ¿Quién te lo ha dicho?   (DM, 1967: 36)

—Pues ésa es una historia que tuve que inventarme.
—¡Acabáramos, hombre!... Entonces todo aquello que me contaste...
es mentira también, ¿no?   (AML, 1976: 350)

NOTES

1. Especially when added parenthetically to a sentence, *oiga/oye* may merely be a functional dialogue link with the listener (like *sabes* and English *you know*):

   —¡Qué sorpresa, oiga! No me lo esperaba.

2. *Tenga* is equivalent to *Aquí (lo) tiene (usted). (Here you are.)*

1.22.7   Sometimes a present participle may be used as a ritual imperative (see also 4.22.1). Particularly frequent with this function is *¡Andando! (On your way, then!, On your bicycle!, Let's be off!)*. The jocular epithet *que es gerundio* may sometimes be added in Spain:

   —De parte del párroco, que vaya a verle en seguida que pueda.
   —¡Andando!   (JAZ, 1972: 75)
   'The priest says you're to go and see him as soon as you can.'
   'Right, on our way, then.'

   El inspector que iba delante, junto al chófer, dijo:
   —¡Vamos! Obedeciendo.   (JLMV, 1975: 299-300)

   —Pues ya la oye. ¡Hala, estudiando, que es gerundio!   (MBU, 27)

NOTE

Notice also that in some cafés, waiters' stock shouted orders to the kitchen or to the person behind the bar contain the form *marchando*:

   —Dos cafés, ¡marchando!
   Two coffees, please! / Two coffees, coming up!

1.23.1 A number of nouns and adverbs or adverbial expressions may be used without verbal accompaniment with imperative intention and force. Some common examples:

¡Alto!	*Stop!/Halt!*
¡Silencio!	*Quiet!*
¡Cuidado!/¡Cuidadito!	*Careful!*
¡Ojo!/¡Ojito!	*Steady!*
¡Ánimo!	*Cheer up!/Bear up!/Be brave!*
¡Adelante!	*Come in!/Begin./Off you go!*
¡Fuera!	
¡Largo (de aquí)!	*Get out!/Out!*
¡Firmes! [military]	*Attention!*
¡No! ¡Que por ahí, no!	*No, not that way!*
¡Un respeto!	*Show a bit of respect!*

—¡Fuera! ¡Largo de aquí, sinvergüenzas! ¡Largo de aquí!
(JFDS, 68)

—¿Qué dice? Ésta es mi mujer, de manera que un respeto.
(JLMV, 1975: 300)
What's that? This is my wife, so watch what you're saying!

NOTES

1. Also más + noum:

    —Oiga, oiga, más respeto.   (RRB, 23)
    Hey, don't be impertinent!

2. As a prelude to a concerted action like lifting, pushing, throwing, etc., the exhortative *a la una, a las dos y a las tres* is equivalent to One, two, three, (go)!

    —Venga, a la una, a las dos y a las tres.
    —Aunque somos muchos, pesa lo suyo.   (FGP, 1981: 19)
    'Come on, one, two, three!'
    'Although there are a lot of us, it's extremely heavy.'

3. See also 4.4.1.

1.23.2 Equally ritual and deriving from the patterned use of *a* + infinitive described in 4.8.2 is the use of *A ver*, either alone or followed by a noun or noun phrase, as a general or specific invitation to action (usually those of speaking, showing or giving). According to context, one of the following should prove a suitable translation: *Well? Tell me, Let me see (it), Quick, get..., Give me..., Come on.*

—A ver, ¿qué libro es ese que tenés?   (GC, 231)

—¡A ver! ¡A ver, niñita! ¿Qué vamos a estudiar hoy?
—No sé, profesor.   (EG, 60)

—A ver, la cafeína, y avisen al médico en seguida.   (JAZ, 1972: 1124)
Quick, the caffeine, and send for a doctor immediately!

—A ver ese dibujo.   (TLT, 9)
Let's see that drawing.

NOTE

For *A ver* as an affirmative response, see 1.10; for *A ver si*, see 4.15.

1.24   *Exclamations Invoking the Deity*

Exclamations invoking God, Jesus and the Virgin Mary commonly express the following:

surprise, shock, lament, hopes and entreaty.

Examples are:

Expressing mainly surprise:	*Expressing other feelings:*	
(= *My goodness! Good heavens!*, etc.)	¡Por Dios!	Please!
¡Dios mío!	¡Por los clavos de Cristo!	For goodness' sake!
¡Dios mío de mi vida/alma!		
¡Válgame Dios!	¡Dios me libre (de + infinitive)!	God forbid! I hope not!
¡Bendito sea Dios!		
¡Santo Dios!	¡No lo quiera/ permita Dios!	Heaven forbid!
¡Señor!		
¡Jesús!	¡Dios nos coja confesados!	May we be ready for it!
¡Jesús, María y José!		

—¿Pero qué he hecho yo, Dios mío, qué he hecho yo?
                                        (JAZ, 1972: 1018)
But what have I done, for goodness' sake, what have I done?

—Ustedes los sacerdotes tienen ahora demasiada manga ancha.
—¡Válgame Dios, qué cosas tiene uno que oír!   (JMRM, 121)
'You priests are too lenient these days.'
'Goodness me, the things one has to listen to!'

—Qué raro es todo esto, Santo Dios.   (FGP, 1981: 144)

—Nunca hubiera creído que me gustara tanto. ¡Jesús, qué tonta soy!   (JMG, 1966: 198)

—Me voy a ir en seguida.
—Pero, por Dios, Maribel, si es tempranísimo.   (MM, 1967: 301)

But, for goodness' sake, Maribel, it's still very early!

—No te voy a reprocharlo. ¡Dios me libre!

NOTES

1. See also 1.22.2 Note 1 *(¡Vaya por Dios!)*.

2. *¡Por lo que más quiera(s)!* also indicates a strong entreaty: *Please!*

3. The use of the irreverent *¡Hostia(s)!* and its euphemism *¡Ostra(s)!* may indicate surprise or anger *(Jesus!/Hell!)*.

1.25   *Surprise*, etc.

The numerous other ritualized exclamations indicating surprise of varying degrees may be divided, for demonstration purposes, into two groups, according to their form: verbal and verbless. Common samples of each form class are given below. English samples for comparison are:

Well!	*Fancy that!*
Well, well!	*Just imagine!*
Well, well, well!	*You should see...!*
Good heavens!	*You've no idea...!*
Gosh!	*Would you believe it?*
Wow!	*Really?*

(Also in popular Southern British English: *Crumbs!*, *Blimey!*, *Crikey!*, etc.)

1.25.1

¡Fíjate!/¡Fíjese!	*¡Hay que ver!*
¡Figúrate!/¡Figúrese!	*¡No veas!* [see also 5.7.3]
¡Calcula (tú)!	*¡Para que veas!*
¡Calcule (usted)!	*¡Vivir para ver!*
¡Mira por dónde!	*¡No me diga(s)!*
¡Mire usted por dónde!	*¡Ahí va!*
	¡Ahí queda eso!

—¡Hay que ver! Han falsificado hasta el sello de los Ayuntamientos!   (JMG, 1966: 117)

—¡Vaya jaleíto, no veas!   (overheard in Madrid)
You've no idea what a terrific row there was!

—Seguían hablando de Paquita Cuenca.
—¡Quién lo hubiera dicho! ¡Vivir para ver!   (MS, 1968: 373)

—Ahí va, buena la he hecho.   (Beinhauer, 109)
Oh dear! That's done it!

—La cocinera se ha comprado una casita en la sierra...
—¡Ahí va!   (JLR, 1969 *a*: 132)

NOTES

1. *Mira, Mire, Fíjate* and *Fíjese* are also very frequently used to punctuate conversations, rather like English *Look* or *Listen*. Preceding important revelations, and with the same 'buttonholing' function, *Cállate, Cállese, Agárrate* and *Agárrese* may be translated as *And listen to this!* or *But there's more to it!*

2. For *Mira/Mire que, Hay que ver* and *No veas* as introductory parts of sentences, see 2.7.2.

3. Often similar but also with various assertive meanings are the clauses *¡lo que son las cosas!* and *¡las cosas como son!* Among the meanings conveyed by these when used exclamatorily (or after *ya ves/ya ve usted*) are:

    really!, would you believe it!, to tell the truth, it's funny, that's the way things go, it just goes to show.

    —Se lo conté a la chavala y, lo que son las cosas, [*dice*] que peor es lo suyo.   (MD, 1966: 277)
    I told my old woman and, would you believe it, she says her trouble is worse.

    —... que me cogió de sorpresa. Y luego lo sentí, las cosas como son.   (MD, 1967: 171)
    —Además, las cosas como son, a mí nunca me ha hecho nada.
    (AP, 1972 *b*: 304)
    Besides, to tell the truth, he's never done anything to me.

1.25.2

¡Mi madre!		*¡Caramba!*	
¡Madre mía!	*Good heavens!,* etc.	*¡Caray!*	*Wow!*
¡Qué bárbaro!		*¡Caracoles!*	*Jeez!*
¡Qué barbaridad!		*¡Canastos!*	*Goodness (me)!*
		¡Corcho!	

—¿Qué hora es?
—Las nueve.
—¡Madre mía, las nueve!   (RRB, 9)

—¿Cuánto te ha costado ese traje?
—Tres mil pesetas.
—¡Mi madre!   (Beinhauer, 112)

—¿El hijo de Edmundo Budiño, el del diario?
—Sí, señora, el del diario y de la fábrica.
—Caramba... Entonces usted es todo un personaje.   (MB, 1968: 15)
My, my! Then you're really important!

Mr. Harris se detuvo para tomar aliento...
«¡Darn-it! —murmuró —. Darn-it, caramba, esta cosa se está poniendo un tanto ridículo.»   (SA, 255)

—... dicen que han matado a puñaladas a dos señoras ya mayores.
—¡Caray!   (Sara Suárez Solís, 153)

—Nosotros cobramos el trece por ciento.
—El trece por ciento... ¡Caray!   (*Cambio 16*, 9-11-81: 69)

1.26   *Annoyance, Anger, etc.*

Shades of annoyance are many but the samples of ritual expressions included here express mainly indignation, rejection and remonstration, and correspond to English exclamations like the following:

Huh!   *Not likely!*
Well!   *I should think not!*
Well, I like that!   *I should think so!*
How do you like that!   *Now look here!*
The nerve!   *But listen!*
The creek!   *Hey! Just a minute!*
The (very) idea!   *That's done it!*
                                That's all we needed!
                                Look who's talking!

As can be seen in these samples, there is an overlap at times with negative responses and the use of ironic devices. As far as is possible, these are considered separately in 1.11-1.13 and 2.12-2.15.

Spanish samples:

¡Bueno!   *¡Hay que fastidiarse!*
¡Pero, bueno!   *¡Hasta ahí podíamos llegar!*
¡Estaría bueno!   *¡Hasta ahí podríamos llegar!*
¡Pues estaríamos buenos!   *¡Habráse visto!*
¡Pues estamos buenos!   *¡Habrá cosa igual!*
¡Pues estamos bien!   *¡No te digo!*

¡Ya está!   ¡Qué se han/habrán creído!
¡Pues la hemos hecho buena!   ¡Qué te has/habrás creído!
¡Buena la hemos hecho!   ¡No faltaba/faltaría más!
¡Pues la hemos liado!   ¡Lo que (nos) faltaba!
¡Medrados estamos!   ¡Lo que faltaba para el duro!
¡Estamos aviados!   ¡Éramos pocos y parió mi abuela/
¡Pues sí!   la abuela/la burra!
                                  ¡Mira quién fue a hablar!

—Pero, bueno, ¿oye o no oye?   (ABV, 1964: 96)
Now, look here, can she hear or not?

—... Y decidí consagrar mi vida al estudio del mundo mágico de
las células grises.
—Pero, bueno: ¿a mí qué me importa todo eso?   (AL, 1961: 139)
Just a moment! What's all that got to do with me?

—¡Bueno! ¡No nos faltaba más que esto!   (Moliner, I: 425)
Huh! That's all we needed!

—Tantos suspiros doy cada minuto por usted, por ti...
—Estáte quieto. Yo puedo oírte hablar porque me gusta y es bonito, pero nada más, ¿lo oyes? ¡Estaría bueno!   (FGL, 1962: 56)

—¡A mí no me chilles! ¿Entiendes? ¡A mí no me chillas tú! Hasta
ahí podíamos llegar!   (AS, 1967 a: 971)

—No es un loro. Es una cotorra. Se llama Susana.
—¡Susana! ¡No te digo!   (MM, 1967: 295)

—Y bailan y bailan, a ver cuál resiste más, sin descansar sino tres
minutos cada cuarto de hora. Bailadores de profesión.
—¡Habráse visto! ¡Miren qué oficio!   (EB, 181)

—Que ésas no son maneras, Quintana.   [= *That's not the way.*]
—Lo que faltaba; venirme a mí con maneras.
—Que no sabéis de qué va, chaval.   (FU, 1966: 102-103)

—¡Mi amigo... no bebe sin un vaso! ¡Qué se han creído!   (EL, 56)

—¡Pues la hemos liado! Esos desalmados son capaces de desvali-
jarnos.   (CJC, 1963: 90)
That's torn it! These swine are quite capable of robbing us.

—Ese tío es un inmoral.
—Quién fue a hablar...   (RAY, 18)
Look who's talking!

1. *Pero, bueno* may also indicate surprise without annoyance:

> —Estaba ahí sentado cuando me dije: «Pero, bueno, si es el co-
> mandante Moscoso.»   (TLT, 103)
> *... Why, if it isn't Major Moscoso!*

For the use of... *pero bueno* as adjunct, see 3.33.1 Note.

2. *Ya está* is also used as an exclamation of triumph or joy. English:
That's it!, I've got it!, It's finished!, etc.

1.27   The following curses and expressions of anger, of mild to moderate
force, equate roughly with English *Damn (him/it)!, Blast (him/it)!,
To hell with him/it,* etc.!

> *¡Maldito sea!*
> *¡Maldito, -a sea + noum!*
> *¡Maldita sea tu estampa!* [*Damn you!*]
> *¡Que le/lo/les/los parta un rayo!*
> *¡Mal rayo le/lo/les/los parta!*
> *¡Dios lo maldiga!*
> *¡El Diablo se lo lleve!*
> *¡Que te/le, etc., zurzan!*
> *¡Que te/le, etc., den morcilla!*
> *¡Vete a la porra!*
> *¡Vete al cuerno!*

> > —Van a ser las ocho.
> > —¿Las ocho ya? ¡Maldita sea!   (FS, 271)

> > —Son los sobrinos y las sobrinas del señor. [*=de usted*]
> > —¡Mal rayo los parta!... No los quiero ver.   (MAU, 108)

1.28   Stronger expressions of surprise, annoyance and anger are many
and varied (especially from country to country). In recent years the
use of the strongest of such terms and expressions has become
increasingly more public and less restrained both in English and in
Spanish. In English, there is still a general taboo on the public or
indiscriminate use of so-called 'four-letter words'. This taboo still
applies, broadly, in much of polite society and in the media. The
principal Spanish equivalents of such terms and one or two other
swearwords (*palabrotas* or *tacos*) are much more likely to be heard
in public (especially in the mouths of males), although their use is
still considered either rude *(grosero)* or shocking by many people.
Nevertheless, they and their derivatives (see, for example, 3.10.3) and
the euphemisms used to replace them are so common that a brief
listing and illustration is unavoidable in a book like this one. It should
be noted that one or two are *so* frequent (not only for indignant and

angry exclamations but also for other subjective feelings, like surprise) as to be virtually free of offensive *intent*. The main forms are as follows:

¡cabrón! bastard! [literally: cuckold]

¡mierda! shit!

¡(qué) leche(s)! Bloody hell! [literally: semen]

¡qué mala leche! What a bloody nuisance! What a sod! etc.

¡puñetas!
¡qué puñetas! } Bugger!

¡joder! fuck!

¡coño! hell!, etc. [literally: *cunt*; the most frequent of these terms]

¡carajo! hell!, etc. [literally: *prick*; offensive in some countries, not in others]

¡cojones! hell!, etc. [literally: *balls, testicles*]

Taboo and blasphemous:

¡me cago en Dios!
¡me cago en la leche (de tu madre/ que has mamado)
¡me cagüen (la leche de) tu madre!
¡me cago en tu padre!
¡la madre que te/le parió!

Bloody hell, etc.

You bloody bastard!

Weaker but still offensive:

¡tu madre!
¡tu padre!

(The reader will be able to infer a lot about the degree of delicacy still needed to list and describe these terms by noting that in the otherwise comprehensive *usage* dictionary of María Moliner only *cojones, mierda* and *puñeta(s)* are listed.)

Euphemisms:

¡miér... coles!
¡qué mala uva!
¡qué mal vinagre!
¡qué mal café!
¡leñe!
¡me cago en diez!
¡mecachis (en la mar/en la mar salá) [= salada]! [Spain]
¡mecachis en diez!

¡jo... er!
¡jolín!
¡jolines! [see 1.25.2]
¡caramba!
¡corcho!
¡caracoles!
¡canastos!
etc.

—... y la mujer se plantó allí detrás, ¡mira! ¡Dije una cantidad de tacos! Cabrón, leches y tal...

(M. Esgueva and M. Cantarero, 416)

53

—No hagas ruido.
—¿Eh?
—Que no hagas ruido, leche.   (JMCB, 16)

Un «coño» desperdigado puede venir o no a cuento, causar risa
o enfado, pero nunca constituye una ofensa...
(*El Imparcial*, 15-9-78: 10)
*A «coño» here and there may be apt or irrelevant, it may provoke
laughter or annoyance, but it is never offensive...*

—¿Queréis callaros, coño, y dejarnos dormir?   (AML, 1976: 342)

—¡Coño!, mira quién está aquí!   (FGP, 1968 c: 210)
Christ! Look who's here!

—¿Me oye?... ¿Me oye? Anda, coño, ha colgado.   (FGP, 1968 c: 170)
Do you hear me? Do you hear me? Blast/Shit! He's hung up on me.

—¡Enana!
—¿Enana yo? ¡Me cago en su padre!   (LO, 1981: 151)

—Es rubia.
—No, castaña.
—Mecachis en diez.   (RAY, 89)

—Pero oye, jolín, a mí nunca me contáis nada.   (JM, 1977: 234)

NOTES

1. Such words and expressions and their derivatives may, of course,
   appear in all sorts of contexts, for example: *¡coño con...!* [see *¡caray
   con...!*, 2.6.1], *¡qué... ni qué leche(s)!* [see 2.11.1], *¿dónde carajo/
   coño(s)...?* [see 3.10.3].

2. *¡jo!* [see 1.21] is a relatively harmless abbreviation of *¡joder!* used
   constantly in Spain particularly by children and adolescents:

   —¡Jo, macho! ¡Qué suerte tienes!
   Jeez! You're lucky!

1.29   *Thanksgiving*

Among the rare ritual exclamations indicating pleasure, joy or
thanksgiving are the following three which express feelings diametrically
opposite to those conveyed by the exclamations listed in the preceding
section.

¡Menos mal!	*Thank goodness!*
¡Bendito sea (Dios)!	*That's a relief!/What a relief!*
¡Dichosos los ojos (que te ven)! ⎫	*How nice to see you!* [especially
¡Benditos los ojos que te ven! ⎭	after a long time lapse]

—Hola, Rómulo.
—Hola, Martín, ¡dichosos los ojos!   (CJC, 1963: 261)

NOTE

The colloquial expression of pleasure or appreciation seems mainly to be covered by *patterns* involving the use of *¡qué!/¡cuánto!/¡cómo!* exclamations and their equivalents. These patterns are described in sections 2.1-2.4.

PROVERBS AND SAYINGS

1.30 Other ready-made sentences are proverbs and sayings, many of which survive from generation to generation as ritualized comments for particular situations. With most Spanish proverbs and sayings, the ritual element is a purely semantic and cultural one since the sentence structure is more or less standard (with the exception of a few minor peculiarities of form surviving from earlier stages of the language). However, of special interest and relevance to this chapter are those proverbs and sayings which display non-standard sentence structure. Although in such cases one may suspect the ellipsis of a particular verb, these sentences, like the others listed in this chapter, are best accepted for what they are: ritual semantic and syntactical units.

For information and comparison, examples of proverbs and sayings of both standard and non-standard sentence structure follow. (Where translations are offered in parentheses, they indicate a general gloss of the comment suggested by the Spanish version.)

1.30.1 Examples of proverbs and sayings with standard sentence structure:

Quien calla, otorga.
(Silence indicates agreement.)

Quien mucho abarca, poco aprieta.
(To be over-ambitious is unwise.)

Quien mal anda, mal acaba.
(To come to a bad end because of bad friends and habits.)

Quien canta, sus males espanta.
To whistle in the dark.

Quien se pica, ajos come.
If the cap fits, wear it. / Serves him/her right!

55

El que la [= *la caza*] sigue, la mata.
(Persistence brings success.)

Haz bien y no mires a quién.
(Do good unselfishly.)

Dime con quién andas y te diré quién eres.
A man is known by the company he keeps.

Donde fueres, haz lo que vieres/haz como vieres.
When in Rome, do as the Romans do.

Dios los cría y ellos se juntan.
Birds of a feather flock together.

Dios aprieta, pero no ahoga.
(Things could be worse. / Bear up!)

El hombre propone y Dios dispone.
Man proposes, God disposes.

Amanecerá Dios y medraremos.
Sufficient (un)to the day is the evil thereof.
(Things may change for the better.)

Más vale ser cabeza de ratón que cola de león.
It's better to reign in Hell than serve in Heaven.

Menos da una piedra.
It's better than nothing / ... than a slap in the face.

Un clavo saca otro (clavo).
(One worry can make you forget another.)

El buen paño en el arca se vende.
Good wine needs no bush.

Lo cortés no quita lo valiente.
(Don't offend someone unnecessarily.)

Cada maestrillo tiene su librillo.
(Everyone has his own way of doing things.)

No es oro todo lo que reluce.
All that glitters is not gold.

No todo el monte es orégano.
It's not all plain sailing.

No hay mal que por bien no venga.
Every cloud has a silver lining.

Ni quito ni pongo rey.
(A refusal to participate in a decision.)

Mucho va Pedro a Pedro.
(People are very different.)

Bien está San Pedro en Roma.
(Leave well enough alone.)

Nunca llueve a gusto de todos.
You can never please everyone.

Obras son amores, que no buenas razones.
Actions speak louder than words.

Buenas son mangas después de Pascua.
(Useful presents are always welcome, even late.)

Muerto el perro, se acabó la rabia.
(If the cause disappears, the effects will cease.)

Ir por lana y volver trasquilado.
To be hoist by one's own petard.

Many proverbs and sayings with standard sentence structure begin with a preposition or adverbial element. Here are some common ones:

A quien madruga, Dios ayuda.
The early bird catches the worm.

Al buen pagador no le duelen prendas.
(To put one's money where one's mouth is.)

Al buen callar llaman Sancho.
(It's wise not to talk too much.)

A perro flaco todo son pulgas.
It never rains but it pours.

A falta de pan, buenas son tortas.
(Put up with what you have.)

Al cabo de cien años, todos (seremos) calvos.
(It won't matter at all in the long run.)

Allá van leyes do [= *donde*] quieren reyes.

Aunque (la mona) se vista de seda, mona se queda.
The leopard cannot change his spots.
You can't make a silk purse out of a pig's ear.

Cuando el río suena, agua lleva.
There's no smoke without fire.

De noche, todos los gatos son pardos.
At night all cats are grey.

De la panza nace/sale la danza.
(Eating well is vital to good health.)

Del dicho al hecho hay gran trecho.
There's many a slip 'twixt cup and lip.

En boca cerrada no entran moscas.
(It's wise to keep quiet.)

En todas partes cuecen habas (y en mi casa a calderadas).
(It's the same everywhere.)

Por la boca muere el pez.
(Talking too much can get you into trouble.)

Por el hilo se saca el ovillo.
(The quality of something can be seen from a sample.)

1.30.2 Examples of proverbs and sayings with non-standard sentence structure are given in this section. The major features of most of these is their lack of a main finite verb and their two contrasting or balancing sections.

A lo hecho, pecho.
What's done cannot be undone.

A Dios rezando y con el mazo dando.
(To look after one's own interests.)

A buena(s) hora(s), mangas verdes.
It's a bit late for that.

A palabras necias, oídos sordos.
(One should not pay any attention to stupid remarks.)

A(l) enemigo que huye, puente de plata.
(One should make it easy for an opponent to back down.)

A la vejez, viruelas.
(A comment on something considered inappropriate or unexpected.)

Al pan, pan, y al vino, vino.
To call a spade a spade.

Al buen entendedor, pocas palabras (bastan).
A word to the wise is sufficient.

A menos bulto, más claridad.
Good riddance (to bad rubbish).

A río revuelto, ganancia de pescadores.
(To take advantage of a crisis, etc.)

A rey muerto, rey puesto.
The king is dead, long live the king.

A vivir, que son dos días.
Let's live it up. / Life is short.

El amor y la muerte, a traición.
(Love and death take one by surprise.)

No con quien naces, sino con quien paces.
(Environment is more important than heredity.)

Contigo, pan y cebolla.
(I'd put up with anything with you.)

De tal palo, tal astilla.
A chip off the old block. / Like father, like son.

De perdidos, al río.
In for a penny, in for a pound. / There's nothing to lose.

[En] Agosto, frío en rostro.
(August is windy.)

[En] Abril, aguas mil.
April showers.

Entre col y col, lechuga.
Variety is the spice of life.
(A comment on something unexpected.)

Hecha la ley, hecha la trampa.
(Every law has a loophole.)

Cada uno en su casa, y Dios en la de todos.
(Everyone is better off in his own home.)

Cada loco con su tema.
Everyone has his hobby horse.

El muerto al hoyo, y el vivo, al bollo.
(Life goes on. / The show must go on.)

Mi gozo en un/el pozo.
What a disappointment!

Genio y figura, hasta la sepultura.
The leopard cannot change his spots.

Pelillos a la mar.
*Let bygones be bygones. / To make up differences. / To paper over
the cracks. / It's no use crying over spilt milk.*

Tal para cual. (Pedro para Juan.)
(Both alternatives are equally bad.)

1.30.3 Through constant use, proverbs and sayings may become so
familiar that they can be further abbreviated without any loss of their
encapsulated meaning, providing, of course, that the listener (or reader)
possesses the necessary shared cultural background. In English, for
example, the full meaning of the following truncated proverbs will
be readily understood by native speakers of English: *Too many cooks...;
A rolling stone...; When in Rome...; People in glass houses...*

Spanish examples are:

(El) Gato escaldado...	[*del agua fría huye.*]
Once bitten...	[*twice shy.*]
El ojo del amo...	[*engorda el caballo.*]
While the cat's away...	[*the mice will play.*]
A palabras necias...	[*oídos sordos.*]
A(l) enemigo que huye...	[*puente de plata.*]
A buena(s) hora(s)...	[*mangas verdes.*]
De casta le viene al galgo...	[*el ser rabilargo.*]
Like father...	[*like son.*]
Del lobo, un pelo...	[*y ése de la frente.*]

(Take what you can from a mean person.)

SUPPLEMENTARY EXAMPLES FOR STUDY AND TRANSLATION

Exercise 1. Sections 1.0 - 1.7

1. Al llegar a la plaza [*Emilio*] se encuentra con la madre de Gervasio.
   —¿Qué hay, Emilio? No se te ve nunca. —Hay cierta malicia en
sus palabras.   (JLP, 69)

2. N: —Pues mucho gusto en haberle conocido.
    M: —Lo mismo digo.
    P: —Encantada de saludarle.
    M: —Es usted muy amable.
    R: —Pues hasta otro día.
    M: —Muy agradecido por todo, señoritas.   (MM, 1967: 351)

3. —En fin, lo que sea sonará, Benítez.
    —Encantado de verle, y enhorabuena por anticipado.
    —Siento mucho no saludar a su esposa. Muchas cosas de mi
    parte.   (JCS, 1962: 7)

4. —Te voy a presentar a mi tía Paula, la hermana de mi madre.
    —¡Encantada! ¡Encantada! ¡Pero qué mona! ¡Pero si es una chica
    preciosa! Muchísimo gusto en conocerla, hija mía...
    —Lo mismo le digo.   (MM, 1967: 299)

5. —Mucho gusto en conocerle, señor Gobernador.
    —Igualmente, camarada Lago.   (JMG, 1966: 87)

6. —Quiúbole, Andrés. Ya hacía tiempo que no se te veía.   (EV, 31)

7. Fue derecha al jefe de personal, a quien conocía...
    —¡Cuánto bueno por aquí! —la saludó sonriente.   (JAZ, 1973: 117)

8. Sor María: —Ave María Purísima.
    Doña Pilar: —Sin pecado concebida.
    Carlos: —¿Qué desea usted?
    Sor María: —¿Puedo pasar?   (MM, 1967: 203)

9. —Se habrá creído que íbamos de ligue.
    —No sé. Me ha dicho *chao*. ¿Eso qué significa?
    —Hasta luego, en italiano.
    —Pues italiana no es.
    —Eso lo dice ahora todo el mundo.   (FGP, 1973: 89)

10. —Que descanse.
    —Igualmente; hasta mañana, si Dios quiere.   (ABE, 110)

11. —Bueno, Ignacio, me voy. Hasta mañana.
    —¡Hasta mañana! Y muchas gracias.
    —De nada.   (JMG, 1961 *a*: 204)

12. —Bueno, entonces vámonos... Hasta más ver, amiga...
                                           (FGP, 1981: 118)

13. —¡Ven!... Acércate un poco, hombre, haz el favor, que no me como
    a nadie.   (CMG, 1974: 13)

14. Valentina también se alzó despacio y con indecisión, a la vez que decía en voz baja, como para sí:
    —Mis ahorros de toda la vida —dirigiéndose al doctor Gamarra con humildad—. Me hace el favor de llamar un auto.   (GC, 207)

15. ... y llamó al chico dando una fuerte palmada sobre el mostrador.
    —Sirve aquí una ronda, haz el favor, a ver si éste se calma, que si no voy a hacer una barbaridad.   (DS, 1965: 51)

16. —Si usted fuera tan amable, señora Mendiona, de prestarme un limón...
    —No faltaría más.   (MBU, 22)

17. —¿Quiere usted traernos una jarra?
    —¿Mande?
    —Que si quiere sacarnos una jarra de la solera... y tráigame también las cepas, por favor.   (JMCB, 59)

18. —Señora Hortensia —pidió Fayón—, ¿sería usted tan amable de llenarme de whisky una botella de medio litro? Es para llevarla al hotel. Y me dice qué se debe.
    —Con mucho gusto, caballero.   (JBE, 105)

19. Volvió a oírse la puerta de fuera, y luego preguntaron desde el pasillo:
    —¿Se puede?
    —¡Adelante!
    Entraron Eustaquio y Pedro.   (RC, 1979: 296)

20. —Tú vete tranquilo. No te preocupes.
    —Pues hasta luego.
    —Que te diviertas.   (AS, 1967 *a*: 557)

21. —Don Saturnino acaba de nombrarme dependiente de los almacenes...
    —¡Enhorabuena, chico; esto hay que celebrarlo!   (MD, 1968: 85)

22. M: —¿Es esa tu copa, querido? Puedes beber en confianza.
    P: —No, no es mi copa.
    J: —Es la mía. ¿Me permite?
    M: —¡Hombre, no faltaba más!
    (José se levanta, va al armario de los licores y toma la copa que se había servido. Vuelve con ella. La alza.)
    J: —¡Salud!
    M: —Que le aproveche.   (RM, 1971 *b*: 87)

23. Sixto jamás se movía durante las comidas. Todas [*las clientas*] deseaban:
    —Buen provecho.   (JAZ, 1972: 671)

24. —[*Usted*] Se puede acostar o salir o lo que quiera. Gracias.
    —En el horno tienen ustedes el pescado y en la nevera sobras de esta mañana.
    —De acuerdo, que descanse.   (CMG, 1976: 61)

25. —Tía Lorenza quedó encantada contigo.
    —Es una monada. Me recuerda a mi madre, que en paz descanse.   (CF, 1958: 290)

26. Trabaja Gervasio y al lado su madre, una mujer vieja, seca..., que no deja de hablar mientras clava y desclava la azada.
    —Hijo... Gervasio... tu padre... que en gloria esté... decía siempre... que hay que regar... y regar... y regar...   (JLP, 34)

27. Cobeña entró en el cuarto, que era interior y apenas si se distinguían los contornos...
    —Pase —repitió la vieja.
    —Con permiso.
    —Espere usted y le enciendo.   (JMCB, 251)

28. —Y ahora me despido. Con su permiso, don Fidel. Hasta mañana, Eloísa, si Dios quiere.
    —Yo te acompaño hasta el jardín, querida...   (FSI, 39)

29. Daniela sintió una vaga sensación de timidez y de vergüenza. Pablo le había desnudado su alma...
    —Lamento que..., me apena el que... —calló y acertó sólo a enviarle una vacilante sonrisa—. Lo siento muchísimo.   (LML, 166)

30. —Buenos días, señor González.
    —Buenos días, señora. Usted dispense, no la había visto.   (CP, 149)

31. *(Entra el Ordenanza. Se detiene respetuoso al pie de la escalinata.)*
    Ordenanza: —Perdone..., señor Director...
    Director *(Seco)*: —¿Qué pasa?
    Ordenanza *(Vacilante)*: —El camello sahariano... Tiene un espantoso dolor de barriga...   (JFDS, 13)

32. —¿Si le interesa algún dato?
    —Muchas gracias... Sólo por curiosidad me gustaría saber el resultado de la autopsia.
    —Esta noche me acerco.
    —Muy amable.   (FGP, 1973: 177)

33. —... para evitarle un déficit de proteínas, se le servirá un filete de vaca a la plancha una vez por semana.
    —Muy agradecido.   (JFDS, 18)

34. —Gracias, capitán —dijo el coronel cuando el capitán hizo ademán de ir a tomar su cartera de documentación—, no me gusta separarme de ella.   (JBE, 30)

35. Pablo mete la mano en el bolsillo, saca algunas monedas y se las entrega.
—Dios se lo pague, señor. Que el Señor le bendiga.   (DM, 1956: 237)

36. —Ignacio, me ha rejuvenecido verte...
—Lo mismo digo.   (JMG, 1966: 67)

37. —Lucía.
—Sí.
—No se dice sí, te lo tengo dicho.
—Qué se dice.
—Mande, servidora, presente, diga usted; algo que sea correcto.   (RAY, 60)

38. *(Suena el timbre del teléfono. Paulus va a la mesa y descuelga.)*
—¡Diga!... *(Su tono cambia.)* A sus órdenes, jefe.   (ABV, 1976: 122)

39. —¡Aló! ¡Aló! *(Pausa.)* No, señor, no es la central. Se ha equivocado de número. *(Pausa.)* No hay de qué.   (RM, 1971 b: 21)

40. —Gracias, Paco. Gracias por todo.
—No hay de qué, hombre.   (AS, 1967 a: 549)

41. —Usted ha de estar rendido, doctor Quiroga; pero ¿me permite que abuse un poco más de su hospitalidad?
—¡Por Dios! ¡No faltaba más! Lo que usted quiera.   (EAI, 51)

42. —... y como supongo que tú querrás que tengamos hijos.
—¡Pues no faltaba más!   (MU, 1956: 85)

43. —¿Está su esposa?
—Sí, señor, ensayando su discurso.
—¿Me puede recibir?
—Sí, no faltaría más.   (CJC, 1963: 110)

44. —Y ahora, sí le aceptaría una copa de champán. Creo que la necesito.
—De mil amores.   (JS, 1962: 41)

45. —¿Me da usted una perra? [= *una moneda de poco valor*]
—Dios le ampare, hermano.
—Es lo mismo, otro me la dará.   (CJC, 1961: 190)

46. —Usted perdone. Vengo a hacerle un informe de pura rutina...
—Usted dirá —preguntó la mujer cautelosa.   (FGP, 1969: 91)

47. Entramos en una oficina acristalada donde el ruido llegaba ligeramente amortiguado y señaló una silla.
—Gracias.
—Usted dirá.   (JLMV, 1975: 50)

Exercise 2.   Sections 1.8 - 1.17

1. —De acuerdo, pues yo le llamaré, porque, claro, esto implica un sobrecoste muy grande.
—Lógico, lógico, sí, sí... (*Cambio 16*, 9-11-81: 70)

2. —¿Puedo esperarle aquí?
—Bueno.   (ASM, 1967 *a*: 403)

3. —Si le parece oportuno, mañana por la mañana arreglaremos la cuestión financiera.
—Perfectamente. Cuando le sea más cómodo.   (LML, 40)

4. Un sereno se le acerca, toda la cabeza envuelta en una bufanda.
—¡Vaya nochecita! ¿Eh?
—¡Ya lo creo, una noche de perros!   (CJC, 1963: 213-214)

5. El Gobernador asintió a la tesis de su entrañable amigo y camarada:
—En efecto, tienes razón.   (JMG, 1966: 623)

6. —He oído decir que piensa radicar aquí.
—Sí, efectivamente.   (AGC, 94)

7. Cuando ella elige al hombre más peligroso del pueblo..., todo el mundo lo ve venir:
—Tan guapa, tan dócil, y casada con ese loco. Acabará matándola.
Y efectivamente la mata.   (FU, 1974: 54-55)

8. —¡Qué frío hace!
—Ya, ya. Aquí se está bien, ¿verdad?   (CJC, 1963: 217)

9. —Eso es lo que da fama, eso. ¡Y no estudiar musiquillas horas y horas como tú! ¡A ver!   (AZV, 1966: 81)

10. —¿Os gustan las chicas guapas con la nariz bien chata?
—¡Sí, sí! ¡Eso, eso!   (Keniston, 77)

11. —¡Qué calor, hijo!
—Y tanto...   (JMCB, 28)

12. —... vente a casa y nos damos una ducha y nos acostamos.
—Vale.   (CMG, 1974: 93)

13. —¿Es posible que no vayas a ir al casino? —dijo su mujer sorprendida.
—Como lo oyes.   (FGP, 1969: 147)

14. —Lo que ocurre es que sin autoridad nada se puede hacer.
—Ahí le duele... Claro, sin fuerza nada se puede hacer.   (MBU, 120)

15. —Pero ¿tenía motivos la Bizca?
—¡Digo!... Como que la Gala la [sic] debe dos quincenas del alquiler de los chicos.   (M. Seco, 1970: 349)

16. —Todos queremos cine. Es como un vicio.
—Diga usted que sí, hija, diga usted que sí... Yo estoy deseando que se vayan todos de casa para fregar en seguida y venir al cine.   (DM, 1967: 119)

17. —Una noche así lo compensa todo.
—Di que sí.   (AG, 1964: 58)

18. —Un gran chico este Juanito, ¿sabes?
—¿A mí me lo vas a decir?   (ABV, 1967: 111)

19. —Qué señor más simpático.
—No lo sabes bien.   (JB, 399)

20. —Este es un país de pícaros y de frailes, si lo sabré yo.
(JAZ, 1973: 283)

21. —¿Te importa decir el nombre?
—En absoluto: se llama Anita Sánchez.   (MGS, 119)

22. —Voy a llamarla —dijo don Fermín haciendo conato de levantarse.
—¡No, de ningún modo! —exclamó doña Ermelinda.
(MU, 1956: 52)

23. —Dime la verdad. ¿Es cierto?
—¡De ninguna manera! ¡Te lo juro, hermano!   (CG, Mex., 60)

24. —No tuve más remedio que reírme, porque perder mi soledad de la noche..., ¡eso sí que no!   (EB, 151)

25. —Prefiero ir sola —confesé con aspereza.
—No, eso sí que no, niña... Hoy te acompaño yo a tu casa.
(CL, 119)

26. —Ya veo que estás ocupado.
—Nada de eso, ahora nos vamos.   (LMS, 218)

27. —¿Es usted un policía rojo?
—De eso nada. Soy un policía patriota.   (MVM, 26)

28. —En este retrato tiene cuando menos seis años.
—¡Qué va! Cuando mucho tiene dos años.   (JI, 416)

29. —¡Fíjate! Ayer vi por la calle a ese chico estupendo que conocí en la fiesta de Fry.
—Seguro que es una birria.
—¡Qué va! Es alto, con un tipo... [*estupendo*].   (JAP, 67)

30. —Pero ustedes no son de la policía, ni mucho menos.
—¿No?
—Ca, hombre. Si yo le conozco a usted.   (PB, 1954: 197)

31. —Pero no se limitó a eso. ¡Quiá! Le dijo que quería explicárselo a fondo personalmente.   (ABV, 1967: 97)

32. La cosa se puso tan fea, que parecía que Esteban iba a dimitir. Pero quiá. Aquí no dimite nadie.   (*Cambio 16*, 29-6-81: 6)

33. —Me vais a aceptar estas veinticinco pesetas para la niña.
—Ni hablar.   (RRB, 45)

34. —Cuidado con apropiarse de lo ajeno, ¿eh?
—¡Ni pensarlo!... El señor obispo me enviaría a misiones.
(JMG, 1966: 43)

35. —¿No permitirán todavía tocar sardanas?
—¡Qué pregunta! Ni soñarlo... (JMG, 1966: 254)

36. —Y ahora, ¡vete, vete!
—¿Me echa usted?
—No, me defiendo. ¡No te echo, no! ¡Dios me libre! Si quieres me iré y te quedas aquí tú, para que veas que no te echo.
(MU, 1956: 126)

37. —Yo le ayudo.
—No faltaba más, que lo haga ella, que para eso está.
(AG, 1973: 25)

38. —¿Y para eso hemos bajado? Desde arriba lo hubiéramos visto mucho mejor.
—¡Quite de ahí! Lo hemos visto mucho mejor desde abajo.
(MBU, 356)

39. —Será el hijo de doña Milagros.
—Quite usted, si está haciendo el bachillerato.   (RRB, 31-32)

40. —La culpa es de él. La mima demasiado.
—No creas, mi hija. La mima a ratos, pero también la pega.
(JLCP, 76)

41. —¿Tú crees que va a pasar algo?
—Bah, siempre dicen que se va a armar la gorda y luego, que si quieres arroz, Catalina; nunca pasa nada.   (RGS, 236)

42. Plinio miró a don Lotario como consultándole, y esperó un poco más. Pero que si quieres. El chico seguía callado.   (FGP, 1971 *b*: 182)

43. —Anda arriba, y cuando cerremos, me aguardas.
—¡Y un jamoncito!... A usté le he calao [= *calado*] yo.   (Seco, 404)

44. —Es usted el diablo.
—¡Qué más quisiera yo!   (LO, 1981: 178)

45. —¿Le gusta ésta? —preguntó el *Troncho* enseñándole a Miguel una botella de ginebra.
—Vale, da igual.   (JMCB, 297)

46. —¿A ti cómo te gustan, altos o bajos?
—A mí me da igual.   (JFS, 1982: 13)

47. —De todos modos... no debo contarlo.
—Es usted muy dueño de callar. Pero así no podré ayudarlo.
(ABV, 1976: 57-58)

48. —Tres hijos tuviste. Los tres se te fueron.
—¿Y qué?   (AG, 1970: 243)

49. —Pues mira..., para que te enteres. A mí, plin. Los padres de éste se pueden divorciar, y los míos y los tuyos. ¿Nosotros, qué?
(JLMV, 1981: 20)

50. —¿No vino más que dos veces?
—Mujer, aquí, a esta casa, nada más; pero a la suya, vete a saber... En fin, allá ellos.   (JFS, 1967: 49)

51. —Nuestro ingeniero jefe acaba de ser asesinado.
—¿Y eso, qué? Usted es ahora el jefe.   (JMR, 371)

52. —Trata de calmarte y olvídalo..., para peripecias como ésta no hay otra solución que el olvido...; que lo que sea sonará y ni tú ni yo podemos evitar ya nada.   (JAZ, 1973: 124)

53. —Es un miserable y un mal padre..., sí, un mal padre..., y un pobre idiota que va a ser el hazmerreír de todos, de todos...
—Déjale; que con su pan se lo coma.   (JAZ, 1973: 122)

54. —¿Por qué?...
—¿Por qué? Qué sé yo —respondió Zabala con tono displicente, alzándose de hombros.   (GC, 61)

55. —Vete tú a saber todo lo que ha habido entre ellos.
(JAZ, 1973: 341)

Exercise 3. Sections 1.18 - 1.24

1. —¿Y el portero nos creerá?
   —Hombre, supongo que sí.   (JCS, 1954: 36)

2. —Yo te la arreglaré.
   —¡Hombre, magnífico!   (ABV, 1964: 99)

3. —¡Qué rabia!
   —Rabia, ¿por qué?
   —Hombre, ¿le parece a usted agradable?   (AMA, 23)

4. —Aquí son todos muy ignorantes.
   —Hombre, habrá de todo.
   —No, señor.   (CJC, 1961: 75)

5. —Precisamente, vengo a decirte que bajes a oír el partido si quieres: que yo puedo estudiar en otro lado.
   —Hombre. Es el primer detalle que te veo en mucho tiempo.
   (ABV, 1964: 87)

6. —¡Pero, mujer! ¿Tú crees que éstos son modales para tratar a los forasteros?   (CJC, 1971: 478)

7. —Entonces, si no lo esperabas, ¿por qué me trajiste?
   —Hombre, don Cristóbal, nada cuesta intentar las cosas.
   (MBU, 143)

8. —Pero, hombre de Dios, sería un desastre...   (JLMV, 1981: 16)

9. —Don Eligio, ¿qué tal, don Eligio?
   —¡Hija de Dios, qué guapa y elegantona y qué... señora, eso es, qué señora!   (JAZ, 1967: 466)

10. —¿Crees, como yo, que España va a ser ahora mejor?
    —Chico —contestó—, ya sabes que las profecías no se me dan bien.   (JMG, 1966: 54)

11. —¡Un parque zoológico, amigo mío, viene a ser algo así como un texto vivo de biología!   (JFDS, 13)

12. —Pero ¿dónde está Bocasebo? —le preguntó... extrañadísimo.
    —¡Ah! —dijo (mejor expresado, no dijo, sino que aparentó decir) encogiéndose de hombros.   (FGP, 1981: 152-153)

13. —... tiene una veta de loco.
    —¡Ajajá! Pues... aprovecharíamos esa veta, Cecilia.
    (JCS, 1962: 69)

14. Los animales respiraban forzadamente, hincaban sus cascos en el suelo para afianzarse y poder arrastrar la pesada carga.
    —¡Arre, Tuerto! ¡Arre, Tieso!   (ALS, 231)

15. —¿Y qué es estar enamorado sino creer que lo está?
    —¡Ay, ay, ay, chico, eso es más complicado de lo que te figuras.
    (MU, 1956: 62)

16. Las mujeres se daban palmadas, cuchicheaban, reían. Florita había pegado la oreja a los agujeros del aparato [*de radio*] sonriente, transida.
    —¡Chist...! —reclamó con energía.   (DS, 1965: 76)

17. —Estás pasando un momento de flaqueza... Ea, no lo pienses más.   (ABV, 1976: 95)

18. Llama a Miguel..., le da mil pesetas.
    —Ea, Miguel, serénese; gracias a Dios, no hay víctimas.
    (AP, 1973: 262)

19. Entonces las portezuelas del tabique se abrieron y apareció un hombre de pelo entrecano...
    —¡Epa, pues! —gritó al ver a Francisco—. ¿Cómo estás, Catire López?   (SG, 170)

20. Las mujeres no demostraron demasiado interés por ir a la Cueva de Montesinos, pero como nunca la habían visto y Manuel estaba tan animado, dijeron que ¡hala!   (FGP, 1973: 114)

21. —¿Mi Josefa? Nada, no sabe nada.
    —Pues, hala, a casa, a casa a decírselo.   (RDO, 406)

22. —Hale, me llevo a la niña a tomar un poco el aire, mientras preparas la cena.   (RRB, 17)

23. —¡Huy, cómo suda este chico!   (JMRM, 147)

24. —Amalia se casará y...
    —¡Huy, huy, huy!... Sí, claro, se casará. Pero tal vez con Juan no.
    (JCS, 1962: 47)

25. —Yo la llamaba siempre señora Marquesa.
    —¡Huy, señora Marquesa! Como los criados.   (JB, 1028)

26. —El día que seas el primero de la clase, te daré un duro.
    —¡Huy, el primero! Eso es muy difícil, abuelito.
    —Bueno, pues el segundo.   (CJC, 1971: 460)

27. Mañana mismo saldría de caza. Se rió como si le hicieran cosquillas. ¡Linda cacería! Primero él cazaba la víctima; después, un detective trataría de cazarlo a él. ¡Ja, ja!   (EAI, 42)

28. —¿Tuviste examen el viernes, no? ¿Cómo te fue?
—Psé, así así. Me voy. Eres un pelma. No quiero saber nada de exámenes. Chao. (JAP, 31)

29. —¿Qué comíais?
—¡Puaf!, porquería. Un plato de lentejas, un trozo de carne, pan, agua, una manzana... (FC, 129)

30. —¡Pucha, este don Climaco sabe hablar! —dijo el secretario, no se sabía bien si halagándolo o burlándose. (ARB, 51)

31. En realidad, *el Oriental* parecía un monje. Un monje budista. De esos que se rocían con gasolina y después prenden una cerilla y zas! (IP, 12)

32. —Juanita no estaba acostumbrada a caminar con tacones y, al bajar del tranvía, tropezó.
—Se lo dije: «Déjame llevar a mí.» Y ella: «No.» Y yo: «Que sí, mujer, que sí.» Y ella, tozuda: «Que no.» Hasta que ¡zas!, baja del tranvía, y al suelo. (JG, 1964: 129)

33. ¡Qué divertido hubiera sido enfrentarse a las sospechas del Mayor Rosas y desinflarlas —pim, pam, pum— a alfilerazos. (EAI, 55)

34. El hombre no me soltaba y me llevó hasta la puerta del establo, para verme la cara a la luz.
—Anda, pero si es el sobrino de don Felipe. ¿Y qué haces tú por aquí a estas horas? (JMCB, 123)

35. —Supongo que ya estará [*lista*] la inyección. Quieto, te la pongo aquí mismo... Quítate la chaqueta, anda. (JCS, 1962: 14)

36. —Mamá, mamá, ¿por qué le pegan a ese buey?
—Estáte callado, anda. Sé buenecito. (JLP, 87)

37. —Ande, ande, no me llore. Le he dicho muchas burradas, lo reconozco. (JMB, 380)

38. [*El sargento*] Me entregó el sombrero que se me había caído al camino y con voz imperiosa me mandó: «Ándele, ándele; salga para Honduras si quiere vivir.» (SA, 216)

39. Y luego... con un empujón entre severo y cariñoso:
—Ándale, muchacho, entra a calmar a tu tía. La pobre está medio loca creyendo que te habían robado [= *secuestrado*].

40. —Éste es el Rey. Va a echar el discurso.
—Anda ya, si no tiene corona. (AG, 1970: 177)

41. —Pero ¿tú no tienes miedo?
—¡Anda, miedo! (Beinhauer, 75)

42. —Y vuelven a tocar sardanas. ¡Por cierto que José Luis bailaba una, en la Rambla!
—¡Anda, vamos! —cortó Maria Victoria—. Hasta ahí podíamos llegar.   (JMG, 1966: 512)

43. —¿Y a ti eso no te importa?
—Al principio me molestaba un poco... Ahora ya..., psch..., anda y que los zurzan.   (JAZ, 1973: 85)

44. Siguieron hablando las mujeres hasta que, de pronto, se apagaron las luces.
—¡Vaya! Nos hemos quedado sin luz.   (RC, 1979: 24)

45. —Vaya, ya te has emborrachado. ¡Pues si has bebido menos que nadie!   (AS, 1967 a: 461)

46. —Tengo un compromiso con un amigo para esta noche.
—¡Vaya! ¡Cuánto lo siento!   (EB, 212)

47. —Todo es el fruto de un despojo, de un fraude inaudito, de un robo, vaya, ¿a qué andar evitando esa palabra?   (JCS, 1962: 24)

48. —El año pasado un señor me estuvo pellizcando en las pantorrillas toda la misa.
—¡Vaya por Dios!   (AG, 1964: 55)

49. Con el coche ya en marcha, el médico le abrió la portezuela:
—Vamos, sube. No te entretengas; se nos hace tarde.
(MS, 1968: 322)

50. —Tenía planes para ella, ya le digo, y ella, hasta entonces, hasta que llegué yo, vamos, se dejaba querer.   (JLMV, 1975: 57)

51. —¿Qué tal has comido?
—Regular.
—Amos, anda, que te estás poniendo *mu* [=*muy*] exigente, y este no es el *Riz* [=*Ritz*] ni el *Palas* [=*Palace*].   (JAZ, 1973, 276)

52. —En las viñas, por si no lo sabíais, siempre anda suelto un jabalí cuando hay luna...
—Venga, rico, déjate de cachondeo, que no somos del género tonto.
(JMCB, 50)

53. —Te vendo la mula, Heliodoro.
—Te doy quinientas pesetas por ella.
—Vengan.   (AB, 488)

54. —¿Trajiste la navaja? —volvió a preguntar.
—Y dale... Que sí.   (JMCB, 15)

55. —... y dijo: «Así es, mañana las doblo [=*me muero*]. Y no te olvides de pagar la caja, las copas y el funeral», que lo dijo de tales formas, oiga, que todos nos quedamos mohínos, como acobardados... (MD, 1978: 125)

56. —¿Qué ocurre con el pelo de Paula?
    —Es un pelo de chico. No es decente.
    —¡Atiza! —dije.
    —Suba a la clase y escriba cincuenta veces: «Aborrezco las interjecciones.» [*dijo la profesora*] (JLMV, 1976: 47)

57. De pronto, el del traje a rayas, se puso un poco de costado sobre el respaldo de la silla y empezó a darle besetes a la tapicería de plástico.
    —Atiza, manco, ¿con quién estará soñando este villarrobledeño [=*de Villarrobledo*]? —soltó Menchen. (FGP, 1981: 75)

58. —Seré franco con usted, señora; le abriré mi pecho. Es que [*yo*] rondaba la casa.
    —¿Esta casa?·
    —Sí, señora. Tienen ustedes una sobrina encantadora.
    —Acabáramos, caballero. Ya, ya veo el feliz accidente.
    (MU, 1956: 47)

59. Don Cristóbal cogió el rosario de manos del auxiliar y se lo entregó a la mujer.
    —Tenga, lo más grande. (MBU, 94)

60. —Andando y sin gritar —ordenó nuevamente el de la pistola, acercándolo a la sien de Julio. (AMG, 194)

61. —Pues ya la oye. ¡Hala, estudiando, que es gerundio!
    Los tres, de mala gana, abrieron sus gruesos libros. (MBU, 27).

62. —Y no me la rompan ustedes, ¿eh? Que es la única jarra que tengo. Así que cuidadito. (RSF, 1965: 82)

63. Desde que puedo recordar, vengo sufriendo la batalla de mis padres en fase de guerra fría. Pero, ¡ojo!, que no estoy insinuando que los tiros se dirigieran contra mí. (JLMV, 1981: 12)

64. —A ver, ¿qué libro es ese que tenés? —dijo Mardana, alargando la mano para que Zabala le hiciese ver el libro que traía.
    (GC, 231)

65. —¿Me quiere decir dónde hay más libertad que aquí? A ver, a ver, un solo sitio, no le pido más. (MB, 1968: 31)

66. —Ya tenemos las listas completas.
    —A ver, a ver. Me gustaría ver los nombres. (CG, Mex., 28)

67. —¿De orden de quién se atreven ustedes a atacar mi casa?
—De orden de mi jefe —contestó el cabo con altanería.
—A ver la orden.   (ABG, 332)

68. Regresó Laly con un frasquito diminuto y un vaso de agua en la mano:
—A ver —dijo—, abre la boca.
Le puso a Víctor dos comprimidos azules en la lengua.
—Bebe —añadió.   (MD, 1978: 187)

69. —¿Qué va a ser de nosotros, Dios mío? ¿Y de esta niña? ¡Ay, Paca! ¿Qué va a ser de mi Carmina?   (ABV, 1963: 29)

70. —¡Dios mío! ¡Qué feliz soy! ¡Pero qué feliz!   (VRI, 1970, 30)

71. —... yo no quisiera interrumpirles.
—Por Dios..., Maribel es ya como si fuera de la familia.
(MM, 1967: 310)

72. —Muy grave es el asunto, desde luego.
—¡Por lo que más quisiera, don Mauricio! Yo besaré donde usted pise si me salva de ésta; pero yo no quiero ir a la cárcel...
(JAZ, 1967: 181)

73. —Bendito sea Dios.
No es una jaculatoria. Es un suspiro, un lamento, un acto de sumisión, más a la fatalidad, al sino, que a Dios.   (AP, 1973: 68)

74. —¡Di lo que tengas que decir, por los clavos de Cristo!
(JCS, 1962: 81)

Exercise 4.   Sections 1.25 - 1.30

1. —No se gana discutiendo. De veras. ¡Hay que ver! ¡Con este calor!
(CG, Arg., 1971: 277)

2. —¡Hay que ver! ¡Parece mentira! ¡Mira que enfriarse en agosto, en Sevilla, con el calor que dicen que hay ahí!   (MM, 1967: 218)

3. —... que hay cosas que no se explican, date cuenta, aquel chiquilicuatro que hasta trabucaba las palabras, pues no veas ahora, un aplomo, una serenidad...   (MD, 1967: 275)

4. [*Two maids are talking*]
—¿Quién era? —preguntó con tono indiferente.
—Jaime, el chico mayor. Tengo unas ganas ya de perderlos de vista a todos. Desde luego, hija, no te arriendo la ganancia. Viene bueno el niño, no veas.
—¿Sí? ¿Pues cómo viene?
—Borracho y con ganas de bronca.   (CMG, 1976: 87)

5. —Seguro que ya la llevó a la hacienda esa, ¿verdad?
    —Por supuesto; van todos los weekends.
    —Vivir para ver. ¡Qué gusto tenerte a ti de amiga...!
    (CF, 1958: 291)

6. —Luis, acompáñala fuera —ordenó Java, y a ella—: Ya sabes, si
    hablas de eso, si se lo cuentas a alguien, entonces sí, entonces te
    rajo esta bonita cara de un tajo y te pelo al rape.
    —No me digas —canturreó Juanita—. ¿Nada más? ¿No queríais
    nada más de mí?   (JM, 1977: 55)

7. —Don Francisco Sánchez-Munárriz, con guión intercalado, ¿sabe?, y
    de segundo [apellido] Lastra Sopelana, ahí queda eso. Un señor
    importante.   (JLMV, 1975: 106)

8. —¿Y qué pasó?
    —Aquella tarde, nada. Y luego lo olvidé, lo que son las cosas...
    (JLMV, 1975: 52)

9. —Las cosas como son, y es que la señora... resulta un poco de-
    masiado joven para él.   (JAZ, 1973: 126)

10. —¿Y tu padre se le opuso?
        ...   .
    —¿Mi padre? No, qué va. Mi padre trajo a Jóse [sic] porque no
    le quedaba otro remedio, las cosas como son.   (JLMV, 1975: 185)

11. —¿Ve usted, Manué? Con don Lotario no me casaba [=casaría],
    lo que son las cosas, aunque tiene carrera y auto...
    (FGP, 1968 a: 92)

12. Lo que son las cosas, tampoco en la ultraderecha, donde a fuerza
    de golpes parece renacer cierto realismo, aceptan al secretario
    de A P [=Alianza Popular]   (Cambio 16, 25-4-1977: 13)

13. —¿Qué hora es?
    —Las nueve.
    —¡Madre mía, las nueve!   (RRB, 9)

14. —Y yo he soñado que se nos moría una mañana con un hueso
    atravesado en la garganta.
    —¡Qué barbaridad!   (MU, 1956: 78)

15. —¡Caramba! —exclamó sorprendido el señor obispo—. ¿Pertenece
    usted... a la Obra de Dios? [=al Opus Dei]
    —Exactamente.   (JMG, 1966: 290)

16. Mis tribulaciones se inician al llegar al aeródromo, cuando me pesan y gritan delante de todo el mundo, como si yo fuera un boxeador:

—¡Ochenta y cinco kilos!

—Caramba, qué gordo estoy —me disculpo avergonzado.

(MOS, 178)

17. Mr. Harris se detuvo para tomar aliento. Descansó la escopeta en el suelo con la culata entre las botas y se apoyó con ambas manos en el cañón frío.

«¡Darn-it! —murmuró con gesto un sí es no es enojadizo—. Darn-it, caramba, esta cosa se está poniendo un tanto ridícula.»

(SA, 255)

18. —Desembucha ya.

—Pues bueno; al grano. Queremos casarnos.

...   .

—Vuelve a repetirme lo que me has dicho.

—Caray, pues no es tan raro.   (MS, 1968: 373)

19. —¿Nunca te has puesto a pensar, Lorencito, hijo, en lo que te hubiera gustado ser?

—No.

—Pero, bueno, ¿tú qué es lo que quieres?

—Que me dejéis en paz.   (JAZ, 1972: 1072)

20. —Pero, bueno, ¿qué es lo que pasa de verdad?

—Yo no se lo puedo explicar bien, porque ella tampoco lo sabe a ciencia cierta...   (FGP, 1981: 155)

21. —¡No me querían dejar pasar! ¡Habráse visto!   (MAU, 165)

22. —Claro, el solomillo de la perra cuesta ciento ochenta y cinco pesetas y las albóndigas del señor de la casa, ochenta. ¡Hasta ahí podíamos llegar!   (JAZ, 1973: 438)

23. —Si me escucha un momento.

—¡Hasta ahí podíamos llegar! Ya he oído bastantes disparates.

(AL, 1966: 187)

24. De la parte baja de la casa subió un fuerte y agrio olor a frituras y a repollo.

—Lo que faltaba —exclamó Constancia—. Encima de las cucarachas, este olor asqueroso...   (GC, 118)

25. —¡Cállense! ¡Cállense... asquerosos!

—¡Y nos llama asquerosos! ¿No te digo?   (JFDS, 68)

26. —Mujer... —dijo Teresa blandamente...—: ¡Como hay Dios que me lo ha dicho doña Rosa!

—Mira tú quién fue a hablar: doña Rosa...   (AML, 1965: 581)

27. —¿Usted sabe que esto estuvo en otro tiempo lleno de judíos?
—Es mi pena, ¡mal rayo los parta! ¡Los verdugos de Nuestro Señor! (CJC, 1961: 103)

28. —¿Y si gana Hitler?
—Eso no hay ni que pensarlo, leche. (AML, 1976: 389)

29. Y yo exploto.
—¡Pues no se nota, coño!
Pero él se ríe:
—¡Olé mi niño! ¡Y qué bien sueltas los tacos! (JLMV, 1981: 41)

30. —Va a llover, ¿no?...
—Ojalá que llueva y que haya una inundación, ¡coño!
(SG, 137)

31. Doroteo luchaba con dos que se lo querían llevar, mientras gritaba:
—Me cago en vuestra madre, hijos de cien leches. (IA, 170)

32. —... yo juraría que era en Logroño.
—Mecagüen la leche, que no... (RAY, 84)

33. —¡Le sobran a usted grasas!
—¡La madre que le parió! (LO, 1968: 42)

34. —Pero, oye, jolín, a mí nunca me contáis nada. ¿Es verdad que ha ido al barrio chino? (JM, 1977: 234)

35. —¡Dichosos los ojos, [*tío*] Maravillas! ¡Tres días sin verte!
(LO, 1968: 34)

36. El hijo de Onofre no me conoció. Yo le dije: «Soy Miguel Gamero, ¿no te acuerdas?» «Sí, hombre, claro, dichosos los ojos», me contestó. (JMCB, 217)

37. Más vale tarde que nunca.

38. Más vale lo malo conocido que lo bueno por conocer.

39. Más sabe el diablo por viejo que por diablo.

40. Más vale pájaro en mano que ciento volando.

41. No hay mal que por bien no venga.

42. No se ganó Zamora en una hora.

43. A falta de pan, buenas son tortas.

44. Más cornadas da el hambre.

45. —Pero, mamá, es un muchacho muy bien, se viste correctamente, es muy atento.
   —El hábito no hace al monje, niña.   (CF, 1958: 286)

46. Cada oveja con su pareja.

47. Perro ladrador, nunca buen mordedor.

48. A grandes males, grandes remedios.

49. —Ninguna sabe cuándo le va a llegar la hora [*de enamorarse*]. El amor y la muerte, a traición.   (MD, 1963: 179)

50. Al atropello con el atropello. Ésa es la ley de esta tierra.
   (RG, 163)

51. —No sé lo que piensa hacer. Yo lo que te digo es que «año nuevo, vida nueva».   (JLCP, 28)

52. —Hola, qué temprano vienes hoy...
   Doña Visi besa en la calva a su marido.
   —¡Si vieses qué contenta me pongo cuando vienes tan pronto!
   —¡Vaya! A la vejez, viruelas.   (CJC, 1963: 133)

53. —¿Y por qué has dicho seminaristas modernos con retintín?
   —Sí, de esos que ahora se ponen en contra de los ricos.
   —A buenas horas, mangas verdes. Judas vendió a Cristo y nadie ha vuelto a rescatarlo. Sigue aún en poder de los compradores.
   (FGP, 1973: 116)

54. Del jefe y del mulo, cuanto más lejos más seguro.   (AP, 1973: 27)

55. Era una locura, un disparate... Mas ¿cómo volverse atrás? La cosa no tenía ya remedio; a lo hecho, pecho.   (MU, 1958 *a*: 324)

56. «Una orla bien negra, Pío, por favor.» Y no es que la [*sic*] agradasen las esquelas pero de perdidos, al río.   (MD, 1967: 26)

57. —¿Es usted casada?... ¿Viuda?... ¿Divorciada?...
   —Soltera y con un hijo de cuatro meses.
   —¡Claro!... ¡Tanto va el cántaro a la fuente...!   (JMB, 380)

58. Aun en la disputa [*el mexicano*] prefiere la expresión velada a la injuria: «al buen entendedor, pocas palabras».   (OP, 26).

2

EMOTIONAL COMMENT
SENTENCE PATTERNS

2.0 Colloquial Spanish possesses a number of non-standard sentence *patterns* which may be used for the spontaneous and concise expression of the following types of emotional reactions and comments: surprise, admiration, pleasure, scorn, sarcasm, regret, indignation, impatience, strong affirmation or denial, rebuke, resignation, wishes and hopes. One of the identifying characteristics of such patterns is a syntactical or semantic component which, unlike the *adjuncts* to be described in Chapter 3, is an *integral* part of the sentence. A further relevant feature of sentences made up from these patterns is that, although they are not usually analysable in terms of standard syntax (i.e. into main clause and subordinate clause, etc.) or in terms of standard (i.e. literal) semantics, they are clearly *equivalent in meaning* to longer or more 'literal' standard sentences, for which they may be considered colloquial variants or replacements.

Because of their structure of because they have a non literal meaning (see, for example, sections 2.12-2.15), these emotional comment patterns, like all ritual elements of colloquial Spanish, offer particular comprehension and translation difficulties for non-native students of the language, who are accustomed to the familiar structures of standard sentences and to the more or less literal interpretation of sentence components. However, since these sentences are constructed from productive sentence patterns, a familiarity with their characteristic form and functions is desirable and should be achieved more quickly, more accurately and more permanently by systematic study than by recourse to the dictionary alone.

Given the wide range of functions covered and also the peculiar syntactical or semantic characteristics of these emotional comment sentence patterns, they have been grouped partly according to form and partly according to content under the following headings:

¡QUÉ!/¡CUANTO!/¡CÓMO! EXCLAMATIONS AND EQUIVALENTS

2.1 The basic patterns for general emotional exclamations covering a wide range of feelings are as follows:

2.1.1 For the exclamatory equivalent of *muy* + adjective or adverb. (English: *What a...!*; *How...!*):

> ¡Qué mujer!
> ¡Qué mujer más/tan guapa!
> ¡Qué bonito!
> ¡Qué bonito es ese vestido!
> ¡Qué bien!
> ¡Qué tonto eres!
> ¡Qué bien trabajas!
> ¡Cómo vuela el tiempo!

In addition to the common patterns listed above, there exists a verbless pattern consisting of *que* + noun or noun phrase followed by either a demonstrative or a possessive component. To translate this pattern into English, it will usually be necessary to use an exclamatory sentence which includes a verb:

> —¡Qué linda aquella flor!   (M. Cecchini, 130)
> *Isn't that a pretty flower!/How pretty that flower is!/What a pretty flo«er that is!*

> —¿Y qué interés puede tener en ocultarlo si no ha pasado nada malo?
> —¡Ah! Y qué don Lotario éste. Y yo qué sé.   (FGP, 1981: 24)
> *What a one you are, Lotario! How should I know?*

> —¡Qué desgracia la que me ha caído!   (GC, 209)
> *What a terrible blow I've received!*

> —¡Qué amigos los tuyos, tío Pepablo!   (Keniston, 80)
> *You've got some fine friends, Pepablo!*

2.1.2 For the exclamatory equivalent of *mucho* + noun or verb or of *muchos:*

¡Cuánta gente hay aquí!
¡Qué miedo me da!
¡Cuántos vinieron!
¡Cuánto tiempo sin verte!
¡Cuánto sabe (este chico)!
¡Cuánto trabajan!

2.2 The following minor variations occur.

NOTE

For other variations in the intensifying elements *muy, tan* and *mucho,* see 5.5-5.16.

2.2.1 *Qué* omitted:

—¡Cosa más dulce!   (Keniston, 145)

2.2.2 Additional *que:*

—¡Qué palidez que tiene!   (RA, 1968 *a*: 270)

—Qué bien que se está aquí!   (Seco, 284: «*habla popular*»)

NOTE

This variant is possibly more frequent in American Spanish. A similar pattern also occurs with ellipsis of *Qué* and is labelled by M. Seco (1967, p. 284) as an *americanismo:*

—Flojita que te estás volviendo.   (Seco, 284)

—Imbécil que soy.   (JG, 1963: 66)

2.2.3 *Qué* replaced:

a) by *Vaya (un)*:

—¡Vaya coche (que tiene)!
—¡Vaya (una) pregunta!
—¿Luis? Vaya un nombre más raro.   (MD, 1969: 101)

b) by *Cómo... de* in the pattern *¡Cómo* + verb + de + adjective!*:

—¡Cómo se puso de contento cuando lo vio!   (overheard in Madrid)

For the use of *bonito, lindo, menudo,* and *valiente* as replacements for *Qué,* see 2.15.

2.2.4 Very occasionally *más* or *tan* may be omitted:

> «¡Vea usted, don Diego, qué escritura endiablada!»   (FA, 1969: 613)
> ¡Qué días incomparables!   (CL, 140)

Even more occasionally the pattern may be
¡*Qué* + adjective + noun!:

> Qué linda carta me mandaste...   (MP, 103)
> —¡Qué buen amigo!   (SG, 124)

2.2.5 Alternative pattern: ¡*Qué* + noun + *de* + noun!:

> —¡Qué lástima de hombre!   (Keniston, 43)
> *That poor man!*

> —¡Qué asco de casa!
> *What a disgusting house!*

2.2.6 The patterns *(y/que) bien* (+ adjective) + *que* + verb seem to have a similar meaning to exclamations with ¡*Qué bien* + verb! or ¡*Cuánto* + verb! In translation, an emphatic *very* (*well,* etc.) should suffice:

> Y tenía detalles, que bien que me fijé...   (MD, 1967: 120)

> ... luego a los tres meses, cuando Elvira murió, bien que la [*sic*] pesaría.   (MD, 1967: 43)

> Pues llovió y bien que llovió, y subió el río...   (JLP, 98)

> —Pues bien entretenida que la dejé con su caja de cintas.
> (AG, 1970: 232)

NOTE

The possible interpretation of *bien que* in the above pattern as an equivalent of *aunque* should be avoided.

2.2.7 The exclamation pattern *Este/Estos* + noun may also be used for criticism or admiration:

> —¡Estos niños! [¡*Qué malos!* / ¡*Qué ricos!* / ¡*Qué niños!*]

2.3 Major variant patterns.

2.3.1 Equivalent to *¡qué! = muy* patterns is the occasional use of *lo* + adjective or adverb followed by *que* + verb:

—¡Lo fuertes que eran!   (E. Alarcos Llorach, 178)
How strong they were!

—¡Lo indignado que se pone!   (RSF, 1965: 191)

—¡Lo bien que me viene!   (E. Alarcos Llorach, 190)
How well that suits me!

—Y lo cariñosos que son los gatos. ¿Usted se ha fijado en lo cariñosos que son?   (CJC, 1963: 34-35)

2.3.2 Equivalent to the *¡cuánto!* and *¡qué!* patterns which imply *mucho* or *muy* + adjective is the exclamatory pattern: definite article + noun + relative clause:

—¡El miedo que está pasando!   (Seco, 142)
How frightened he is!

—El disgusto que se va a llevar cuando lo sepa.
How upset (s)he is going to be when (s)he finds out!

—¡El plomo que aquel hombre llevaba en el cuerpo!
(Keniston, 130)
What a lot of bullets that man had in his body! / The lead that man had in him!

¡Los billetes que vendieron!
What a lot of tickets they sold! / The tickets they sold!

If understandable in the context, the noun may be omitted:

—Me dieron dos mil pesetas. ¡La (borrachera) que cogí!
... I got really drunk!

NOTE

The variants *la de* + noun + relative clause and *¡qué de* + noun! involve the ellipsis of a noun like *cantidad*. Compare with English *What a lot of...!* and *The (number of)...!*

—¡La de veces que me ha pedido diez duros para comer!
(FDP, 1971: 246)
The (number of) times he's asked me for fifty pesetas to buy food!

—¡La de trabajos que he tenido que hacer para pagarte el seminario!   (AG, 1973: 31)
The jobs I've had to do to pay for you to go to the Seminary!

—¡Qué de cosas te diría!   (Moliner, II: 900)

2.3.3 Alternative to the basic patterns *¡Cómo* + verb! and *¡Cuánto* + verb! is the exclamatory pattern *¡Lo que* + verb!

—¡Lo que vale la influencia política!   (Ramsey, 124)
Political influence is so useful!

—Un día hasta me pegó. ¡Lo que lloré!   (Keniston, 88)
One day he even hit me. How I cried!

—¡Chiquillo, lo que nos vamos a reír!   (Seco, 217)
Hey we're going to have a really good laugh!

—Tus hermanas, ¡qué traviesas eran!... Señor, Señor, lo que ha cambiado tu casa.
—¡Lo que han cambiado los tiempos!   (CL, 107)

2.4. The three patterns described in 2.3, although found alone, are more frequently used in reported exclamatory comments, especially as object clauses of verbs of perception and saying, or after verbs governing a prepositional object. (See also 5.15 and 5.16.)

—Ya ves lo formalitos y obedientes que han estado todo el día.
You can see how well behaved and obedient they've been all day.

—Abra los ojos y mire bien lo fea y vieja que soy.   (Keniston, 92)
Open your eyes and just see how ugly and old I am.

—Ya lo decía yo, en cuanto vi lo limpios que tenía los vidrios de las ventanas: usted es un caballero.   (EW, 140)

—Al verte me acordé de lo compenetrados que estuvimos entonces.
(ABV, 1964: 57)
When I saw you I remembered how close we were then.

—Si te dieras cuenta de lo equivocado que estás.
(JMG, 1972: II, 47)

—Ya me han contado lo bien que lo pasasteis.   (Moliner, II: 278)

—Se lamenta de lo mal que andan las cosas en nuestro país.
(Keniston, 88)

—Figúrate lo lejos que vivimos.   (Seco, 217)

—Lo dices como si te molestara lo viento en popa que van.
(JAZ, 1973: 466)
You say it as though you were annoyed because they're doing so well.

—¡No te puedes imaginar la bronca que ha habido en casa!
(LO, 1968: 86)
You've no idea what a row there's been at home!

—No sabes lo que me satisface poderte dar esa alegría.
(JAZ, 1972: 459)

PATTERNS WITH OTHER INITIAL EXCLAMATORY COMPONENTS

2.5 The emotional use of certain exclamatory words (most of them described in Chapter 1) as integral parts of colloquial sentence patterns rather than as separate sentences or parenthetical additions produces a number of characteristic syntactical and semantic patterns for which the ritual content of the exclamatory element rather than a literal interpretation provides the clue to an adequate translation into English. Three types of these exclamatory patterns are described below in sections 2.6-2.8.

NOTE

See also 2.10.2.

2.6 A number of exclamatory words listed in Chapter 1 may combine with *con* and nouns, noun phrases or infinitives to form exclamatory sentences.

2.6.1

¡Vaya con...!	*¡Cuidado con...!*
¡Caramba con...!	*¡(Y) Dale con...!*
¡Caray con...!	

All of these (and indeed other expletives, like some of those listed in 1.28) may be followed by a noun or noun phrase to indicate degrees of annoyance, surprise (usually unpleasant) or sarcasm caused by the reference conveyed by the mentioned noun. In English, translation will vary according to context, but general equivalents are:

What a...!	*Damn the...!*
Some...!	*Just look at the...!*
How...!	*Get a load of...!*
Isn't (s)he...!	

With *(Y) Dale con*, which is mainly used to express exasperation caused by something just mentioned, the effect is similar to English *There he goes/you go,* etc., *again (with...)!* or *Damn the...!*

> Si el día estaba bueno, salían a dar un paseo por las calles. Las vecinas le saludaban:
> —¡Vaya con el señor Santiago, que no quiere morirse...!
>
> (IA, 232)
>
> ...*Just look at Santiago, would you! He just refuses to die.*

—Aunque puedan parecerte lobos, la mayoría de esas gentes son corderos.
—¡Vaya con los corderos! —rezongó.   (MS, 1968: 21)
'Some sheep!' he muttered.

—¡Vaya con el indio suertudo! Ahora iba a ver.   (CAL, 71)
That damn Indian! He'd show him!

—Resultó ser el asesino de la chica... y Carlos lo ha matado.
—Caray con el mocito.   (ABV, 1966: 129)
Well, would you believe it!

—¡Cuidado con las veces que se lo he dicho!   (Beinhauer, 235)
How many times I've told him! The times I've told him!

—... Del mismo modo prefiero no comprender tus rollos más que a medias.
—¡Y dale con el rollo!   (JM, 1970 a: 68)
There you go again, calling my speeches boring!

—A tu edad puede afectarte cualquier cosa...
—¡Y dale con la edad!   (JLMV, 1981: 36)

2.6.2 *Cuidado con* and *Ojo con* (and the diminutive forms *Cuidadito and Ojito*) may be used to form two different patterns with imperative force.

When followed by a noun or noun phrase, they have a positive imperative meaning *(Careful with...!)*; when followed by an infinitive, they indicate a negative imperative *(Mind you don't...!)*.

—¡Niño! ¡Cuidado con las tijeras!

—... Ojo con ese perro, porque puede hacernos más daño que todos los hombres juntos.   (HQ, 75)

—Estos cien pesos son para que no te olvides de mí. Y cuidadito con gastártelos con otra mujer, ¿eh?   (LS, 1970: 31)

2.7 Certain (mainly verbal) exclamations may be used in initial position to add emotional intensity to a sentence of which they form an integral syntactical part.

2.7.1 Exclamatory *Mira, Mire usted, Anda* and *Cuidado* may be grafted on to a standard sentence type or to an exclamatory pattern by the addition of the link *que*, for various purposes of emotional emphasis (e.g. to express surprise, indignation, lament, entreaty or a threat). In English these sorts of emphasis are more normally rendered by means of voice stress, exclamatory sentences, the use of the emphatic word *really*, or even by standard sentences beginning with *Remember* or *Believe me*, etc. With the less frequent *Cuidado que* pattern, the equivalence with *¡Qué!* and other exclamation types is particularly noticeable.

86

—Mira que, también, os metéis en unos líos. (DS, 1961: 169)
*You really **DO** get yourselves into some fine messes, don't you?*

—No me juzgues mal, Blanco. Esperemos un tiempo. Mire que lo que usted piense de mí me importa mucho. (EB, 288)
*Believe me, what you think of me **REALLY** matters to me.*

—Mira que se lo he dicho veces.
The times I've told him/her/them!

—Mire que si me mato [*en el avión*], usted sale perdiendo.
(MVL, 1973: 127)

—Mira que andar ahorrando para esto.
Fancy saving up all this time just for this!

—Anda que si se entera tu padre...
If your father finds out, look out!

—Cuidado que sois gansos. (RSF, 1965: 44)
You really are funny! / What clowns you are!

—... pero no daba una perra a nadie, y eso que tenía millones...

—Cuidado que era roñosa —observó Miguel. (AML, 1965: 790)
'But she wouldn't give a cent to anyone, and yet she was loaded.'
'She wasn't half mean/tight/stingy!' remarked Miguel.

—¡Qué tío más raro! Cuidado que hace cosas difíciles con la cara.
(RSF, 1965: 16)

The reinforcement of both of these patterns by a preceding Y (see 3.3) most commonly seems to express a regret provoked by something in the context and to imply a need for an intensifier in the English version *(And... so...; But... so...).*

—¡Y mira que me levanté temprano!
And (yet) I got up so early!

Se encontraban en la situación del matrimonio que no tiene ya nada que decirse... Y ella pensaba: «Y cuidado que le quiero y me ha hecho y soy feliz con él.» (JAZ, 1973: 334)
... 'And yet I love him so much and he has made me so happy.'

—A ver quién puede poner junto al mío un nombre de hombre. Y cuidado que este pueblo vive de calumniar. (AG, 1970: 235)
I defy anyone to name a man I'm supposed to have been with, even though this town thrives so much on gossip.

NOTES

1. The idiomatic *¡Mira que es/eres!* usually refers to some omitted quality made obvious by the context and tone of voice. The translation will normally be something like: You *are* naughty/difficult/ wicked, etc.!

2. Although not deriving from any exclamation, the contrastive connector *y eso que* described in 5.26.3 also indicates regret.

2.7.2 Other exclamations which can occur as integral parts of colloquial sentence patterns are *¡Hay que ver!*, *¡No vea(s)!*, *¡No vean!* (see 1.25.1) and *¡No quiera(s) saber!* Their use seems to be restricted to the further intensification of sentences of an exclamatory nature like those listed in sections 2.1-2.3. In translation, *really* or *It's incredible...* may be useful. (All examples collected come from Spain.)

> —Y también lo has pasado bien, ¿verdad? ¡Hay que ver cómo te reías!   (JMG, 1966: 79)
> *... You were really laughing your head off!*

> —Hay que ver las enemistades que te has ganado por eso.
> *It's incredible how many enemies you've made because of that.*

> —Hay que ver qué gente tan amable, y qué cocina tan limpia.
> (MM, 1967: 344)
> *You have to admit they're really nice people, and the kitchen's so clean!*

> —No veas en la de sitios que ha estado ya, con veinticinco años que tiene...   (CMG, 1974: 91)
> *You've no idea the number of places he's been to already although he's only twenty five.*

> —Y el Paulino... nos miró uno por uno con unos ojos que echaban chispas, oiga, no vean qué ojos, y dijo...   (MD, 1978: 124)
> *... que no quieras saber el coraje que me dio...   (MD, 1967: 183)
> *... and, gosh!, you made me SO angry!*

NOTE

Sometimes the exclamation *¡Hay que fastidiarse!* (1.26) may be used in a similar way:

> —¡Hay que fastidiarse, el tiempo que hace!

2.8 The emotional patterns consisting of *¡Ay!* or an adjective) + *de* + pronoun (or noun phrase) express a lament or a threat. Although often translated as *Alas!*, *Woe is me!* and *Woe betide them!*, etc., a more convincing translation into contemporary English is usually obtained by using more current exclamations of sorrow, regret or intimidation, like *On dear!*, *The poor...!*, *My God!*, *God help...*, *Heaven help...!*

> —¡Ay de mí! ¿Qué voy a hacer?
> *Oh dear, oh dear! What am I going to do?*

> —¡Ay de aquellos que lo hayan echado en olvido!
> (N. D. Arutiunova, 1966: 7)
> *God help those who have forgotten it!*

—¡Pobres de nosotros, Generosa, pobres de nosotros! ¿Qué hemos hecho para este castigo? (ABV, 1963: 39)

—¡Miserable de mí, he aspirado a lo que me era tan superior!
(N. D. Arutiunova, 1966: 7)
How stupid of me! I aspired to something quite beyond my reach.

—¡Desgraciado de ti si lo olvidas! (Moliner, I: 58)
You'll be for it if you forget it!

NOTE

The more archaic *¡Guay de...!* may sometimes be met instead of *¡Ay de...! (Heaven help...!)*:

... las leyes mexicanas al respecto son muy estrictas; guay del que pretenda esconder una figurilla azteca... en su bolso.
(CF, 1980: 15)

FOCUSSING PATTERNS

2.9 A special sort of sentence patterns permits the spontaneous expression, at the beginning of the sentence, of a dominant element (usually, but not necessarily, the sentence element with principal stress).

These patterns consist of rearrangements or «dislocations» of the *subject-verb-object* sentence order. Most usually, these sentences occur as emotional reactions or have a high emotional content. In English they may often be translated adequately by voice stress.

2.9.1   *Object (or Complement) Precedes Verb*

This type of word order arrangement allows the spontaneous expression at the beginning of the sentence of the direct object (or complement). This is particularly frequent with pronoun objects like *eso, nada, algo, mucho, poco, tanto,* and other direct objects or complements denoting quality, quantity or degree.

—Eso dijo.
THAT'S *what he* **SAID.**

—Algo habrá.
There **MUST** *be* **SOME**thing!

—Nada conseguirás con esa actitud.
You won't achieve **ANY**thing *with* **THAT** *attitude.*

89

—Mala impresión debimos producir.   (G. T. Fish, 1959: 587)
We must have created a **VERY** *bad impression.*

—Veneno les daría yo.   (Anna G. Hatcher, 1956 b: 34)
I'd give them **POISON!**

—Muy tranquilo estás tú.
YOU'RE *very* **CALM!**

—Mucha prisa traes tú hoy.
YOU'RE *in a great* **HURRY** *today!*

—Hasta tres cuerdas de ropa llenaba yo.   (LO, 1968: 28)
I *used to fill as many as* **THREE LINES** *with washing.*

—Demasiado metido dentro de sí le encontré yo la noche que vino
por aquí.   (JAZ, 1973: 327)
I found him **FAR** *too* **IN***troverted the night he came* **HERE.**

NOTE

Care should be taken to distinguish between this type of word
order (i. e. O-V or C-V) and the similar-looking but much more general arrangement of Object + additional (resumptive) object pronoun + Verb (+ Subject) (i.e. *O-o-V (S)* which is common in standard Spanish and where the stress is on the *last* item in the
sentence:

—La casa la compró mi padre.
My **FATHER** *bought the house.* / *The house was bought by my
father.*

—Eso lo soñaste.
You **DREAMT** *that.*

—... Ya sabemos que ganaste la guerra.
—¡La guerra! ¡La guerra no la gana nadie!   (CG, Arg., 1971: 142)

—Entonces... le digo yo: «Caramba, yo eso tengo que pensarlo...»
(A. Rosenblat, 320)

More colloquial is the arrangement where an Object precedes an
imperative and a resumptive object pronoun follows (i.e. *O-V-o*):

—Los versos, déjalos —dijo Silda.   (Keniston, 41)

—El olvido en que nos tuvo, mi hijo, cóbraselo caro.
(JR, 1970: 7)

This pattern is also found with verbs denoting obligation like
haber que and *deber:*

—Tú eres muy joven todavía. Ya irás aprendiendo que el vino hay
que aguarlo.   (LO, 1981: 161)

Here again standard word order is dislocated by the expression of what is uppermost in the speaker's mind. Where the Subject is a subject pronoun, the tone is usually brusque:

—¿Tú qué sabes?   (Keniston, 41)

—¿Y eso qué tiene de malo?   (GCI, 1969: 109)

—Las chicas del barrio, vuestras amigas, ¿se reúnen también allí con vosotros?   (JM, 1970 *a*: 85)

—¿Y esa caja qué es?   (MM, 1967: 354)

—Cállate y dime una cosa. ¿Vosotros cuándo os vais a casar?
(MM, 1967: 343)

NOTE

The expression of the subject pronoun either before or after the imperative is yet another example of emotional focussing and usually gives the imperative a more peremptory tone:

—Tú cállate.
—Cállate tú.

2.9.3 A further form of dislocation for emphasis is where the Subject or Object (less frequently the Complement) of a *subordinate* verb precedes the main verb, particularly when the latter is an introductory subjective verb or opinion, judgement, etc. (see 4.14-4.19).

—Yo es posible que no vuelva nunca.
(L. C. Harmer and F. J. Norton, 507)
I *may* **NEVER** *return.*

—El reloj parece que se ha parado.
It looks as though the **CLOCK** *has* **STOPPED.**

—No me divierten las historias.

—Ésta, estoy segura que te gustará.   (IG, 233)
I'm **SURE** *you'll like* **THIS** *one.*

—Tú mismo has reconocido que algunos compañeros estaban cansados de la lucha.
—Bueno, cansados yo creo que estamos todos —respondió Genaro.
(JLCP, 185)

—Nicasio hace mucho tiempo que dejó aquella oficinilla de mala muerte.   (RRB, 45)

NOTE

For *(Y) Bien que* + verb, see 2.6.

AFFIRMATIVE RESPONSE PATTERNS

2.10 In addition to the ritual affirmative responses described in 1.8-1.10, there is a small number of ritual sentence formulae indicating emphatic agreement and involving the repetition of part of the sentence which elicits this agreement.

2.10.1   *Claro que*
              Y tanto que
              Y tan (followed by a repeated adjective or adverb)

—¿Crees que me debo quitar el impermeable? Vengo un poco mojado.
—Claro que te lo debes quitar.   (MM, 1964: 16)

—Bueno, ya veremos.
—¡Y tanto que lo veremos!   (JLR, 1960: 17)

—¿Es posible?
—Y tan posible.
Of course it is!

—Segurito que va a la catástrofe.
—Y tan seguro.   (JAZ, 1973: 118)

2.10.2   *Que si*
              Vaya (que) si
              Anda (que) si

—Es valiente...
—¿Que si lo es? No lo sabe usted bien.   (Beinhauer, 202)
Is he! Not half he isn't! / IS he! Of course he is!

—Yo tenía trece años..., pero ya has oído eso.
—Vaya si lo he oído.   (JC, 1968 *b*: 221)
I'll say I have! / Not half I haven't!

—Es admirable.
—Anda que si es admirable.

NOTES

1. *Si* may occasionally be followed by the future or conditional of
   other verbs besides *saber.* (See 1.10: *¡Si lo sabré yo! ¡Si lo sabría él!*):

—La Ana Portela. ¿Te acuerdas? Hablamos una vez de ella.
—Si la conocería Lucho. Temblaba.   (EB, 336)
Did Lucho know her! He was shivering.

2. The patterns consisting of an interrogative word and a form of the verbs *ir a* or *hàber de* are dealt with in 2.11.2 and in 2.22. Vhen used with a negative, they may also indicate a vehemently emphatic *affirmative* response:

> —¿Lo tienes?
> —¡Cómo no voy a tenerlo!
> *Of course I've got it! / Of* **COURSE** *I have!*

NEGATIVE RESPONSE PATTERNS

2.11 The following negative response formulae and patterns should also be noted.

2.11.1 *¡Qué ... ni (qué) ... !*

In this vehement (and often aggressive) negative response formula, the first of the blank spaces is filled by a repetition of a word from a preceding sentence (i. e. the word or idea that is being rejected) and the second blank is filled either by a further repetition of the same word, by a patently absurd term (e. g. *niño muerto, ocho cuartos, pamplinas, regla de tres*), a euphemism (e. g. *peinetas*), or an expletive or taboo term such as those listed in 1.28.

Possible English translations of this formula include:

> ..., *my foot!*
> ..., *be damned!*
> ..., *my eye!*
> *To hell with...!*

and for the stronger forms: ..., *my arse!*
> *Balls!*

> —¡Al casino! ¡Al casino!
> —¡Qué casino ni qué casino!   (Beinhauer, 214)

> —Es que no quiero molestarlo.
> —¡Qué molestarlo ni qué molestarlo!   (GGM, 1968: 51)

> —Va contra el reglamento.
> —¡Qué reglamento ni reglamento!   (CM, 120)

—¡Repórtate, Ginesa!... ¡Demuestra a todos que eres una señora!
—¡Qué señora ni qué niño muerto! —rugía la Ginesa.
(CJC, 1971: 781)

—... ¿Para qué le sirve la inteligencia?
—¡Qué inteligencia ni qué demontre! Lo cierto —y usted no lo creerá— es que soy un desgraciado.   (JRR, 10)

—Todos sois muy buenos...
—¡Qué bueno ni qué... peinetas!   (ABV, 1963: 46)
Good? My foot!

—Aquí lo que hacen falta son técnicos.
—¡Qué técnicos ni qué puñetas!   (JLCP, 250)
'What we need here are technicians.'
'Technicians? Balls!'

—Es usted un chiquillo.
—¡Qué chiquillo ni qué leches! Es que es la primera vez que ocurre esto.   (FGP, 1973: 169)
'You're reacting just like a kid!'
'My arse! It's just the first time this has happened.'

NOTE

Note also the rejecting formulae
No hay ... que valga and *Venga ya de* + noun
(Cut out the...!/Rubbish!):

—¿Te conté lo del telegrama? Toda una historia...
—Y al final resulta que no había telegrama que valga.
(FA, 1969: 620)

—No quiero molestaros.
—Venga ya de bobadas.   (RSF, 1965: 94)

2.11.2 The very productive patterns consisting of an interrogative word followed by a form of the verb *ir a* or *haber de* are dealt with in detail in 2.22, but since they are often equivalent to a strong negative response, or a contradiction, they may briefly be considered here also.

(See also 2.14 Note: $\left.\begin{array}{l} No\ he\ de \\ No\ voy\ a \end{array}\right\}$ + infinitive.)

—¿Lo tiene él?
—¡Qué va a tener(lo)!
'Has he got it?'
'Of course not!' / 'Of course he hasn't (got it)!'

—Ahora lo sabe.
—¡Qué ha de saber, mujer!
—Si lo estoy diciendo.   (SE, 62-63)

2.11.3 Two other related formulae are:

> *De* + rejected word(s) + *nada*
> *Nada de* + rejected word(s)

—Chica, pareces tonta.
—De tonta, nada, monada.   (FU, 1966: 19)
Not a bit of it, darling!

—Entonces, bebe.
—De ber, nada. ¡Que tengo que torear, hombre, te digo!
(AML, 1965: 381)

—Dos cafetitos, entonces.
—Nada de cafetitos, amigo —saltó Tomás—. Pónganos dos vasos
de agua pero con *casalla*.   (JLCP, 130)

NOTE

See also 4.7.2.

2.11.4 There remains a special formula by which a hesitant negative
response may be conveyed. This formula consists of *Tanto como*
followed by a repetition of the part of the preceding sentence that is
to be mildly or hesitantly rejected, or by the pronoun *eso*, representing
that part. The response sentence may end in this vague way or it may
be 'completed' by a negative form like *no* or by a negative and a verb
(particularly *decir*). English translations are: *Well, not exactly... Well,
I didn't exactly... Well, I wouldn't say that exactly.*

—Tú no has cambiado nada.
—¡Hombre! Tanto como nada...
—Pero no mucho.
—Tú sí que estás idéntico...   (AL, 1966: 208)

—No tiene por qué preocuparse. Es usted un hombre feliz.
—¡Tanto como eso...!
—¡Ah! ¿No es usted un hombre feliz...?   (JLR, 1960: 10)

—¿Y qué me va a hacer? ¿Va a matarme?
—¡Tanto como matarla, yo no diría!   (JFS, 1971: 287)

NOTE

See also 3.19.1.

IRONY

2.12 Just as the literal analysis of the components of previously described ready-made sentences and emotional comment sentence patterns may fail to give the real meaning, so a literal semantic analysis of certain standard sentence types used with *ironic intent* will give the opposite meaning to that intended by the speaker and understood by native speakers.

The implicitly accepted convention on the part of both speaker and listener in the sentences that follow in sections 2.13-2.15 (usually spontaneous emotional expressions of surprise and indignation) is that what is intended is in some way the **REVERSE** of what is literally expressed. In other words, a positive sentence is to be interpreted as a negative one, and vice-versa; also, expressions denoting qualities and quantity are to be interpreted as their opposite (e. g. **GOOD = BAD; SMALL = BIG,** etc.). A few ready-made ironic sentences have already been listed in Chapter 1 because through frequent repetition they have become ritualized. Nevertheless, some of them are repeated here as further illustrations of the simple principles involved. In many cases an English ironic pattern or term may be used to translate the Spanish one.

2.13 *Positive implies negative*

2.13.1 *(Pues) Sí que*

—¡Pues sí que nos hemos lucido!
We've really excelled ourselves this time!
[=*We've really made a mess of things!*]

—... quiero hacerte un regalo.
—No seas tonto. ¡Pues sí que estás tú para regalos!
(CJC, 1963: 88)
... You're in a fine position to give presents!

Frequently this construction combines with the ironic use of *bueno/bien (= malo/mal)*:

—¡Sí que estamos buenos!   (Moliner, II: 1159)
We're in a fine mess!

—Pues sí que lo tenéis bien educado al niño —se quejó la abuela.
(JAZ, 1973: 359)
You've really brought the child up well, haven't you?

2.13.2 In other ironic patterns an exclamatory positive sentence must be interpreted as indicating a negative meaning.

96

—Ahora me va a enseñar a mí cómo la tengo que educar.

(RSF, 1965: 9)

He's not going to teach **ME** *how I should bring her up!*

—¡Hábleme usted de placeres intelectuales!   (Spaulding, 63)

—¡Me va a decir usted —tartamudeó el enfermo— lo que es América, cuando la he recorrido desde el estrecho de Bering hasta la Patagonia!   (PB, 1954: 153)

—¡Para canciones estoy yo!   (Beinhauer, 229)
I'm not in the mood for songs!

2.14   *Negative implies positive*

With this reverse procedure, or convention, the speaker is able to convey an emphatic positive comment of surprise, indignation, annoyance, etc., by using a negative term, usually *no*. At times the *no* is accompanied by words and expressions like *poco* or *ni nada* (in popular Spanish: *ni na*), which are also to be interpreted as their opposites (i. e. *mucho*, etc.). Compare this with the English ironic patterns *Why, if it isn't your mother!*, *Why if he isn't smoking!*, etc.

—¡Pues no estaban mirando por el ojo de la llave! ¡Brujas, sayonas!

(FGL, 1962: 57)

They were actually peeping through the keyhole!

—¡Madre mía! ¡Pues no está fumando! ¡Tira eso enseguida, cochino!   (ABV, 1963: 67)

—Pues no has crecío [=*crecido*] ni na.   (Beinhauer, 232)
Haven't you grown a lot! / My, how you've grown!

In popular Spanish, the following exclamatory reinforcements are also used:
anda que; anda y que; anda y que tampoco [see 1.22.1].

—Pues anda que no eres pesado.
You aren't half boring!

—Anda y que no da sorpresas la vida.   (LO, 1968: 67)

The ironic exclamation *¡Ahí es/era nada!* is equivalent to *Just imagine!, Wow!, Isn't that something!, That's a tall order!*, etc.

—Quiero dos artículos semanales.
—¡Ahí es nada! ¿Y de qué puedo yo hablar en un periódico?

(MAU, 160)

El salto cualitativo es considerable y el cambio de imagen tremebundo. Ahí es nada, pasar del [*tabaco*] negro... al cigarro puro habano más caro del mundo.   (*Cambio 16*, 6-9-82: 77)
It's quite something, changing from black tobacco to the most expensive Havana cigar in the world.

The use of *no voy a, no he de,* etc., in sentences of this sort is related to the emphatic patterns consisting of an interrogative word and a form of *ir a* or *haber de* which are described in 2.22. (See also 2.10.2 Note 2 and 2.11.2.)

> —No te preocupes... No es nada.
> —¡No me voy a preocupar! Y si yo no me voy a preocupar, ¿te preocupas tú?   (DS, 1961: 121)
> *Not worry? But if I don't, I suppose you will!*

> —Pero no te asombres tanto...
> —¡No he de asombrarme! ¡Cómo, digo yo, has podido tú, un tímido, llegar a tanto con esa rapidez!   (EB, 464)

> —¿Te acuerdas... de ese cantar?
> —No he de acordarme. Ése es el pasodoble que compuso Manolito Arrieta...   (FGP, 1969: 101)
> *Of course I remember!...*

2.15 A similar ironic effect may be conveyed in emotional sentences which include adjectives of quality or size (e. g. *bonito, bueno, listo, lindo, menudo, valiente*), the adverb *bien*, the intensifier and pronoun *poco*, and the pronoun *cualquiera* (see also 1.20). Note that adjectives used in this way frequently precede the noun they qualify or the verb of which they are the complement; adverbs used ironically also often occur in initial position.

In translation, the same effect may be obtained by the ironic use of words like *fine, great, very,* patterns like *He isn't half...!* or by the term opposite in literal meaning to the one expressed in Spanish.

> —¡Estaría bueno!
> *The nerve!*

> —¡Buena la hemos hecho!
> *A fine mess we've made!*

> —Buena se va a poner madame Plussot cuando sepa que se han marchado sin pagar.   (PB, 1954: 56)
> *What a state Madame Plussot will be in when she finds out they've left without paying the bill.*

> —Estás listo si piensas eso.
> *You're stupid if you think that.*

> —¡Qué rico!
> *What a nerve!*

> —¡Menuda ganga!
> *What a bargain!*   [Depending on context and tone, this may indicate either praise or criticism.]

> —Menudo chaparrón nos viene encima.   (Keniston, 249)

—¡Menuda suerte tuvieron éstos!
—Sí, no fue poca.   (CJC, 1961: 165)

—¡Bonita pareja de amargados, Martín y tú!   (JM, 1970 *a*: 68)

—¡Lindo lío hiciste vos!, ¿eh?   (CG, Arg., 1971: 199)

—... ¡se ha casado!
—¡Valiente carcamal se lleva la que haya cargado con él!
(MU, 1956: 87)
Whoever's picked him up has got herself a fine specimen!

—¡Poco orgulloso estaba yo de que fuera mi madre!
(Keniston, 166)
I wasn't half proud she was my mother!

—¡Cualquiera se deja sacar los ojos!   (RSF, 1969: 159)

NOTES

1. For accurate translation of the constantly used *menudo*, tone and
    context are vital. However, the meaning is usually negative in some
    way.

    —Pero, fíjese, que si yo no pudiera ir, ¡menuda! [*suerte sería*]
    (JLMV, 1971: 155)
    ... Wouldn't that be really tough luck!

    [See also Beinhauer, 231]

2. The exclamation *¡Ya está bien!* *(That's enough!/Stop it!)* and the
    sentence formula *Ya está bien de* + infinitive or noun phrase *(That's
    enough + -ing!/Stop + -ing!)* are further examples of ironic colloquial
    structures:

    —¡Eh, tú! Ya está bien de dormir. ¿Lo oyes? ¡Levántate ya!
    (AS, 1967 *a*: 169)

    —Y ya está bien de escándalos públicos, ¿me oye usted?
    (LO, 1981: 222)

    —Ya está bien; vámonos de aquí.   (JFS, 1982: 124)

REGRET AND SURPRISE

2.16   For the simultaneous expression of surprise or regret **AND** the
reason inspiring this attitude/reaction, the following colloquial sentence
patterns are found:

Con lo + adjective (or adverb) + *que* + verb: 2.16.1.
Con + definite article + noun + *que* + verb: 2.16.2.
Con la de + noun + *que* + verb: 2.16.2.
Con lo que + verb: 2.16.3.
(Y) Tan + adjective (or adverb) + *que/como* + verb: 2.16.4.

As can be seen, the patterns consist of the exclamatory structures described in 2.3 preceded by *Con*, and of the pattern *(Y) Tan... que...* (see also 5.15.3). There is an element of intensification (i.e. *very/so*) implicit in such sentences, and in translation this will normally be made explicit (e.g. *Con lo fácil que es* - *And yet it's so easy!*).

NOTES

1. The above patterns with *con*, indicating a contrast between the sentiment and the sentence or thought provoking it, are related to the standard concessive function of *con* (= *although*, *in spite of*, etc.) shown in the following sentences:

> Con ser tan sencillas las reglas de la concordancia, nuestras gramáticas registran numerosas anomalías en la lengua hablada y literaria... (S. Gili Gaya, 1969: 27)

> —Lleva usted pocos minutos aquí y, con ser yo tan curiosa y preguntona, nada sé de usted y usted ya sabe mucho de mí.
> (SE, 53)

The concessive origin of these colloquial uses of *con* is more clearly illustrated when the thought provoking the *con* regret pattern follows it in the same sentence:

> —Con la de enfermos que hay en este pueblo..., abandonarlos así.
> (MS, 1968: 326)
> *There are so many sick people in this village and they're being left in the lurch.*

> —A Nicasio, el pobre, con lo simpático que ha sido siempre..., se le puso un carácter inaguantable. (RRB, 45)

In the following colloquial pattern, however, which includes the colloquial intensifier *todo* (see 4.25.3 Note), there is no implied regret:

> —Con todo lo simpático que parece, no me gusta.
> *He may seem very nice, but I don't like him.*

2. Another major standard function of *con* is to introduce a reason (see also 5.15.2):

> —Con el día que hace, ni se podrá estar al aire libre. (JGH, 9)
> *Because of the bad weather, we won't even be able to stay outside*

2.16.1   *Con lo* + adjective (or adverb) + *que* + verb

—Con lo creído que yo estaba en que había de sé [= *ser*] ingeniero.
                                                                    (M. Regula, 1862)
And I was so sure he was going to be an engineer!

—Juan no quiere estudiar.
—¡Qué lástima! Con lo listo que es.

—Con todo lo fuerte y seguro que un hombre parece ser.

2.16.2   *Con* + definite article + noun + *que* + verb
               Con + *la de* + noun + *que* + verb

—Que no hay paseo mañana. Eso es lo que debe importarte.
—... Con las ganas que tenía de ir.   (SV, 21)
And I was looking forward to going so much!

—Le gustaría ser diplomático y conocer así el mundo.
—¡Qué horror! Con la de diplomáticos que raptan en esta era de
   terrorismo político... —se lamentó Paulino.   (JAZ, 1973: 414)
*Oh dear! When so many diplomats are being kidnapped in this age
of political terrorism!*

2.16.3   *Con lo que* + verb

—Por lo único que siento no haberme casado ha sido por no tener hijos... ¡Con lo que a mí me gustan los niños!
                                                        (MS, 1968: 245)
... I simply LOVE children!

—¡Qué lástima, Dios mío! ¡Con lo que a mí me gustaba ese
hombre!
Oh dear, what a pity! And I was so fond of that man!

2.16.4   *(Y) Tan* + adjective (or adverb) + *que/como* + verb

—¡Válgame Dios, y cómo se pierde una casa! ¡Tan bueno que era
el tío *Barret!* ¡Si levantara la cabeza y viese a sus hijas!
                                                        (VBI, 1958 a: 20)
*My goodness¡ It doesn't take long for a family to go downhill, does
it? And old Barret was such a good man too! Imagine how he
would feel if he could see his daughters now!*

—¿Cuándo se acabará la guerra, para irme? Tan bien que estaba
yo antes.   (AUP, 111)

NOTE

See also 5.15.

INDIGNATION

2.17 The simplest colloquial sentence pattern indicating surprise or indignation is the one introduced by, or consisting entirely of, an infinitive. (In English: *Fancy + -ing ...!* or *The idea of + -ing...!*)

—¡Maldito sea, llevarse así mi barca!   (AMM, 47)
Damn(him)! Fancy taking my boat like that!

—¡Salirme ahora con esas! Todas las embarazadas decís lo mismo.
(MS, 1968: 123)
Fancy bringing that up now! All you pregnant women say the same.

—¡Acusarme de que mire las piernas de su novia!   (JFDS, 84)

—Y... ¿quién es Alvarado?
—¡Qué cosa más rara! ¡No conocer a Alvarado!   (AMA, 6)

This indignant use of the infinitive can be seen as the emotional reduction of a standard pattern where the infinitive is the Subject of an expression of emotional judgement (e. g. *Es ridículo*):

Hablar así es estúpido.

Hacerse una casa en el campo y no dotarla de un paellero es algo incomprensible en un valenciano.   (*Tele/Exprés*, 1-9-73)

Moreover, this use of the infinitive may be further emphasized by the addition of *Mira/Mire que* or, less frequently, *Cuidado que* (see 2.7.1). With this sort of reinforcement, the perfect infinitive (see 2.26.2) may also be used. Here the tone may be indignant or regretful:

—¡Mira que hablar de negocios antes de haber desayunado!

—Mira que no habernos enterado.   (E. Lorenzo, 128)
Fancy us not finding out! / How stupid of us not to have found out!

—Verdaderamente, hija, tiene usted un marido bien extraño...
Mira que pasarse la noche metido en un armario...   (JS, 1962: 13)

Note

Equally emotional but more context-dependent is the response pattern consisting of an infinitive (and often a subject pronoun) which echoes a verb used in a preceding question or suggestion. The purpose is either to query or to reject the suggestion, and the tone is usually indignant:

—Mientes.
—¿Mentir yo?　(RA, 1968 *b*: 232)
'*You're lying!*'
'*Me, lying?*'

—¿Cómo te has acordado, así, de repente?
—¿Acordarme, de qué?　(FU, 1966: 20)

For a related negative ironic pattern, see 2.14 Note. For the unemotional and totally context-dependent use of an infinitive in answer to a question, see 4.3.2.

2.18 Another pattern for expressing indignation equivalent to English *Fancy ... (not) -ing ...!* or *To think that ...!* consists of *(Y) Que (no)* followed by a subjunctive. In this case also one may assume the ellipsis of an expression of emotional judgement.

> —¡Que se tengan que leer estas cosas!　(overheard in Madrid)

> —¡Que le vinieran a él con monsergas...!　(MS, 1968: 62)
> *The idea! Talking such nonsense to him!*

NOTES

1. The following example, given by Harmer and Norton (p. 184) could be expanded by adding an initial *¡Qué pena que...!*:

   ¡Que no fuera yo un dios para luchar con los dioses!
   If only I were a god, to wrestle with the gods!

2. For other uses of *que* followed by the subjunctive, see 4.36 and 4.37.

2.19 Equivalent to the standard sentence pattern

   Y luego dicen que...

is the colloquial comment pattern

   Para que luego + subjunctive.

English translations: *And then they...!, That'll teach us,* etc., *to...! That'll show you,* etc., *that...!*

> —Y luego dicen que las mujeres tardamos en vestirnos. Yo estoy arreglada desde hace media hora.

> —Parece una mosca muerta, pero los engatusa que da gusto. Para que una se fíe de las pueblerinas.　(MS, 1968: 129)
> *She looks as though butter wouldn't melt in her mouth, but she really knows how to charm them. You've got to keep an eye on these village girls.*

—¿No lo dije? ¡Éxito total! Y yo solo, ¡solo! Para que luego digan de la iniciativa privada.   (ACS, 34)
That'll teach them to criticize private enterprise!

—Para que luego digan que los hombres de iglesia son agradecidos.
(Keniston, 163)
—¿Es posible?
—Para que veas que no soy yo quien asusta a la gente.   (JB, 995)

—Toma castaña. Para que andes rompiéndote los cuernos en el campo...   (AP, 1973: 58)
Just imagine that, will you? It certainly beats working your guts out on the land.

2.20

2.20.1
$$\left.\begin{array}{l} Como \; si + \text{subjunctive} \\ Como \; que + \text{indicative} \end{array}\right\} \; As \; if...!$$

—¡Imbéciles, como si no supiéramos todos que lo han guardado en una mesa.   (PB, 1954: 187)
The fools! As if we didn't all know that they've put it away in a table drawer!

—Trabajar! ¡Como si yo no tuviese otra cosa que hacer!
(*La Vanguardia Española*, 1-9-73)
—Pero bueno es mi padre. Como que me va a dejar ahora como antes, sabiendo que está él allí.   (Seco, 369)
But my father's a sharp one! As if he's going to let me go now, knowing that he's there!

—¡Como que te lo va a dar!   (J. Polo, 1969: 49)

NOTE

For other uses of *como que*, see 3.26, 4.9.1., 5.25 and 5.26.1.

2.20.2 *Como si* and *Igual que si* may also be used in responses of indifference usually following a request or a question and often following other initial expressions of indifference (see 1.16). The verb in such sentences is in the *indicative*.
Suitable English translation patterns for such sentences would be:

(Or) You can ... if you like.
I don't mind/care if (you)...

—Puedes quedarte mañana en casa... Igual que si no quieres venir hasta el lunes.   (Moliner, II: 87)
—¿Importa si no llegamos hasta las siete?
—Como si queréis venir a las ocho.   (overheard in Madrid)
—Un domingo se lo digo a mi madre, y hasta el martes no vuelvo. ¿Eh, don José?
—¡Lo que es por mí! ¡Como si no quieres volver en un mes!
(JFS, 1957: 94-95)

—Entonces, ¿tú dejas que se la lleve el Negro así, sin más? —le preguntaron.
—Como si es un gitano o el rey del Perú —contestó Isabelo.
(AML, 1965: 696)

2.21 A further indication of indignation is by the use of patterns including *si* and the future, conditional and future perfect tenses.

2.21.1 The future and related tenses, with or without initial *si*, are occasionally used in exclamations of surprise, indignation, etc. The reinforcements *fíjese/fíjate* and *mire/mira (que)* may precede the *si*. English versions: *How...! What a...! He must be...!*, etc.

> —¿Devolver «El Tomillar»...? ¡Será insensato! (JCS, 1962: 43)
> *Give back 'El Tomillar'? He must be crazy!*

> Una niña brotó a su lado, lo miró con ojos grandes y le pidió chocolate... «No tengo, pequeña. Lo siento.» La niña siguió mirándole. ¡Sería impertinente! (JMG, 1972: I, 11-12)

> —¡Si será tonto! (Esbozo, 471)
> *How silly he is!*

> —¡Si habré tenido paciencia! (Esbozo, 472)

> —¡Si estará bonito aquello!
> *How nice!* [sarcastic]

NOTE

Se also 1.10, 2.10.2 Note 1, 3.2.3 and 4.25.1 Note.

2.21.2 A more complex colloquial sentence pattern consists of the above pattern (with *si*) followed by a result clause. [In English: *I am* (etc.) *so... that...*]

> —Si estaré aburrido que creo que voy a aprobar el primer curso completo. (AP, 1972 a: 269)
> *I'm so bored that I think I'm going to pass in all my subjects for the first time ever!*

> —Si será fácil dejar de fumar —decía Oscar Wilde—, que he dejado de fumar cuatrocientas veces en mi vida.
> (*Cambio 16*, 18-4-83: 106)
> *It's so simple to give up smoking... that I've given up four hundred times in my life.*

> —Mire si seré tonto que no me acuerdo. (JFS, 1967: 49)

> —¡Fíjate si tus obras serán geniales, que no las entiende ni tu padre! (AL, 1961: 203)

105

REJECTION, REBUKE AND PROTEST

2.22 A common colloquial pattern for the expression of impatience with, and/or rejection of, a preceding statement, imperative or question consists of an interrogative word followed by a finite form of *ir a* or *haber de* (usually a present or imperfect tense form, but also occasionally a conditional tense form of *haber de*), followed by a repetition of the word or words which have provoked this brusque reaction (if they are not already covered by the interrogative word itself).

By using these verbal periphrases, which are most often associated with references to the future, the speaker is able to project an unwelcome statement, imperative or question into the future and thereby convert it into a mere hypothesis, which the interrogative form of the sentence then rejects as unlikely, impossible or irrelevant. Very often, as shown in 2.11.2, the English translation will be an energetic negative response (e. g. *Of course not!*), but the pattern is, in fact, much more versatile than this and, in different contexts, the following equivalent English patterns are also possible:

a) Interrogative word + *can, could, would* or *should*:

—¿Lo crees?
—¿Cómo lo voy a creer?
—¿Por qué lo he de creer?   *Why should I believe it?*
—¿Por qué lo iba a creer?   *How can I believe it?*
—¿Cómo lo había de creer?
—¿Cómo lo habría de creer?

—¿Lo creías?   *How could I...?*
—¿Cómo lo había de creer?   *Why should I (have)*
—¿Por qué lo iba a creer?   *believe(d) it?*

b) *Of course*
  (not)
  I do/I did/I could, etc.
  I don't/I didn't/I couldn't, etc.

—¿Es ella?
—¡Qué va a ser ella!
Of course it's not her!

c) *What do you **THINK** he did* (etc.)?
  *How do you **THINK** he did it* (etc.)?
  *How do you expect **ME** to know* (etc.)?

1. For the ironic exclamatory use of *¡No voy a...!* and *¡No he de...!*, see 2.14 Note.

2. In these patterns, *¿Qué?* may be a variant of *¿Por qué?*

3. The standard sentence pattern consisting of an interrogative word followed by *quiere(s) que* is also used in a similarly brusque or dismissive type of answer:

> —¿Quién es ése?
> —¿Cómo quieres que sepamos quién es?   (ABV, 1970: 29)

> —... no dices palabra.
> —¿Qué quieres que diga? Ya me lo has contado todo.
> (FGP, 1981: 23)

2.22.1   Examples with *ir a:*

—¿Es aquél?
—¡Qué va a ser aquél!   (Keniston, 203)

—De eso ya se alivió.
—¡Qué se va a aliviar!   (VL, 44)
'He's recovered from that.'
'Of course he hasn't recovered!'

—¿Le conoces? ¡Ay, qué tontería! ¡Cómo no le vas a conocer!
(Televisión Española, 1973)
Do you know him? Oh, how silly of me! Of course you do!

—¿Qué te pasa con el chico?
—Nada, ¿qué me va a pasar?   (CG, Arg., 1971: 155)
'What's the matter between you and the boy?'
'Nothing. Why should there be?'

—¿Y qué tal tus negocios?
—¿Cuáles?
—¿Cuáles van a ser? Las casas, los grandes hoteles.   (ACS, 100)

—Tú conocías a mi papá mejor que yo...
—Cómo lo iba a conocer mejor que usted.   (MVL, 1972: 115)
How could I have known him better than you did?

—Pero ¿estás conforme?
—¡Cómo no voy a estarlo!   (JLCP, 185)
Of course I am! / How could I not be? / How could I be otherwise?

—¿Y qué hizo?
—¿Qué iba a hacer? Estaba en una posición falsa.   (JGH, 157)
What COULD he do? / What do you THINK he did?

—¿Vos? ¿Y por qué te iban a llevar, a vos?
—¿Cómo por qué? ¡Por envenenador! ¿Te parece poco?
(CG, Arg., 1971: 208)

—No cambió nada...
—¿Y por qué iba a cambiar en tres meses?   (OD, 92)
Of course not! / Why should it (change)...? / How could it...?

—¿No había visto él a Luisito?
—Ay, mamá, ¿dónde iba él a verlo?   (WC, 33)
Oh, mother! Where could he have seen him?

2.22.2   Examples with *haber de:*

—No me defenderé.
—¿Qué te has de defender tú...?   (Keniston, 87)
Why should you defend yourself?

—Ellos a lo mejor sí saben.
—Qué han de saber.
'Perhaps they DO know.'
'Of course they don't! / How can they know?'

—¡Calla, idiota!
—¿Por qué he de callarme? ¿Es que no es verdad?
                                                    (MM, 1967: 186)
—¿Puede saberse a quién te refieres?
—Pues, quién ha de ser... Tú y el chico, cogidos de la mano...
                                                    (JG, 1964: 96)
Who do you think I mean? You and the boy, holding hands.

—¿No se ofende si le pregunto una cosa, don Pepe?
—¿Por qué había de ofenderme?   (LGB, 283)
Why should I get offended?

—El otro día soñé que te habían detenido otra vez.
—Pero ¿por qué habían de detenerme?   (JLCP, 227)

—Él habla muy bien de usted.
—No veo por qué había de hablar mal.   (LS, 1973: 313)

—¿Alguna mala noticia, Hermano?...
—No; todo lo contrario... ¿Cómo habría el Señor de enviarnos una
noticia desagradable en un día como hoy?   (JFS, 1971: 198)

2.23   *Ni que* + subjunctive

Also used to reject a suggestion, or an inference just made and to
rebuke the person who made it, is the pattern consisting of *Ni que*
followed by a verb in the subjunctive (normally in the *imperfect* tense).
Although the tone is indignant, responses made from this pattern may
also carry overtones of mockery or jocularity. Such comments can
usually be translated into English by sentences beginning with *Anyone
would think (that)...* or with *It's not as if...*

—Ya voy, ya voy; ni que estuviese cruzando el desierto.
(EBU, 265)
I'm bringing the water! Anyone would think you were going through the desert!

La madre *(y vuelve a abrazar a su hijo)*: —... ¡Vicentito!
Vicente *(Riendo)*: —¡Vamos, madre! ¡Ni que volviese de la luna!
(ABV, 1970: 28)

—Pero, papá, a tus años...
—Ni que fuese un anciano.   (JAZ, 1973: 110-111)

—¿Diez pesetas por una «foto» de ese montón de basura? ¡Ni que fuera la Brigitte Bardot!   (JFDS, 61)

NOTE

This *ni que* pattern presumably derives from the colloquial use of a subordinate clause introduced by *ni aunque* (see 4.34.4), which may also be used to form a colloquial sentence pattern (i. e. without a standard main clause):

—El padre de Eugenia se suicidó después de una operación bursátil desgraciadísima y dejándola con una hipoteca que se lleva sus rentas todas. Y la pobre chica se ha empeñado en ir ahorrando de su trabajo hasta reunir con qué levantar la hipoteca. Figúrese usted, ni aunque esté dando lecciones de piano sesenta años.
(MU, 1956: 56-57)
Imagine! She wouldn't manage to pay it off even if she were to go on giving piano lessons for sixty years!

M. Seco (1967, p. 54) gives the following alternative pattern which shows ellipsis of *ni*:

—¡Mia [= *Mira*] que montar yo esta maquinaria! ¡Aunque me dieran cinco duros!
I wouldn't do it even if they offered me twenty five pesetas. / ... even if I was offered...

RESIGNATION

2.24 Sentences introduced by *Para* followed by the definite article, a noun and a relative clause, or by *lo que* and a verb (i. e. *Para el... que...*; *Parà lo que...*) indicate that something does not matter in view of the circumstances mentioned in the sentence. A note of indignation may also be present [cf. 2.19: *¡Para que (luego)...!*]. The pattern is more or less equivalent to the standard pattern *No importa porque...* and to English *For all the good* (etc.) *that...!*

—¡Que aquí no llega la música!
—Para la falta que os hace...   (FU, 1966: 154)
For all you need it! / But you don't need it at all!

—Los dueños vendieron sus haciendas a las compañías, dicen que por un dineral...
—Bueno, allá ellos. Para lo que hacían con esas tierras.   (CR, 114)
Well, that's their concern. They hardly used their land anyway.

—Y uno no debería preocuparse. Para lo que uno vive.
(DM, 1967: 19)
One shouldn't worry. Life is so short.

NOTE

The following example shows the derivation of this pattern:

—Para la falta que hace en este palacio un Ayudante Militar, bien podrías estar todo el santo día de Dios jugando al tenis.
(RM, 1964: 323)

WISHES AND REGRET

2.25 The most common colloquial patterns for wishes and hopes are those introduced by
¡Ojalá (que)! and *¡Si!*

Less frequent and more archaic are those introduced by
¡Así! and *¡Quién!*

Translation into English is as follows:

(*i*) *¡Ojalá (que)!* and *¡Así!*:
   a) When followed by the present or perfect subjunctive:
      I hope...
   b) When followed by the imperfect or pluperfect subjunctive:
      I wish...

(*ii*) *¡Si!* and *¡Quién!* (which are usually followed by the imperfect or pluperfect subjunctive):
      I wish...!

(*iii*) Other general translation equivalents are:
      If only... May...! and the archaic *Would that...!*

—¡Ojalá vuelva pronto!

—¡Ojalá volviera pronto!

—No sé por qué, pero tengo la seguridad de que algo va a ocurrir aquí.
—Voy a preparar la cena. Ojalá no te equivoques, César.
(RU, 1965: 19)

—¡Así Dios me castigue si le miento!   (Ramsey, 443)

—¡Así te mueras!   (Seco, 48)

—Así nos hubiéramos muerto el día en que puso los pies en mi casa.   (Spaulding, 62)

—¿Cómo sigues?
—Muy malo. Federico. Estoy que no me tengo.

—¡Así reventaras de una vez!   (MM, 1967: 181)
I wish you'd just drop dead!

—¡Si pudiera volver ahora!
I wish I could go back now. / If only...

—Tengo veinticinco años, señor cura.
—¡Quién volviera a tenerlos!   (ECC, 1967: 91)
I wish I could be twenty-five again!

—¡Quién pudiera vivir contigo!   (Keniston, 160)

NOTE

For *¡Ojalá!* as a verbless response, see 4.3.4.

2.26 Two other colloquial sentence patterns which convey a wish or a regret (and sometimes a rebuke) do not have any introductory grammatical words but are still characteristic of emotional usage.

2.26.1 The first of these must be assumed to derive from a *si*-pattern (similar to that described in the preceding section) from which the *si* has been omitted. The pattern, which is found in the imperfect or pluperfect tenses of the subjunctive, seems to be more common in American Spanish than in Castilian. In Mexican usage, the pattern is particularly frequent with the imperfect subjunctive of *ver*.

Suitable English translations are:
If only...; You should have...; Why didn't you...?

—Vieras cómo impresioné a los de Ovando, Federico.
(CF, 1958: 153)

—El Padre Azócar me estuvo mostrando los proyectos de la ciudad del Niño. ¡Son preciosos! ¡Viera qué ventanales!   (JDO, 14)

—Dijéranlo de una vez.   (Ramsey, 440)
If only they had said so! / Why didn't they just say so?

—¡Hubieras venido antes!   (Moliner, II: 1475)

111

—Viejo —exclamó el Fiero—, hubieras visto ese asaltito de Umay que hicimos hace varios meses.   (CAL, 94)

—¡Qué barbaridad! ¡Me hubieras dicho! Yo te las hubiera comprado por la quinta parte.   (J. M. Lope Blanch, 1971: 184)

NOTES

1. See also 4.35.2.

2. Note also the following examples given by Ramsey (p. 446). They express regret, almost as if an initial *¡Qué pena que...!* has been omitted:

> —¡Allá van! ¡Allá van! ¡No les llevaran los demonios!
> *Why didn't the devil carry them off? / What a pity the devil...!*

> —Buscaba gentes que lo hicieran por mí... ¡No las buscara hoy..., ya que he roto a hablar!

2.26.2 The second of these patterns consists of the use of the perfect infinitive (e. g. *haber hecho, haber dicho*) to indicate to the listener a brusque reproach and/or a regret. Again one may assume this to be a reduction of a standard structure from which a finite verb form, such as *debería(s)*, has been omitted. The pattern is most characteristically found with the verbs *decir* and *hacer*. In English:

You should have... Why didn't you...?

> —Creo que, efectivamente, los toros son demasiado pequeños.
> —¡Pues haberlo dicho al principio!   (AL, 1966: 187)

> —Haberlo hecho con cuidado y no tendrías que repetirlo.
> (Moliner, II: 8)
> —¡Cómo erré la vocación!
> —¡Pues haberlo pensado antes!   (Ramsey, 354)

> —¡Una limosna, por Dios, señorito, que tengo siete hijos.
> —¡No haberlos hecho! —le contestó malhumorado Augusto.
> (MU, 1956: 115)

NOTE

María Moliner (II: 8) also lists examples which refer to the speaker or to a third person not present:

> —¡Haberlo sabido!
> *I wish I'd known!*

> —Ha tenido que pagar: haber sido más listo.
> *... He should have been smarter.*

SUPPLEMENTARY EXAMPLES FOR STUDY AND TRANSLATION

Exercise 1. Sections 2.0 - 2.9

1. —¡Qué ser tan odioso es usted!   (LJH, 491)

2. —Verá qué tarde tan buena vamos a pasar.   (RRB, 60)

3. —Pero, ¡qué cabeza la mía! No te he preguntado por tu marido...
   ¿Está?
   —Sí, en su despacho.   (ABV, 1967: 28)

4. —¡Qué niños éstos! Voy a tener que dar muchas quejas a sus
   papás ahora que regresemos.   (FS, 293)

5. —¡Qué ocurrencia esa de Gabriela de pensar que estábamos pre-
   destinados el uno para el otro por las iniciales de nuestros nombres!   (GC, 178)

6. —¡Pobre hermano! ¡Si alguien le hubiera dicho que iban a olvidarlo tan pronto!... Si te ve desde el cielo, ¡qué disgusto el
   suyo!   (JB, 325-326)

7. ¡Qué lucidez, qué picardía, qué sagacidad y agudeza las de don
   Santos!   (RC, 1974: 221)

8. —¡Cuántos años sin verle, don Basilio!, ¿qué tal está usted?
   (CJC, 1971: 30)

9. —Tú has estudiado, trabajas, cuanto has ganado ha sido para
   nosotros... Pero yo..., ¡criatura más inútil!   (JB, 444)

10. —¡Ay qué gusto que me da verlos!   (FGP, 1971 a: 52)

11. —Qué nervioso que te ponés.   (JC, 1968 a: 423)

12. —Vaya golpe que le atizaron, señor cura.
    —Sí, capitán —le respondí, frotándome la mejilla.   (FB, 150)

13. —¡Déjame tranquilo de una vez! ¡Pues vaya una mañana!
    (LO, 1981: 157)

14. —... pero vas a ver qué cosa linda el paisaje que de allí se do-
    mina...   (AY, 245)

15. —No sé cómo puedes vivir aquí. ¡Qué asco de calles!
    (MAU, 175)

16. —Eso me ocurre a mí por traerme un zopenco a casa.
    —Pues otras veces bien que te lo pasas.   (RAY, 11)

17. —¡Qué iban a saber! ¿Cómo sabían que en las montañas no iba a llover? Pues llovió y bien que llovió, y subió el río, y hubo crecida como nunca... (JLP, 98)

18. —Si a mi hermana le ocurre algo, no se lo podré perdonar nunca a David. Nunca. Y bien que lo he querido siempre...
(AS, 1967 a: 262)

19. —¡Los billetes que vendieron! (E. Lorenzo, 174)

20. —¡Las cosas que se podrían producir en este país si hubiera personas que conocieran el modo de hacerlo...! (CMA, 122)

21. —Y cuando se marchó, me dijo: «Portillo, toma, para que agarres una borrachera a mi salud.» Y fue y me dio dos duros. ¡La que cogí! (CJC, 1961: 79)

22. Durante el franquismo, nos decíamos: «La de obras maestras que deben estar encerradas en los cajones [*de los escritores*] esperando el momento de publicarse.» (VA, 263)

23. Marcelo baila pesadamente. Pisa a Ana de vez en cuando... Marcelo se disculpa:
—La falta de costumbre, hija... La de años que hace que no he bailado! (DM, 1967: 54)

24. —No quiero que pienses que te he mandado llamar para reñirte. Pero ¡si vieras la de cartas, la de quejas que me llegan de tus sermones! (JLMD, 28)

25. —Mira qué de rosas caen por todas partes. (Keniston, 130)

26. —¡Qué gran mujer; lo que ha debido de sufrir en su vida y la elegancia con que ha sabido luchar! (JAZ, 1973: 292)

27. —Lo que nos ha hecho gastar ese perro... Un hijo no hubiera costado más. (SO, 6)

28. Andrés la contemplaba con lágrimas en los ojos.
—Mi pobre Lulú, lo que estás sufriendo. (PB, 1947: 568)

29. —Fíjate. Dice que se han reído. ¡Lo que se divierte cuando no está contigo! (AMA, 35)

30. —¡Lo que se ha divertido esa niña, Juan...! ¡Las cabezas que ha vuelto locas en diez años de una punta a otra de Europa!
(VBI, 1958 b: 89)

31. La señora Terrats había sido estéril, y Eulalia empezaba a comprender lo vengativa que podía ser la esterilidad. (MS, 1968: 124)

32. —Estábamos comentando lo peligrosas que son las ventanas en estos patios de vecindad. (RRB, 31)

33. Te quedaste fijo en mí antes de responder. Supongo que querías adivinarme la intención (sí, muchacho, sí; me daba perfecta cuenta de lo sensible que te habías ido haciendo a lo que yo pudiera pensar o dejar de pensar) y especulabas por dentro sobre lo que querría decir. (JLMV, 1975: 57)

34. —... es que estaba pensando lo difícil y raro que es vivir con la gente. (CMG, 1974: 120)

35. —Es que tú no sabes lo que yo te quiero; que te lo diga Julio; siempre le estoy hablando de ti. (JB, 434)

36. —¡Niña! ¡Niña! ¡Vaya con la nietecita que nunca se enfadaba!
(CL, 259)

37. —Oh, la cosa no es tan fácil como parece... En primer lugar, no me atrevía a tutearla...
—Vaya con el valiente. Y luego dices que yo soy un idiota.
(JG, 1964: 98)

38. —Oye, mocosa, ¿crees que éste es el momento de hacer de maestra de escuela? ¡Caramba con la chiquilla! (JCS, 1962: 48)

39. —Y qué... ¿Qué piensas tú del... Arte románico?
—¿Que qué pienso yo del Arte románico? ¡Caray con la pregunta!, todavía no me lo he estudiado en serio...
(M. Esgueva and M. Cantarero, 46)

40. —Antonia, ¿has tenido amantes?
—¡Y dale con la misma música! (JD, 135)

41. —... Como cerdos vivimos.
—Hombre —saltaba Amalia ofendida—. Lo que fue bueno para mis padres...
—¡Dale con tus padres! (EQ, 88)

42. —¿Por qué no ponerte al lado de los que pueden corresponderte? Pues, no señor, dale con los desharrapados y los paletos, como si los desharrapados y los paletos fueran siquiera a agradecértelo.
(MD, 1967: 48)

43. —¡Cuidado con el retintín con que me lo ha dicho!
(FGL, 1962: 57)

44. —¡Cuidado con las cosas que le da a uno por pensar en estos sitios. (AG, 1964: 45)

45. «Toma, Nita», le decía el señor Rivero, ofreciéndole un vaso de naranjada. «Pero cuidado con mancharte el vestido. Nos regañaría tu madre». (DM, 1965: 12)

46. Había hecho fusilar a uno por robo, y ¡ojo con propasarse con las mujeres!, en esto era inflexible. (MU, 1958 a: 191)

47. —Toma, llévalo tú. ¡Y ojito con dejártelo caer! (RSF, 1965: 333)

48. Manipuló en la radio y bajó el volumen, diciendo: —¿Os gusta eso? ¡Mira que llegáis a ser borregos! Esta música es para borregos. (JM, 1970 a: 26)

49. —Oiga, ¿y si no congeniamos? Mire que yo soy muy raro... No me gusta el pescado... Los callos a la madrileña me sientan como un tiro... (JMB, 387)

50. —¡Mira que si por fin viniese hoy! (MM, 1967: 291)

51. —Pero cuidado que hemos hecho el ridículo a lo largo de toda nuestra vida. (RSF, 1965: 36)

52. —Cuidado que en los regalos que le llevamos traté yo de excederme y ni me dio las gracias. (JAZ, 1973: 336)

53. —No lo esperaba, pero la encuentro más ciudad moderna que Madrid, y cuidado que Madrid me encanta. (JAZ, 1973: 208-209)

54. —Una palabra tuya —y cuidado que palabras no te faltan— y todo volvería a estar en orden. (AG, 1974: 97)

55. ... las inauguraciones de monumentos a cualquier prócer, ¡y cuidado que este país tiene próceres!... (AC, 51)

56. —¡Oh! ¡Qué hijos! Y cuidado que yo les predico, y les predico como un misionero. Me gustaría que me oyeras cuando les hablo del hogar y de la familia cristiana... (VRI, 1970: 8)

57. Una gran chica: luego —y mira que me he casado veces— no he encontrado otra parecida. (JBE, 104)

58. —Pero ni tú ni yo le hemos notado el menor brillo ni rigidez... en el pelo. Y mira que se lo hemos observado bien.
(FGP, 1981: 128)

59. —Cómo envidio los cabellos lisos..., como los de los chinos, que hay que ver lo lisos que los tienen los asiáticos. (AGR, 198)

60. —¡Hay que ver esos ingleses! ¡Mira que declararle, así por las buenas, la guerra a Alemania! (JMG, 1966: 252)

61. —¡Hay que ver qué grosería! Va a fumar delante de los Reyes.
(AG, 1970: 187)

62. —Pero ¿se ha terminado la señora todo el pan? ¡Hay que ver el apetito que se le ha abierto a la señora desde que el señor se marchó de viaje! (JS, 1962: 29)

63. —Tú no veas lo harta que estoy.   (RSF, 1965: 277)

64. —Y el Paulino... nos miró uno por uno con unos ojos que echaban chispas, oiga, no vean qué ojos, y dijo...   (MD, 1978: 124)

65. «A mi establecimiento vienen muchos extranjeros, porque [*el restaurante*] El Criollo sale en muchas guías de esas y se conoce en todo el mundo. Yo tengo menús en francés, inglés y alemán. No veas lo contentos que se ponen los alemanes cuando se encuentran un menú en su idioma.»   (*Cambio 16*, 25-10-82: 127)

66. ... y en el tren te lo planté, ¿recuerdas?, que no quieras saber el coraje que me dio, tú tan terne, que debes de tener sangre de horchata...   (MD, 1967: 183)

67. *Cura. (Amenazador.)* —Pobre de aquel que se vea aprisionado en la cárcel de su propia duda.   (CS, 353)

68. —¡Desgraciada de ti si me metes en un callejón sin salida!
(L. C. Harmer and F. J. Norton, 495-496)

69. —¡Ay de vosotros si eso es mentira!   (Moliner, I: 318)

70. En todo caso, ay del hombre que tiene repartida su vida entre una morena y una rubia. Ay del que se ve cogido entre los fuegos de la morenez y los hielos de la palidez.   (FU, 1974: 65)

71. Después de todo, al visitante extranjero se le advierte que las leyes mexicanas al respecto son muy estrictas; guay del que pretenda esconder una figurilla azteca o tarasca, por falsa que sea, en su bolso de viaje.   (CF, 1980: 15)

72. —Buena tarea has hecho.

73. Poco pudieron hacer.

74. Muchos disgustos le proporcionaba aquella criatura.
(Anna G. Hatcher, 1956 *b*: 34)

75. Diez mil pesos pidieron por el coche.

76. —¿Se ha ido?
—Eso parece.

77. —¿Eso dijo?

78. —¿Le parece a usted imposible?
—No; imposible quizá no es. Habría que estudiarlo.
(PB, 1960: 143)

79. —... y usted lo tiene tan organizado que a ellas les encanta. ¿No ve que hasta las multas le aguantan [*ellas*] sin chistar.
(MVL, 1973: 142)

80. —El brazo izquierdo hubiera dado yo por poder apretar con el derecho, una vez sólo, la cintura del Cid.   (AG, 1974: 34)

81. —¿No puedo saber quién es?
—¿Tan poca confianza y respeto te merece tu abuela?
(RPA, 226)

82. —Es usted muy bueno conmigo..., demasiado bueno...
—Demasiado bueno no se es nunca; demasiado simple, en todo caso, es lo que soy yo.   (SJAQ, 99)

83. —Muy callao [=*callado*] te lo tenías, Basi.
—¿Qué te habías figurado?   (LO, 1981: 171).

84. —¿No sabes que los comunicados los firma el Ministro, que las conferencias de prensa las da el Ministro?   (MVL, 1972: 135)

85. Eso déjalo.

86. Y eso habrá que hacerlo pronto.

87. Esto tenía que haberlo escrito un americano.   (JLCP, 55)

88. —¿Ellos qué saben?

89. —Es una niña...
—¿Y eso qué tiene de malo?   (GCI, 1969: 109)

90. —Eres un romántico.
—Vosotros, ¿qué sabéis lo que es ser romántico? Soy como se debe ser.   (JAP, 78)

91. —Para los niños, el orden ya se sabe que no es más que una incomprensible imposición.   (M. Gorosch, 1973: 28)

92. —Pues el padre me parece a mí que ronda mucho esa habitación.
(RRB, 11)

93. Yo hace por lo menos cinco años que no voy a Asunción.
(GC, 73)

Exercise 2.   Sections 2.10 - 2.15

1. —¿Qué me importa a mí?
—¡Vaya si importa!   (RA, 1968 *a*: 231)

2. —¿Crees que merece la pena?
—¡Claro que la merece!   (AS, 1967 *a*: 909)

3. —Ha hecho usted bien.
—Y tan bien.   (CJC, 1963: 63)

4. —Eso ya es una cuestión particular.
    —¡Y tan particular!   (JLR, 1969 *a*: 167)

5. —¿Se acuerda usted?
    —¡Y tanto que me acuerdo!   (CJC, 1971: 705)

6. —¿Trabajáis?
    —¡Que si trabajamos! Coser, bordar, lavar y planchar y fregar.
                                                    (JM, 1977: 52)

7. —Tienes razón.
    —¡Que si la tengo!   (JLCP, 303)

8. —Está buena la chica, ¿eh?...
    —¡Que si está buena...!
    —Cómo está, mi madre...   (DS, 1965: 79)

9. —... ¿estás segura...?
    —¡Vaya que si estoy segura! —se indignó ella.   (JGO, 72)

10. —Anda, tráemela.
    —No te la daré.
    —Vaya si me la entregarás.   (JLCP, 370)

11. —He venido a Buenos Aires a trabajar, ¿te acordás de mí?
    —Cómo no me voy a acordar...   (MP, 145)

12. —Es una trampa.
    —Qué trampa ni qué macana.   (JC, 1970: 351)

13. —Sería terrible que llegara hasta aquí la revolución.
    El señor cura la oyó:
    —¡Qué revolución ni qué ocho cuartos, doña Patro; a los mozos
    los meto yo en el redil en cuanto levanten la voz!   (IA, 165)

14. —No te exaltes, Laureano.
    —¡Qué me voy a exaltar ni qué ocho cuartos! En cuanto uno dice
    las verdades, le llavan exaltao [=*exaltado*]   (ALS, 143)

15. —La cultura...
    —¡Qué cultura ni qué ocho narices!... ¿Para qué vamos a seguir
    hablando?   (MAU, 166)

16. —Tenemos que hablar.
    —¿Vamos a tu casa o a un hotel de por aquí cerca?
    —¡Qué hotel ni qué demonio! ¡Vamos a hablar, ahora y aquí!
                                                    (LS, 1970: 32)

17. —Ponnos unos «cuba-libres»... con bastante ron, ¿eh?
    —Estáis mezclando mucho...
    —¡Qué mezclar ni qué leches...!   (DS, 1965: 91)

18. —¡El tesoro!
    —¡Qué tesoro ni qué leñe! —gritó el hombre desfigurado por el barro que salía del pozo.   (MBU, 157)

19. —¿Usted, amigo Paradox, no tendrá en su casa algunos muebles?
    —Yo ¿qué he de tener?   (PB, 1954: 99)

20. —¡Pero, don Aurelio, don Eduardo y don Juan son muy bien educados!
    ...   .
    —¡Qué van a ser educados, don Soro! Mire a Eduardo que se escarba los dientes con un palo de fósforo. ¿Qué educación es ésa.   (EL, 36)

21. —Es que usted es un tío de suerte.
    —Nada de suerte, amigo —a don Pedro no le gustaba que achacaran a suerte su fortuna.   (JLCP, 130)

22. —Yo no quisiera ser un incordio en una casa tan bien avenida.
    —Nada de incordios. A mí me encantará poder hablar con alguien educado.   (AG, 1973: 20)

23. —¿Y está contento? Quiero decir, ¿contento consigo mismo?
    —Bah, tanto como contento. Llega un momento en que hay que decidirse: o se sigue fiel a los principios o se gana plata.
    (MB, 1968: 22)

24. —¿Así que usted cree en la inutilidad de mi proposición?
    —Tanto como en la inutilidad..., pero sí que va usted a tomarse un trabajo inútil.   (MAU, 157)

25. —Claro que nos separa algo muy importante, y es que nosotros somos católicos y vosotros ateos...
    —Hombre, tanto como ateos... Entre nosotros también hay creyentes.   (AML, 1976: 52)

26. —No le veo nada más que la calva.
    —Siendo quien eres debías conocer a los hombres por las calvas.
    —Hombre, tanto como eso... —dijo calándose las gafas.
    (FGP, 1981: 45)

27. —¿Queréis callar? ¡Pues sí que empezáis bien para venir a una visita de cumplido!   (MM, 1967: 323)

28. —De noche me está prohibida la carne... y las conservas siempre.
    —¡Pues sí que está usted arreglado!... No haga caso de los médicos.   (RC, 1964: 82)

29. Manuel abrió sus ojos... y se apresuró a coger la botella de anís. Pero el pulso le temblaba y no acertaba a llenar la copita.
    —¡Pues sí que estamos apañados!   (JMG, 1966: 181)

30. —¡Sí que estoy para bromas!   (Moliner, II: 1159)

31. —¡Fíate del agua mansa!   (SJAQ, 31)

32. —Pero la verdad que no está tan sucia [la casa].
—Limpia, que hoy es domingo y ahorita empieza a llegar la gente que sale de misa ¡que pasan y entran un minuto! No sé a qué. ¡Con lo que me gusta a mí que vengan visitas! Y hoy menos que nunca. Yo no voy a casa de nadie.   (AE, 79-80).

33 —Pues no son cínicos, ¿eh?   (RM, 1971 a: 22)

34. —Esa chavala nueva, ¿es del pueblo?
—¡Pues no conoces tú bien a todas las del pueblo! —exclamó el Cánario.
—Es de San Martín —dijo José.   (DS, 1965: 71)

35. —Podíamos haber ido a cualquier otro lado.
—¿Y a qué otro lado podríamos haber ido?
—Bueno..., ¡pues no conozco yo sitios mejores! Incluso en mi pensión me dejan recibir a algún amigo...   (MM, 1967: 295)

36. —Y todas son calles principales y todas están llenas de público, y luego dirán que la Argentina tiene poca población. ¡Anda y que tampoco hay almas ni nada por todas partes!   (MD, 1966: 203)

37. —Nosotros también soñamos alguna vez con un día como éste: ¡la victoria final! ¡Desfilar por Madrid! Ahí es nada, compañeros.
—Ya lo creo —y Agustín suspiró.   (AML, 1976: 290)

38. —Soy amigo del director, un hombre de mucho talento. Director de película, ahí es nada. Nada más verme, me ha dado un papel.
(RRB, 23)

39. Según se acercaban a Los Llanos, Angustias se encontraba más nerviosa. Ahí era nada —pensaba— el echarse mundo adelante con dos hijos.   (ALS, 51)

40. —¡Anda! ¿Y no lo sabes?
—Sí, mujer, ¡no voy a saberlo!, es que no sabía que lo supieses tú.   (CJC, 1971: 722)

41. —¿Cómo?
—Como lo oye usted... Embarazada...
—¿Es verdad eso, Chiqui?...
—Pues no ha de ser verdad!... A ver si se cree que yo estoy de guasa.   (JBE, 236)

42. —¿Tú te acuerdas de Casalonga?
—¿Recaredo Casalonga? ¡No he de acordarme! Un tipo delicioso, gran filósofo de la vida, un humorista muy divertido...   (JB, 329)

43. —¿Qué haces aquí?... ¡Menudo sitio para una preciosidad como tú! (DS, 1965: 151)

44. —Menuda vida se estarán pegando. (JM, 1970 *a*: 33)

45. —¡Bonita pareja de amargados, Martín y tú! (JM, 1970 *a*: 68)

46. —No se le ocurra a nadie decir que sabíamos lo que estaba pasando, si no...
    —Claro que no. Si no, lindo lío nos espera. (CG, Arg., 1971: 320)

47. —Nada me importa, pero podías habérmelo dicho antes; yo no hubiera hecho el ridículo con los amigos.
    —Los amigos... ¡Valientes amigos! (JB, 402)

48. Carcelero: —Tengo que tomar precauciones. Voy a quedarme sin trabajo y...
    Beatriz: —¡Valiente trabajo! (CS, 343)

49. —¿Por qué le dejaste?
    —¿Y por qué no? ¿Qué hacía yo a su edad? Si empezamos limitándonos por lo que nos puede pasar en esta vida vamos listos.
    (JLMV, 1975: 178)

50. Siguieron oyendo la voz y Mariano, ya irritado, se dirigió al niño con un repentino ademán. —¡Ya está bien...! ¡Apaga eso!
    (DS, 1965: 48)

51. —Bueno, ya está bien de mirarme... Me hacéis recordar... que he querido ser actor. (AS, 1967 *a*: 986)

52. A veces rezaba. Pero sus rezos tenían más de quejas que de súplicas:
    —¡Basta, Señor, basta... ya está bien tanta lucha, ya está bien!
    (MS, 1968: 377)

Exercise 3.   Sections 2.16 - 2.26

1. Con todo lo fuerte y seguro que un hombre parece ser, ¡qué débil e infantil se siente en realidad cuando se queda de pronto solo, lejos de la esposa! (AML, 1966: 83)

2. —Los países de los infieles deben estar llenos como hormigueros.
   —¡Ya lo creo! Con lo monos que son los chinitos chiquitines.
   (CJC, 1963: 137)

3. —Ya me extrañaba a mí que no llegara el día que dijo. ¡Con lo puntual que es! (JLR, 1969 *a*: 163)

4. La calle de la Riera era un mar de comestibles estrellados. Había de todo en el pavimento: pasteles, helados derretidos, tomates, pescados...
   —¡Santo Dios, con la cantidad de gente muerta de hambre que hay! (MS, 1968: 415)

5. —¿Yo qué sé?
   —Extraño. ¡Con la de cosas que aprendiste en el colegio!
   (EQ, 196)

6. —... que ni a Valen me atrevo a contárselo, date cuenta, con la confianza que yo tengo con Valen. (MD, 1967: 184)

7. —¡Y qué flores tan lindas! ¡Con lo que me gustan a mí las flores! (MM, 1967: 208)

8. —¡No me revuelvan las maletas tanto! ¡Con lo que me costó hacerlas! (AZV, 1966: 68)

9. —Allá va [usted] a estar bien. ¡Con lo bueno que ha sido usted siempre y ahora se nos pone a dar guerra! (JFS, 1957: 22)

10. —Tan quieta y calladita que te habías pasado la noche.
    —Le tenía miedo [a usted]. (SE, 16)

11. Le van abriendo paso y todos le miran tristes...
    —Es Ramón, que se marcha.
    ...   .
    —Con lo joven que es. Y tan reciente que se casó. (JLP, 309)

12. —... qué descuidado anda Miguel. ¡Qué traje! Entre eso, la calvicie, esas gafas de culo de vaso y la piorrea, está catastrófico. ¡Pobre! ¡Tan bueno como es! (RC, 1974: 203)

13. Como hemos visto, comerse un taco hoy en día en cualquier changarro, inclusive en locales de la Zona Rosa, que aparentemente observan buenas condiciones higiénicas, es cosa seria. Casi, podría decirse, que significa comprar veneno por tres pesos. ¡Y tan sabrosos que son! (Visión, Mex., 14-7-80: 45)

14. Porque una de las muchas pedanterías catalanistas es la de pretender que en español no saben decir bien lo que piensan o quieren. ¡Y tan bien como lo dicen!... Sobre todo cuando hay que pedir. (MU, 1958 b: 535)

15. —¡Cobarde! —le gritó Ocampo, alzando las manos para castigarlo—. Pegarle a un tipo como Ruperto. (GC, 234)

16. —¡Esto no se queda así! Alguno va a pagar la altanería del doctorcito ese. ¡Venir a hablarme a mí de leyes! (RG, 88)

17. —De niño yo vivía en una casa más grande que ésta. Mire usted que haber sido niño y no haberme dado cuenta... (AG, 1964: 61)

18. —¡Pobrecita mía! ¡Mira que haber llegado a esto! Vamos, no llore usted, hija... Que con la ayuda de Dios todo se podrá arreglar.
(MM, 1967: 253)

19. —¿Se marea usted, quizá?
—¡Marearme yo! ¡Qué locura! ¿Para qué me iba a marear?
(PB, 1960: 10)

20. —¿A cuántas mujeres ha engañado usted?
—¿Engañar yo? A ninguna. (PB, 1954: 169)

21. —¿Tú crees que se casará con ella...?
—¡Ena casarse con Román! ¡Qué estupidez más grande!
(CL, 163)

22. Estrujó rabiosamente la hoja del folleto, murmurando:
—¡Que este papel, este pedazo de papel que yo puedo arrugar y volver trizas, tenga fuerza para obligarme a hacer lo que no me da la gana! (RG, 89)

23. —¡Santo Dios, qué cosas pasan! ¡Y parecía tan decente! Para que se fíe una de las apariencias... (MS, 1968: 131)

24. —... Manolo se está cayendo de sueño.
—¡Como si fuera el único que no durmiera! (JB, 427)

25. —¡Y que se priva uno de mucho...!
—Vamos, Lucio, no me venga usted ahora... Como que usted se priva de algo. Si bebe al cabo del día más que ninguno de nosotros. (RSF, 1965: 59)

26. —Además, no compete a la policía de Tomelloso.
—Ya, ya, aunque así sea..., como que van ustedes a dejar de fisgar en un misterio como ése, por mucho que competa a la policía de otro sitio. (FGP, 1973: 36-37)

27. —Si a usted no le importase, profesor.
—No, no..., qué me va a importar. Desde luego debe poner su nombre. Pues no faltaba más... Como si quiere usted poner también las señas de su casa. (MM, 1964: 37)

28. El guardia seguía refunfuñando.
—No estaremos aquí hasta el último, no tenga usted cuidado —le dijo Silvestre.
—Lo mismo me da —replicó el guardia en voz alta—. Como si quieren marcharse ahora. Mejor.
Paradox se armó de paciencia para no decir al [guardia] municipal que era un grosero y un bárbaro. (PB, 1947: 101)

29. —Fuera bromas, lo que yo quería decir es que ni jueces ni nadie me harán declarar lo que no quiera, ni firmar lo que no haya declarado.
—¿Y si don Froilán te llama y te lo manda?
—Como si me lo pide el Gobernador; me encierro en que nones y no son capaces de obligarme a la fuerza.   (LR, 337)

30. —¿Y Paco?
—Se acostó.
—¡Será sinvergüenza!   (JMRM, 171)

31. —¡Si tendré olfato! Cuando me puse en camino, pensé en venir aquí a comer unas tortas fritas.   (SE, 30)

32. Si será grande la fiesta de toros que, a pesar de las mutilaciones, fraudes y despropósitos de los que la manejan, todavía está viva y coleando.   (*ABC, edición semanal*, 31-10-74)

33. —*Si* [*el burro*] estará chalao [*=chalado*] por el oficio... que en la cuadra se pasa la noche dando vueltas... [*Es un burro de noria*]
(FGP, 1969: 53)

34. —La soga con que se ahorcó tu hermano, ¿era corta o larga?
—¿Cómo quieres que lo sepa, imbécil?   (RA, 1968 *b*: 253)

35. —... ¿Me das tu palabra de hombre?
—¿Cómo quieres que proceda como hombre si le tratas como a una criatura? Eres incongruente.   (RU, 1964: 11)

36. —¿Sabes que eres muy hermosa?
—Ay, hijo, ¿cómo quieres que lo sepa?   (AML, 1976: 343)

37. —No, el sitio no está mal elegido.
—¡Qué va a estar!   (JLCP, 19)

38. —Sí, eso dicen, que cenar mucho es malo, que no se hace bien la digestión.
—¿Qué se va a hacer bien? ¡Se hace muy mal!   (CJC, 1963: 236)

39. —¿Usted no la leyó?
—No, qué voy a leer. Yo no creo en nada.   (CG, Arg., 1971: 154)

40. —Pero ¿estás conforme?
—¡Cómo no voy a estarlo!   (JLCP, 185)

41. —¿Recuerda usted?
—Cómo no voy a acordarme.   (JG, 1962: 130)

42. —También cuando yo me case armaré la gorda.
—Tú qué te vas a casar —le replicó uno de los que estaban apoyados en la pared.   (AML, 1965: 610)

43. —Elige el día que quieras del mes de marzo.
—¿Para qué?
—¿Para qué va a ser?... Para casarnos.   (JAZ, 1967: 217)

44. —Hace un rato largo que llamo, pero siempre estaba ocupado, hasta temí que hubiera descolgado...
—¿Por qué iba a descolgar?   (SB, 45)

45. —¿Y qué decía?
—Nada, qué iba a decir, se quejaba.   (CG, Arg., 1971: 169)

46. —¿Es verdad todo eso?
—¿Por qué iba a mentir?   (WB, 259-260)

47. —Pues ¿cómo terminaron? —preguntó el capitán.
—Pues mal, muy mal. ¿Cómo iban a terminar?   (JBE, 1980: 168)

48. —¿Qué tal la chica?
—¿Qué chica?
—La hija de Alfredo. ¿Cuál ha de ser?   (JFS, 1967: 78)

49. —¿Es verdad eso de la visita a Jesús?
—¿Y por qué no ha de ser la verdad?   (AML, 1965: 976)

50. —¿Y no nos van a devolver nada?
—¡Qué nos han de devolver, mujer!   (JFS, 1967, 190)

51. —¿Y qué hacemos ahora? —dijo doña Ermelinda.
—¡Qué hemos de hacer, señora —contestó Augusto—, sino aguantarnos.   (MU, 1956: 141)

52. —¿Ha estado atento con mi padre?
—Pues ¿cómo había de estar?   (JAZ, 1973: 67)

53. —Camaradas, los soldados son hombres como nosotros. No dispararán. ¿Por qué lo habían de hacer? Llevamos la verdad.
(MAU, 221)

54. ... dijo con una malicia que le alegró el semblante:
—No olvidará usted la bella noche en el Plan de los Tordos.
—¿Por qué no había de parecerme bella una noche pasada en su hacienda?   (JGO, 30)

55. —Papá no sabe disimular al verme a mí tan feliz y contenta..., va orondo..., orondo.
—Hija, por Dios, ni que te hubieras casado con el príncipe de Gales.   (JAZ, 1973: 90)

56. —No los encuentro, don Pedro. Me dicen que salieron de Mascota y unos me dicen que para acá y otros que para allá.
—No repares en gastos, búscalos. Ni que se los haya tragado la tierra.   (JR, 1970: 96)

57. Ésa no sale de ahí ni que la arrastren por los cabellos.   (RG, 63)

58. —¿Has tomado la medicina?
    —¡Para lo que me va a servir!   (FGL, 1966: 1458)

59. —Para lo que tengo que hacer allí, no sé a qué viene tanta prisa.
    (JFS, 1982: 227)

60. —¿Cómo van tus clases de inglés?
    —Bah.
    —Pero ¿sigues dándolas?
    —He dejado unos días de estudiar. Para lo que me va a valer...
    Ya ves, para lo que le ha valido a Margot saber francés.
    (JGH, 193)

61. —¿Tú crees que tendremos bastantes lombrices con las que lle-
    vamos?
    —De sobra. Para lo que vamos a pescar...
    —¿Por qué te empeñas siempre en ser pesimista en asuntos de
    pesca?   (MM, 1964: 80)

62. —¡Pobre hijo mío! ¡Ojalá él me perdone algún día haberle traído
    a este mundo espantoso.   (ABV, 1976: 109)

63. —El pobre hombre salió del coche, pálido como un muerto. Es-
    taba a punto de desmayarse.
    —Ojalá se hubiera muerto allí mismo.   (AS, 1967 a: 548)

64. De vez en cuando pasaba un avión; todos levantaban la cabeza
    y señalaban el cielo: —¡Quién pudiera ir ahí metido!
    (MS, 1968: 341)

65. Diego la saludó amablemente y le presentó a la señora Basi.
    —Hola, maja —dijo la señora Basi—, no creí que eras tan joven.
    —Veinte años.
    —Quién los tuviera.   (CMG, 1976: 138)

66. Junto a ella hay un perro ladrador. Un perro nervioso que patea
    y mancha la ropa que la muchacha ha tendido en un herbazal.
    —¡Así te murieras, Canelo! —le grita la chica al animal.
    (AGR/ALS, 148)

67. —Dile a tu madre que ya sabe mi marido lo que tiene que hacer,
    y que así supiera ella aliñar con laurel y pimienta un buen guiso
    como mi marido componer zapatos.   (FGL, 1962: 40)

68. —Ellos sabían, sabían —mastica las palabras, las empuja entre
    los dientes, con odio—. Así venga una riada que salte la maldita
    presa y se lleve a ellos y a sus máquinas al infierno.   (JLP, 98)

69. —¡Nunca lo hubiera dicho!   (Spaulding, 62)

70. —Lo demás se lo di a López Soler, se lo presté al pobre... Entonces hubieras visto a mi padre rugir como un tigre: «Prestar dinero a un sinvergüenza semejante que no te lo devolverá jamás!»
(CL, 160)

71. —La Generala sabía mandar mejor que los hombres... La hubiera usted visto en los combates... ¡Qué valientísima era!   (JGO, 38-39)

72. —... hace unos días me alargó la cara porque no le publiqué dos notas suyas sin firma...
—Le hubieras publicado para darle gusto —le respondió Maidana—. Si es un pobre viejo...   (GC, 54)

73. —Cuando pienso en mi juventud, tan distinta... Hubieras visto los uniformes que se usaban entonces, aquellos penachos, y los cascos.   (CF, 1958: 286)

74. —Me figuré verte pobre, pero así..., ¡así!...
—¿Creías encontrarme con gabán de pieles? Cuatro meses sin más que tus cincuenta pesos... ¡Calcula tú!
—Haber dicho, niño...
—¡Haber dicho! ¿A quién? Tú no podías hacer más. Te pedí esos trescientos pesos, que sabe Dios cómo los conseguiste.   (EB, 536)

75. —Me molestáis todos.
—Pues, hija, haber convidado gente de tu gusto.   (JB, 393)

76. Nos reímos bien, hasta que llegó Rufi con la botella de whisky.
—Pero no haberse molestado en bajar usted.   (JGH, 20)

3

COLLOQUIAL ADJUNCTS

3.0 Some of the needs of the speaker to express certain subjective attitudes and to give certain dialogue signals for the listener's benefit may take the form of colloquial **ADDITIONS**, or **ADJUNCTS**, to the basic sentence structure (whether standard or not). The bulk of these adjuncts, which are usually added at the beginning or at the end of the sentence and which cannot be used *alone* or as an integral part of a standard structure *without loss or change of meaning*, give various sorts of emphasis or prominence to the sentence as a whole, to its central grammatical feature, the verb, or, in a few cases (3.7-3.10; 3.19), to another sentence component. Briefly, for a colloquial *adjunct* to be an adjunct for the purposes of this chapter, the sentence (or component) it accompanies must already make sense without the adjunct.

EMPHATIC EMOTIONAL ADJUNCTS

3.1 The adjuncts described in sections 3.2 - 3.6 occur principally at the beginning of sentences or clauses and, accompanied by special intonation patterns, add emotional emphasis to sentences which are nearly always provoked by a preceding part of the dialogue or by an extralinguistic factor. Quite frequently, such adjuncts correspond to English voice stress (e. g. *I* **DID**; *I* **KNOW** *that*, etc.).

3.2
> *Pero*
> *Pero si*
> *Si*

The normal functions of these extremely common colloquial adjuncts are to convey surprise, indignation, protest or an appeal. In English, they are usually rendered by voice stress and/or by *But...*

3.2.1 *Pero*

—¿Pero no te das cuenta? No hay un hombre en el mundo que
conozca mi materia como yo.   (RU, 1965: 21)
*Dont't you under***STAND**...?

—¡Dios mío! Pero, ¡qué bien lo estoy pasando!   (VRI, 1970: 42)

NOTE

For *pero (que) (muy)* before a repetition, see 3.9.2.

3.2.2 *Pero si*

—Devuélvelo.
—Pero si es mío.
'Give it back.'
'But it's **MINE!**'

—Pero si hasta ahora has sido tú casi el más enamorado y preocu-
pado por ella.
—Es que el hecho de que consideres a este bicho más importante
que yo, me ha sacado de mis casillas.
—Pero si para mí lo primero eres tú, ¿cómo has podido pensar
otra cosa?   (JAZ, 1973: 439)
But **YOU'RE** *the one that matters most to* **ME**. *How could you
think anything different?*
[The last part of this example shows the origins of these uses of
pero si and *si.*]

3.2.3 *Si*

—Perdona.
—Si no se trata de perdonarte...   (JAZ, 1973: 343)
(But) It's not a **QUES***tion of for***GIV***ing you!*

—¡Me voy a mi casa!
—¡Si estás en tu casa!   (ABV, 1970: 31)
But you **ARE** *home!*

NOTE

The construction *si es que* may be found in two different contexts
and functions: in one, *si* acts as a reinforcement for the weak
explanatory *es que* (see 3.14), and in the other, where *si* means

if, it serves to make a hypothesis sound even more unlikely (see 3.7.5). Contrast the following sentences:

—Si es que me pican los ojos de tanto mirarte.   (AG, 1970: 151)

*(But) My **EYES** hurt from staring at you!*

—Y si es que salgo de ésta en condiciones de ser cliente de alguien, cuente conmigo.   (Lidia Contreras, 69)

3.3   *Y*

As with English *And*, a major colloquial use of the adjunct *Y* is at the beginning of exclamatory and interrogative sentences which express reproach, surprise or indignation. Sometimes *But* will be more suitable in translation.

—¡Y no me habías dicho nada!   (Moliner, II: 1561)

—¿Qué quieres decir?
—¿Y te atreves a preguntarlo?   (ABV, 1967: 137)

—Bueno, ¡y a mí qué me importa!   (Alcina, 1169)

NOTES

1. In American Spanish, especially in Argentina, *Y* is often used to begin all sorts of common responses but particularly preceding *claro (Of course)* and *bueno (All right/Well...)*

—Dicen que un médico dijo que era una gripe. Pero algo tienen que decir.
—Y claro. Es su oficio.   (CG, Arg., 1971: 163)

2. For other uses of *y*, see 1.16, 2.7.1, 3.6 and 4.6.1.

3.4   *Que*
                              Que si
                              ¿Cómo que?

These are also very common in emphatic responses. The most usual English equivalent is voice stress rather than specific sentence adjuncts.

It is primarily used for general emphatic purposes, especially before repetitions of statements, exclamations, imperatives and questions.

—Por Dios, Paloma, que ellas son hijas tuyas.   (JAZ, 1973: 466)
For goodness sake, Paloma, they're **YOUR** *daughters!*

—¡Que se lo diré a mi padre!   (LO, 1968: 69)
I'll tell my **FATHER***!*

—¡Anda, sigue contándolo!
—Pero no te enfades.
—¡Que sigas te he dicho!
Carry **ON***, I said.*

—Murió hace un año.
La enfermera se volvió, asustada.
—¿Que se ha muerto?
—Sí.   (JFS, 1957: 17)

—¿Qué cosa es ésta?
—¿Eso?... ¿Que qué es eso, dice sumercé [= *Su Merced*]? ¡Pues la espuela del señor cura viejo!   (ECC, 1967: 12)

Que is also used before the second of two juxtaposed clauses where the second clause indicates a supporting reason for the first, which frequently contains an imperative. In such sequences, translation of *que* is by one of the following ways:

—Date prisa, que se va el tren.
Hurry up, because/'cos the train's going (to go).
Hurry up, the **TRAIN'S** *going.* [i. e. with voice stress]
Hurry up or the train will go.

Other examples:

—¡Y deja tus muñecos, que hay que merendar!   (ABV, 1970: 30)

—Vámonos, que seguramente vendrá la policía.   (RJS, 1970: 192)

NOTE

que no followed by a contrasting item may be translated as *but* or as *not:*

—Vendrá otra noche, que no en ésta.   (JGO, 10)

—Estoy cansadísima, que no cansada, cansadísima.
(M. Esgueva and M. Cantarero, 435)
I'm **EXHAUSTED***, not just* **TIRED, EXHAUSTED!**

This adjunct is frequently used when a speaker is repeating either a statement or a question just heard (in which case a suitable translation is usually an emphatic affirmative response: see 2.10.2), or a question of its own.

> —¿Está usted seguro de lo que dice?
> —¡Que si estoy seguro!
> *Am I sure! / Of course I am!*

> —¿Me da tres cuartos de tomates?
> —¿Eh?
> La verdulera es sorda como una tapia.
> —¡Que si me da tres cuartos de tomates!   (CJC, 1961: 49)
> *Three quarters of a kilo of **TOMATOES** please!*

NOTE

For *que si* in enumerations, see 4.5.

This adjunct is used to begin emphatic sentences which question or disagree with a preceding sentence. The tone may be either truculent or enthusiastic, as with English *What do you mean...?*

> —¿Te gusta mi idea, Tomy?
> —¿Cómo que me gusta? Me encanta.   (VRI, 1970: 43)
> *Like it? I **LOVE** it!*

> —¡Que te quemas!
> —¿Cómo que me quemo?
> *'You'll get burnt!'*
> *'What do you mean, get burnt!'*

NOTE

Occasionally, for an incredulous or emotional questioning of a question, *¿cómo que si?* is used:

> —Y esta gente..., ¿está bien de la cabeza?
> —¿Cómo que si están bien de la cabeza?   (MM, 1967: 313)
> *What do you mean, are they all right in the head?*

133

Ya also adds emotional emphasis, especially in sentences conveying a threat, encouragement, consolation or hope. Usually, an adequate English translation will be by voice stress on the verb form. To give emphasis to an imperative, *ya* normally *follows* the verb form. (See also 4.24.4.)

> —Ya lo creo.
> *I should say so! / Yes, indeed!*
>
> —Ya lo sé.
> *I* **KNOW**!
>
> —¡Cállate ya!
> *Oh, shut up!*
>
> —Ya os pillaré.   (LO, 1968: 30)
> *I'll* **GET** *you!*
>
> —Ya vendrá, no te preocupes.
> *He'll come, don't worry.*
>
> —Ya me imaginaba que no ibas a tener valor.   (ACS, 92)
> *I* **THOUGHT** *you wouldn't have the* **COURAGE***!*

NOTE

The cliché clause *que ya es decir* is used to qualify a clause or a component and means *and that's saying a lot!*

3.6   *¿Qué?* or *¿Y?* [*esp. Am. Sp.*] preceding a question.

These adjuncts give a brusque, impatient or bad-tempered note to the following question. Suitable translations would be *Well?* and *Well, answer!*

> —¿Qué? ¿Diste con el número?
> —Sí.   (JCS, 1954: 49)
> *Well? Did you find the number?*
>
> —Qué, ¿no puede usted dormir?   (JFS, 1967: 66)
>
> —¿Y? —dijo el hombre—. ¿En qué quedamos?   (MVL, 1968: 95)
> *Well?... What's the real answer, then?*
>
> —¿Y? ¿No vamos a comer?   (C. E. Kany, 401)

NOTE

See also 1.16 and 4.6.1.

3.7 Other emphatic colloquial adjuncts refer more to a single component of the sentence that they accompany. In those described below, all except the first *(Sí que)* follow the component which they emphasise.

3.7.1   *Sí (que)*
                                          ... sí (que)...

Sí and *Sí que* are used in emphatic affirmative responses to stress a previously mentioned verb. The resulting stress corresponds quite closely to the use of English stressed auxiliary and modal verbs (e.g. *I* **DO**, *they* **HAVE**, *she* **DID**, etc.). Note the absence of subject pronouns from these sentences.

> —No le gusta el teatro.
> —Sí (que) le gusta.
> *He* **DOES**!

> —Este coche no es tuyo.
> —Sí que lo es.
> *It* **IS**!

> —No lo tenía.
> —Sí lo tenías y no te dabas cuenta.   (EG, 66)
> *You* **DID** *have it but you didn't realize it.*

3.7.2 If a pronoun Subject or other contrastive elements is also to be stressed, it precedes *sí que*. This occurs most frequently when the first element is one of the pronouns *eso, ése, ésa, ésos, ésas*. Where the initial emphatic element is a subject pronoun, it is normally followed by *sí* alone. In most cases, English translation is by voice stress and the addition of *really* or *certainly*.

> —Ésos sí que gozan de la vida.   (JG, 1962: 105)
> *They* **CERTAINLY** *enjoy life!*

> —¡Caramba, eso sí que es difícil!   (Keniston, 272)
> *Gosh! That really* **IS** *difficult!*

> —Lo que sí te pido es que vengas a verme todos los días.
>   (N. D. Arutiunova, 1965: 91)
> *What I* **DO** *ask is that you should come and see me* **EVERY** *day.*

> —¡Qué bien!... ¡Ahora sí que cenaré con mucho gusto!
>   (AL, 1961: 40)

> —No me siento llena de vida y hace mucho que no tengo alegrías.
> —Yo sí las tengo.   (LJH, 485)

> —Nosotros no vamos a ir.
> —Yo sí.

135

1. The stereotyped negative response *¡Eso sí que no!* *(Certainly not!)* is listed as a ritual response in 1.12.

2. For the use of *sí* preceded by subject pronouns in *verbless* responses, see 4.3.3.

3. For the ironic use of *(pues) sí que...,* see 32.13.1.

4. For *eso sí* as a connecting adjunct, see 3.33.2.

3.7.3   *de una vez* (following an imperative or a suggestion)

English: *just;* voice stress; both *just* and voice stress.

> —¿Qué haces ahí, Daniela? Entra de una vez.   (ABV, 1964: 119)
> ...*Come on* **IN***!*

> —Hágalo de una vez.
> *Just* **DO** *it!*

NOTE

The American Spanish adjuncts *siquiera* and *no más* may also accompany an imperative and they may also be translated as *just,* BUT they are used for begging rather than abrupt demanding like *de una vez* which implies *'get it over with!'.*

> —Ven, siquiera toma un poco de café. No salgas con el estómago vacío...   (MVL, 1973: 277)

> —... mire no más qué playas tan suaves...   (AY, 87)
> ... *just look at those smooth beaches...*

3.7.4   *en absoluto*   *ni por asomo*
            para nada   *ni por el forro*
                               ni a la de tres [more popular]

These adjuncts accompany a negative verb —usually coming *after* it. In English: *not at all.* See 1.11-1.13.

> —No me importa en absoluto.

> —Yo le aseguro que muy pronto no se notará para nada la falta de Fred.   (Ramsey, 212)

> —Ni por asomo te imaginas tú, Paco, cuál es la ilusión más grande de un padre.   (ABE, 43)

3.7.5 es que
acaso   (following *si* [= *if*])

In English: *if ... really; if by any chance;*
that is, if; voice stress

—Sal entonces... Si es que te crees capaz de ello.   (AS, 1967 *a*: 69)
Leave, then... if you really think you're capable of it.

—Alquile usted un cuarto inmediatamente, si es que lo hay.
                (JJA, 149)
Rent a room immediately, that is if there **IS** *one.*

—Si acaso quieres llamar, ya sabes dónde estoy.   (Seco, 311)

3.7.6   *de verdad* (in a question or a *si*-clause)

In English: *really.*

—¿Quieres de verdad que lo haga?

—Si de verdad son hombres..., lo demostrarán, por lo menos una
vez, en el momento más inesperado.   (JT, 1968: 265)

3.7.7   *y todo* (following a list, a noun or a verb)

In English: *even; and all; as well.*

—Tiene una casa con jardín y todo.   (Seco, 352)

—Trajo sillas y todo.
He even brought chairs.

—Discutió y todo.   (N. E. Donni de Mirande, 322)
And he argued as well!

EMOTIONAL INTENSIFICATION

3.8 The standard devices for intensifying adjetives, adverbs, verbs and
nouns are *muy, tan, mucho, bastante* and *demasiado.* Colloquial
variations of these are described in Chapters 2 and 5. However, there
are a few other more general emotional intensifying devices which
may be more appropriately considered as colloquial adjuncts. In 3.9
various uses of repetition are considered and in 3.10 expletive intensifying adjuncts are listed.

3.9   *Repetition*

The simplest form of colloquial emotional intensification is the
repetition of a sentence element, sometimes with the addition of *y*.
In English, repetition is also possible but seems less frequent, so voice
stress will often be required in translation.

—No, no, no, no.

—Sí, sí, sí, sí.

—La querría siempre, siempre, siempre.   (Sara Suárez Solís, 216-217)

—Siempre, siempre es lo mismo.   (V. Lamíquiz, 22)

—Hay que aprender nombres y nombres y nombres.
                                                 (V. Lamíquiz, 21)
—Casi casi perdimos el avión.
We very nearly lost the plane.

NOTES

1. Note also the following responses and comments linked by *que*:
   Mejor que mejor. Better and better!/So much the better.
   Peor que peor. Worse and worse.

   —Y si tu hermana puede venir contigo, mejor que mejor.

2. Sometimes the repetition of a present participle may indicate a
   long time or a special effort involved in the action:

   —La Rocío tenía aquel viejo huerto como consuelo total de su
   soltería. Ahorrando, ahorrando, le puso cerca, mejoró la tierra
   y amplió la casa.   (FGP, 1969: 53)
   ... By scrimping and saving over a period of time...

3.9.1 Nouns, adjectives adverbs and verbs may also be emphasized by
repetition and/or by the addition of *pero* or *pero que*. With adjectives
and adverbs, further intensification may be signalled by adding *muy*
to *pero* or to *pero que*. In English, the following translation equivalents
are available:

   repetition (including *very very*), voice stress, or intensifiers (*very,
   terribly*, etc.)

   —... todos los hombres del mundo, menos él..., no valen nada.
   Pero nada, nada.   (VRI, 1970: 28)

   —No tengo ninguna esperanza, pero ninguna.

   —¡Te abro en canal, pero que en canal!, ¿me oyes?
                                                 (J. Polo, 1969: 50)
   I'll really split you in half, you hear me?

—Ayúdame, ¿quieres? Estoy muy, pero que muy borracha.
(JM, 1970 *a*: 178)

—... estáis pero que muy equivocados.   (MD, 1967: 80)

—... es muy cortita..., pero que muy cortita.   (MD, 1967: 100)

—Me he asomado a la barandilla y le he visto bajar, pero que muy despacito.   (MM, 1967: 360)

—¿Qué le parece?
—Pues que muy bien me parece a mí todo esto, pero que muy bien.   (CJC, 1963: 137)

NOTE

For other uses of repetition, see 3.10.1, 3.19 and 5.10.

3.9.2   Also used to stress a repeated adjective, noun or infinitive are the adjuncts *lo que se dice* and *lo que se llama*, which may be translated as *real* or *really*.

—Yo creo que peligro, lo que se dice mucho peligro, no corremos por ahora.   (FU, 1966: 85)
I don't think we're in **DANGER**, *not in any* **REAL** *danger, at the moment.*

—¿Ves?... No será estético; pero muy feo, lo que se llama feo, no es tampoco.   (EB, 271)
*You see? It may not be at***TRAC***tive, but it isn't really* **UGLY** *either.*

—Y con lo que tenemos podemos vivir en cualquier parte; y vivir, lo que se llama vivir, que no es este estarse repitiendo a toda hora: «pienso con la cabeza del Señor Presidente, luego existo...»
(MAA, 1970: 263)
... and I mean **REALLY** *live, not like now when we have to keep on repeating all the time: 'I think with the President's brain, therefore I exist...'*

NOTE

si los hay, less often *si lo hubo*, and occasionally *donde los haya*, perform a similar function after noun phrases:

—Es un ser depravado si los hay.   (Moliner, II: 9)
He's really corrupt / He's a corrupt man if ever I saw one!

—Un día —día feliz, si lo hubo, de su vida— en San Sebastián —en su ciudad— se le dedicó un homenaje.
(*La Vanguardia Española*, 30-10-66: 55)

3.10 *Expletives*

The use of expletive adjuncts to add emotional intensification to adjectives, nouns and interrogative words, however vulgar, aggressive or taboo, is as much a feature of colloquial Spanish as any other. Such adjuncts are listed in the following groups:

those that intensify adjectives and nouns: 3.10.1 and 3.10.2.
those that intensify interrogative words: 3.10.3.

3.10.1 To add a generalized reproachful or insulting intensity to an adjectival noun (cf. English *You great...; The bloody/great...!*), the following adjuncts are used in the following structures:

el muy + { adjectival noun
{ noun

adjectival noun + *más que* + adjectival noun repeated
so + noun or adjectival noun [a contraction of *señor*]

—Es un tipo que no me hace gracia. Nos trata a patadas el muy
bestia. **(AS, 1967 a: 19)**

—¿Qué hace tu padre?
—Exporta e importa naranjas y cosas así... Algo apasionante, figúrate... El muy imbécil cree que más tarde voy a continuar
con el negocio. **(JG, 1966: 74)**

—¡Idiota, más que idiota! **(Keniston, 145)**
You great idiot/fool!

—Pilar..., ¿puedo confiar en ti? ¿Me ayudarás?
—¡Qué cosas tienes, tonto, más que tonto! ¿No ves que te quiero
con toda mi alma? **(JMG, 1966: 32)**

—¿Comprendes, so tonto? Los curas han sido siempre así.
(JMG, 1966: 616)

NOTE

The suffix *-ísimo* is sometimes used with similar intention: *¡Gran-dísimo tonto!*

Also, in very familiar language both *cacho de* and *pedazo de* may precede an insulting term:

¡cacho de ladrón! **(Beinhauer, 57)**
¡pedazo de ladrón! **(Beinhauer, 57)**

3.10.2 The following are examples of expletive adjectives and other noun qualifiers. English equivalents are:

> *damn, blasted, bloody* (or, for the strongest, a taboo expletive adjective.

santo	del diablo	repajolero ⎫	
condenado	del demonio	pajolero ⎬	[euphemisms]
cochino		puñetero ⎭	[vulgar]

> —He estado trabajando todo el santo día.

> —Gato del diablo. ¡Largo de aquí!   (Sara Suárez Solís, 142)
> *Get out, you damn cat!*

> Intuía el sermón que iba a caerle encima.
> —Todo por la pajolera carne —le diría—. Ya ves a lo que te ha conducido la pajolera carne.   (MS, 1968: 8)

> Manolo, al cabo de un rato, se hurgaba en el bolsillo.
> —Ni una puñetera peseta —murmuraba.   (IM, 425)

NOTE

See also 5.3.2 Note and 5.19.1.

3.10.3 In questions, the range of expletives, which follow and intensify the interrogative words, is from the mild (e. g. *diablos* or *demonios*) and euphemistic (e. g. *narices*) to stronger forms (e. g. *cuernos*) and taboo forms (such as those described in 1.28) which are represented in token fashion in the final four examples below.

> —¿De dónde diablos es usted?
> *Where on earth are you from?*

> —¿Pero por qué regla de tres vas a ser tú distinto de los demás?
> (RSF, 1965: 75)
> *But why the dickens should you be any different from the rest?*

> —Pero ¿en qué narices gasta usted el dinero? Ahorre un poco, mujer.   (JMB, 380)

> —Arsenio, ¿cómo se llama este pez?
> —¿Qué carajo sé yo? ¿Te crees que soy un naturalista?
> (GCI, 1969: 351)
> *How the hell should I know?*...

> —¿Qué chingados va a entender?   (CF, 1958: 183) [Mex.]

> —Y tú, hija, ¿estás virgo?
> —¿Y a usted qué leche le importa?   (CJC, 1963: 197)

> —¿Puede saberse qué coño significa todo esto?   (JG, 1964: 65)

> —¿Qué coños será eso?   (LS, 1973: 9)

1. The colloquial interrogative *¿a qué?* (see 5.4.2) may take the mildly expletive form *¿a santo de qué?*:

>—¿A santo de qué te va a pegar un guardia por atravesar el parque en bicicleta?   (MD, 1967: 165)
>*Why on earth would a policeman hit you for cycling across the park?*

2. See also 5.4.1.

ADJUNCTS OF ASSERTION

3.11 A large number of colloquial adjuncts are used to add varying degres of assertion to a sentence or to one of its components. These are described in sections 3.12 - 3.18.

3.12 A number of adjuncts of assertion, usually initial in position, can serve as one or other of two contrasting dialogue signals (both roughly equivalent to the various colloquial uses of *Well*):

a) confident or brisk assertion;
b) hesitation or vagueness.

The latter signal and, occasionally, the former, may be conveyed by a combination of these adjuncts.
The following common adjuncts of assertion are capable of both of the above functions (given the appropriate intonation):

>*Pues* (3.13).
>*Bueno (pues)* (3.13).
>*Es que* (3.14).

The following, however, are limited to the hesitant or vague function:

>*(Pues) Verás / (Pues) Verá (usted)*
>*Ya ves / Ya ve usted*
>*Nada*   3.15
>*Esto*
>*Este [esp. Am. Sp.]*

1. *Hombre* and similar vocatives are also used with these functions, but because of their other uses as exclamations, they have been described in 1.19.

2. Because of their varied and sometimes overlapping uses, it is not easy to describe *pues* and *bueno* adequately in a work of this nature. For other uses of *pues*, see 2.13.1, 3.26, 5.25 and 5.26.1. For more detailed descriptions, see the works by W. Beinhauer (1978), R. Carnicer (1972), María Moliner and M. Seco (1967).

3. Through frequent use, most of these adjuncts may become for some people mere conversational cliches or mannerisms This is particularly noticeable in informal and less educated speech. (Cf. English *you know, sort of, kind of, well, like,* etc.)

3.13   *Pues*
                                Bueno (pues)

3.13.1 *Pues* and *Bueno (pues)* are both used as emphatic or assertive openings to sentences and for the brisk resumption or continuation of a topic previously begun. In this latter function, they may be followed by a clause like *como decía, a lo que íbamos* or *lo que te decía.*

In addition, *pues* is used as an emphatic (or resumptive) opening for a main clause following a subordinate clause of reason or condition, and *bueno* may be used by a speaker to interrupt the flow of his sentence either to insert a correction or a new thought.

—Otras veces me dice usted...
—¡Pues hoy le digo lo contrario, demonio!   (MM, 1967: 107)
Well, today I'm telling you the opposite, damn it!

—¿Hablaste o no hablaste con él?
—Pues claro.   (ABV, 1967: 95)

—¿Qué te parece?
—Bueno, yo considero que...   (A. Rosenblat, 273)

—Bueno, pues nada, Mariano, hasta luego y gracias por todo...
                                                (Beinhauer, 120)
Well, then... / Right... / OK...

—Bueno, Juanito —dijo Salomón—, nosotros nos vamos.
                                                (MBU, 552)
—Cuéntame lo que pasó.
—Bueno, pues, cuando llegamos, vimos a su madre y se lo explicamos.

—Yo cuando nos casamos y en seguida me quedé en estado, ¡bueno!, sufrí un trauma tremebundo.

(M. Esgueva and M. Cantarero, 423)

—En aquella época, pues, todo era distinto.
At that time, then, everything was different.

—Bueno, como te estaba diciendo, eso de que no regresó es un puro decir.   (JR, 1970: 25)
Well, as I was saying, this rumour that he didn't come back is just that: a rumour.

—Como no tenía dinero, pues me fui a casa.

—No tengo dinero, bueno, sí lo tengo.

—También se puede llorar de placer.
—¿De placer?
—Bueno, de felicidad quiero decir.   (JLMV, 1975: 34-35)

—Llégate al número trece y dile al..., bueno, al caballero que lo ocupa, que aquí lo buscan.   (Beinhauer, 433)

NOTES

1. *en fin* and *total* are also used as resumptive or emphatic adjuncts, especially in the following ways:

   — before a short account or a request for one;
   — to signal the conclusion or shortening of a list or account;
   — to signal an end to a conversation.

   Suitable translations are:

   > *well; in short; in fact; ah, well...*

   —... En fin, que se enredó el asunto...   (JB, 457)
   Well, the matter got complicated.

   —En fin, nos veremos mañana, ¿no?

   —Si yo no entiendo nada de este absurdo. ¡Nada!
   —No es para tanto, vamos. Total, ¿qué ha pasado?   (RM, 1971 *b*: 37)
   Listen, there's no need to get like that.
   In fact, what has happened?

   For *pero, en fin*, see 3.33.1 and for *total, que*, see 3.26 and 5.26.1.

2. The resumptive adjuncts *Ahora* and *Ahora bien (Now...)* are not limited to colloquial use. For *ahora, que*, see 3.33.1.

3. *Bueno* as a ritual affirmative response is described in 1.9. For *Y bueno*, see 3.3 Note 1.

4. *¡Pues entonces!* may be used as a strong response, like English *Well, then!*

     —¿Te vieron entrar?
     —No.
     —Pues entonces. [*¿Por qué te preocupas?*]

3.13.2 Both *Pues* and *Bueno (pues)* are also used at the beginning of hesitant or guarded replies or simply as mechanical introductions to responses. In all cases, English *Well,* or *Well, er...* (with falling intonation) are equivalent.

     —¿Cuántos vendrán?
     —Pues no lo sé.

     —Dice Modesta que cuál va a ser el menú de esta noche.
     —Pues..., sopa de sémola, la tortilla de siempre...   (Beinhauer, 410)

     —¿Cuántos son ustedes de familia?
     —Pues somos seis.
     —Seis. ¿Cuántos chiquillos?
     —Cuatro.
     —¿Van los hijos al colegio?
     —Pues dos, sí. (M. Gorosch, 1973: 31)

     —¿Nos veremos mañana por la tarde?
     —Pues sí. (R. Carnicer, 1972: 82)

     —¿Se reúnen frecuentemente con sus amigos?
     —Bueno, una o dos veces al mes... (M. Gorosch, 1973: 31)

3.14   *Es que*

3.14.1 *Es que* as an assertive or contrastive adjunct compares with English

    (but) the fact (of the matter) is; the point is; in fact; really, etc.

     —Celos. Celos. No se trata de eso. Es que sois una familia extraña.
                                    (RM, 1971 *a*: 71)
     Jealousy, jealousy! That's not it! You really **ARE** *a strange family.*

     —Yo a ese profesor es que no le entiendo.
     *I really don't under***STAND** *that teacher!*

3.14.2 In its more frequent use as a hesitant adjunct, *es que* usually precedes an explanation or an excuse, especially when these are felt by the speaker to be weak, or when (s)he feels nervous, embarrassed or intimidated in any way. Depending on the context, the following sentence and clause openings are possible translations:

But...	*You see...*
Well...	*Because...*
Really...	*It's just that...*
(Well) The fact is...	
(Well) The trouble is...	

—Es que...
—No hay «es que» que valga... El chico se muere.   (JMRM, 166)
'But...'
'It's no good saying 'but'. The boy's dying.'

A Martín le da la tos. Después se ríe.
—¡Je, je! Usted perdone, es que estoy algo acatarrado.
(CJC, 1963: 208)

—Eso son boberías. Los nervios hay que olvidarlos.
—Es que ha sido un día terrible.   (AE, 117)

NOTES

1. *Es que* may be preceded by a number of noun phrases, most of
which are used in standard Spanish:
   el hecho; la verdad; lo que pasa; el caso; la cosa, etc.
These longer forms may be used in both strongly assertive and
hesitant functions:

   —Bueno, no discutáis. El hecho es que Amadeo sabe hacer muy
   bien la paella.   (JGH, 141)
   No arguing, now. The fact is...

   —Iría con gusto, la cosa es que me están esperando en casa.
   (Moliner, I: 788)

2. Hesitant *es que* may be strengthened by the addition of *si* (see 3.7.5).

3.15 The following may function as hesitant or introductory (mechanical) adjuncts or as vague responses:

(Pues) Verás	*(Pues) Nada*
(Pues) Verá (usted)	*Esto*
Ya ves	*Este* [*esp. Am. Sp.*]
Ya ve (usted)	

Suitable general translations are:
Well; Ah, well; Well, you know; You see.

However, the following specific translation equivalents should be
noted.
Verás (Verá) preceding a separate sentence is best rendered as
Listen.

Nada usually shows a desire on the part of the speaker to play down the importance of a reply or to reassure the listener: *Well, it's just that...; Ah, well (never mind).*

Esto and the American Spanish preference *Este* are equivalent to English *Er* and *Um...*

—¿Qué pasa?
—Verás, es que ha venido un señor preguntando por ti.

(JAZ, 1972: 610)

Well, it's like this...

—Verás, Margarita. No te enfades, ¿eh? Déjame hablar sin enfadarte. No sé cómo explicártelo.   (RRB, 54)

—¿Qué tal? —murmuró.
Ella se encogió de hombros.
—Ya ves.

—Tú me has caído bien, ya ves.   (DS, 1961: 53)

—Tenía miedo de llorar. Y ya ves, lo he hecho.   (CL, 268)

—¿No sabe que yo la quiero mucho a usted?
—Pues ya ves tú: no lo sé.   (SE, 62)

—¿Qué me cuentas?
—Nada, ya ves.   (CJC, 1963: 255)
Well, **NOTHING** *really.*

—¿Qué hay, jefe?
—Nada, Zuazo, que venimos a echar un vistazo a la víctima por si fuese conocida.   (FGP, 1969: 64)

—¡Hable, por la Virgen Santa!... ¡Hable!
—Nada, que el señor marqués... acaba de perder la memoria.

(Beinhauer, 118)

—Tú conocías a Felipa antes de venir a trabajar aquí?
—Este...
—Di la verdad.   (SE, 65)

3.16 Adjuncts of assertion which seek to add persuasive emphasis or to impress the listener in a particular way show two broad approaches:

a)   The direct, unsophisticated appeal by means of parenthetical exclamatory adjuncts (3.17). These are aimed at assuring the listener of the truth of what is being said. In English: *really, truly, honestly,* etc.

b)   The use of adjuncts whose content implies that the speaker has carefully considered what he is saying and that the listener should logically accept it as perfectly reasonable, true, or relevant in the context (3.18). English counterparts for this type of assertive adjunct are: *really, after all, in fact, all things considered, when you come to think of it,* etc.

147

In both of these types of adjunct, as with other common sentence adjuncts —and with uses of language in general— the constant use of a device can be simply the result of habit (cf. *pues* in 3.13).

3.17

3.17.1
        Como me oye(s)
        Como lo oye(s)
        Así como usted lo oye.
        Palabra
        La verdad
        No crea(s)
        Así como suena
        Te/Se lo digo yo.

With all of these parenthetical adjuncts, the speaker seeks to emphasize the basic truth of an assertion, however unlikely or polemical it may seem (or be).

Suitable English translations are:

really, honestly, truly, or an equivalent.

—... que hubo una época que me gustó Paco, como lo oyes.
                                                      (MD, 1967: 168)

—Se le había largado con el pescadero, así como usted lo oye, sin más ni más.   (Sara Suárez Solís, 140)
She had gone off with the fishmonger, really, just like that!

—Estas mujeres están destrozando la vida de familia, Mario, así como suena...   (MD, 1967: 42)

—¿No tienes nada que hacer ahora?
—Y aunque lo tuviera —dijo Alberto—. Pero no tengo nada, palabra.   (MVL, 1968: 88)
Even if I did/had, it wouldn't matter... But really, I haven't.

—No consentiré que insista en esta locura.
—La verdad, no le entiendo.   (RRB, 20)

—Tal vez no sea muy normal, para usted, pero es una forma de vivir como cualquier otra. Y no crea, tiene sus ventajas.
                                                   (RMC, 45)

—Mi cuerpo llamaba la atención mientras en casa pasábamos necesidad. Era el caso de la mayoría de las coristas, no creas.
                                        (AML, 1965: 896)

—Eres un muñeco, te lo digo yo.   (A. M. Vigara Tauste, 48)

3.17.2 The parenthetical use of the adjuncts *en efecto* and *efectivamente* to confirm the truth and relevance of an assertion or question is related to, but subtly different from, both those adjuncts described above and those described below in 3.18. The easiest way of demonstrating this subtle difference is by pointing out that, although *como lo oye, efectivamente* and *en efecto* are used as ritual affirmative responses (see 1.9-1.10), they can convey two different meanings: persuasion (= *yes, really*) and confirmation (= *yes, that's true*). Therefore, as adjuncts, *efectivamente* and *en efecto* may be translated as *in fact*, although it should be remembered that in English *in fact*, like *really*, has several different uses.

> El viajero va comiendo albaricoques que saca del morral.
> —¿Usted gusta?
> —Que aproveche.
> El hombre del puro no tiene, efectivamente, aire de comer albaricoques.   (CJC, 1961: 45)
> ... *'No thanks.'*
> *In fact, the man with the cigar doesn't look as though he's the type to eat apricots.*

3.18

3.18.1

En realidad	*Bien mirado*
Realmente	*Mirándolo bien*
A(l) fin de cuentas	*Si bien se mira*
Al fin y al cabo	*Bien considerado*
Después de todo	*Considerándolo bien*
	Si se considera bien
	Pensándolo bien

The dividing line between these 'persuasive adjuncts' and other adjuncts like *de todos modos, de todas maneras*, etc. (= *in any case*, etc.) may often seem thin or non-existent. However, because the ones listed in this section may be used *independently* of any preceding sentences as well as *in contrast to* preceding sentences, they are grouped here, while the others are described in 3.33.1 as connecting adjuncts because they always relate the sentence in which they occur to a preceding one. Translation of the 'persuasive adjuncts' is, as mentioned before, by:

> *really, in fact, after all, all things considered, when you come to think of it*, etc.

> —Pero quien lo provocó, en realidad, fue doña Asunción.
> (ABV, 1963: 38)
> *But, in fact, the one who caused it was Doña Asunción.*

> —¿También a ella la quieren matar, como a ese hombre que, al fin y al cabo, y tú mismo lo decías, no era una mala persona?
> (ECC, 1967: 21)

149

—Supongan, pues, que publico esta historia por vanidad. Al fin de cuentas, estoy hecho de carne, hueso, pelo y uñas como cualquier otro hombre.   (ES, 1965: 10)

—No debes llamar extraños a los familiares y a los amigos de Carlos. Después de todo, va a ser nuestro yerno.   (CG, Mex., 28)

—Si tú me lo pides, me callaré. Después de todo, siempre hago lo que tú quieres.   (VRI, 1970: 59)

—Mirándolo bien, es horrible lo que nos ha ocurrido a nosotros, por una cosa o por otra.   (AS, 1967 b: 30)
When you come to think of it, all we've been through, for one reason or another, is dreadful.

—Razón te sobra en este caso, pero, bien considerado, esto no debe comentarse, la carta se rompe..., así...   (EB, 237)
You're absolutely right in this instance, but in fact no one must breathe a word about this and the letter must be torn up, like this.

NOTE

In the novels of F. Delibes, and presumably elswehere also, the clause *te pones a ver* (followed by *y*) has a similar function. In English: *When you come to think of it*:

—Te pones a ver, y esto no es vida.   (MD, 1967: 300)

3.18.2 Similar in function but usually weaker in persuasive intent and force are the postverbal adjuncts *que digamos* and *vamos*.

que digamos (or, in a past narrative, *que dijéramos*) is

normally restricted to use after the sequence

no (or other negative) + verb (usually *ser* or *estar*) + adjective

although it may also accompany the pattern *no es* + noun. English translation: *not really, not exactly*, etc.

—Conque ésta es la cama, ¿eh? No es muy blanda que digamos. Pero, en fin...   (Beinhauer, 71)
So this is the bed, is it? It isn't very soft, really, but still...

—Los caminos no estaban muy apetecibles que dijéramos.
(Spaulding, 78)
The roads weren't very tempting really.

—Y como tu padre no es que digamos ningún chavalillo...
(Beinhauer, 71)
And since your father is not exactly a young man any more...

vamos, however, in functions deriving from its independent use as an exclamation (see 1.22.3), may be used not only after the patterns just mentioned but more generally as

150

a)   an emphatic or persuasive adjunct;

b)   a deferential or 'downtoning' adjunct following an opinion of the speaker.

In the latter function *vamos* may be followed by *digo yo* (see also 4.25.2).

> —Una escena un poco tal, no muy recomendable, vamos.
> (JLMV, 1971: 155)
> *A slightly so-so situation, not very recommendable really.*

> —Todo el mundo se fija mucho en nuestra gordura, lo cual me parece una impertinencia. Si estamos gordos o no, es asunto nuestro, vamos.   (AL, 1966: 105)
> *... Whether we're fat or not is* **OUR** *business, surely.*

> —Ese hombre está loco, vamos, digo yo.
> *That man's crazy, if you ask me.* [= *Well, that's what I think, anyway.*]

> —¿Qué es esto?
> —Será el cuartel; vamos, digo yo.   (TS, 1962: 42)

NOTE

The variant *que se diga* is used in the following example from Central America:

> —Hizo su doctorado en forma no muy brillante, que se diga, pero se sabía de él en la Facultad que era un buen estudiante...
> (SA, 388)

FOCUSSING ADJUNCTS

3.19 Assertive and hesitant emphasis on *individual* components of the sentence may be expressed by means of the following sorts of colloquial adjuncts which focus attention on the component. The use of these adjuncts usually affects the structure of the sentence. For similar focussing effects which depend on word order rearrangements or dislocations, see 2.9.

3.19.1 A common focussing adjunct takes the form of an infinitive followed by a finite form of the same verb. In the most frequent cases, the use of the infinitive as an adjunct is in response to a sentence in which the same verb has already been used.

Both strong assertion and hesitant or weak emphasis may be conveyed by this adjunct. Where the latter is expressed, *como* may precede the infinitive, particularly when a negative is present or implied in the response. The effect of this weak assertion is often similar to English hesitant positive and negative responses like the following:

'Don't you like them?'
'Oh yes, I **LIKE** them' (but...).
Well, **NOTHING**, really.
Not really.

> —Sé que trabajáis mucho.
> —Sí, señor, eso sí, trabajar, trabajamos.   (JGH, 79)
> *Oh yes, sir, we* **WORK** *all right!*

> —Eso ya lo sabíamos cuando se hizo novio de nuestra hija. ¿O es que me lo vas a negar ahora?
> —Saberlo, lo sabíamos, claro que sí.   (AML, 1965: 348)
> *Oh, we* **KNEW** *it, all right/of course!*

> —¿No le gustan?
> —Gustarme sí me gustan.   (JG, 1962: 27)

> —Yo no tengo familia.
> —¡Pobrecita! ¿Es posible?
> —Bueno, tenerla, sí la tengo. Pero es lo mismo que si no la tuviese.   (MM, 1967: 303)
> *Well, I've* **GOT** *one all right, but...*

> —¿Qué harías tú en mi lugar?
> —Hacer, lo que se dice hacer, no haría nada.   (JG, 1961: 125)
> *Well, I wouldn't really* **DO ANY***thing.*

> —Y ustedes —les pregunté— ¿qué hacen?
> —Como hacer, nada, mi jefe.   (MLG, 178)
> *Well,* **NOTHING***, really, boss.*

> —... ¿y qué hace tu novio?
> —Pues, mujer, como hacer, lo que se dice hacer, no hace nada.
>   (CJC, 1963: 239)
> *Well, as for a* **JOB***, what you might call a* **REAL** *job, he hasn't really* **GOT** *one.*

> —¿No te extrañó eso?
> —Como extrañarme, no. Me ha pasado muchas veces.
>   (JLMV, 1975: 51)

Less frequently, the infinitive introduces a *new* topic and carries strong emphasis, Here, the translation may often be
as for + *-ing*
or, following a negative infinitive, *(not) at all, (not) actually...*

> —Porque nuestra sociedad cree más en los memoriones que en los imaginativos. Aquí nos aprendemos las cosas de memoria. Inventar, que inventen ellos.   (FU, 1975: 157)
> *... As for inventing, let others* [= foreigners] *do it.*

> —Porque jugar, no juegan casi.   (AG, 1973: 45)
> *Because they don't really* **PLAY** *at all.*

«En cuanto a la esposa del Caudillo, le ha gustado siempre el campo, y estar cerca de su marido; pero cazar no ha cazado nunca,
que yo sepa.   (*ABC semanal*, 6-11-75)
... *but she has never actually* **HUNTED**, *as far as I am aware.*

NOTE

See also 2.11.4.

3.19.2 Similar patterns are observable for expressing emphasis or
hesitation in connection with an adjective.

a) An initial adjective, repeated. This pattern, which is used as
a hesitant answer to a question, may be preceded by another
adjunct of hesitation (e. g. *pues*, etc.: 3.12).

—Pero ¿es ya fijo que vas a hacer esa película y que te podremos
llamar artista?
—Hombre, fijo, fijo, no hay nunca nada, pero la cosa parece que va
por buen camino.   (CJC, 1971: 732)

b) An adjective (usually preceded by *como*) followed by *ser* and
a repetition of the adjective (most often *guapo*).
This is used for spontaneous emphasis to the adjective.

—Como guapa, es guapa.   (Beinhauer, 354)
She is **REALLY** *pretty!*

—Y como pesado, ¡vaya si era pesado!   (Ramsey, 355)

—¡Dios mío, Dios mío, y qué le habrá pasao [= *pasado*]! —exclamó la hija—. Porque decente es muy decente.   (FGP, 1969: 22)

3.19.3 A more general focussing adjunct is formed by adding *lo que es*
to a pronoun, noun phrase, an adverbial phrase or an infinitive. This
sort of focussing usually occurs at the beginning of a sentence or
clause to focus attention on a reference point felt as relevant or
important by the speaker. Most often the reference is to his or her
own opinion (e. g. *lo que es yo, lo que es a mí, lo que es para mí*).
English equivalents are:

as for...; as far as ... is concerned.

—Pues lo que es yo, chiquillo, me acuesto.
Well, as for me, I'm off to bed.

—¡Qué primor de rebaños! ¡Lo que es a mí me chalan las ove-
jitas!   (FGL, 1962: 57)
Look at those lovely flocks of sheep! I just adore little lambs!

—Tú nueva droga, en América, puede que tenga éxito... Pero lo que
es en Europa...   (MM, 1964: 31)

The following colloquial adjuncts may be used for a similar purpose:
lo que yo te/le digo
yo lo que te digo   [see also 2.9.3]

—Pero lo que yo le digo a usted..., es que con don Pablo bien le iba.
—No tanto. Es un tío muy exigente.   (CJC, 1963: 32)

ADJUNCTS OF BELIEF, EMOTION AND JUDGEMENT

3.20 A number of semantically subjective adjuncts may be seen as equivalents or replacements of 'subjective introductory verbs', that is introductory verbs and verbal expressions of personal belief, conjecture, thought, attitude and judgement. They are dealt with as follows:

— adjuncts expressing belief (strong and weak) 3.21
— adjuncts expressing other subjective reactions and
    judgements 3.22

See also 4.14-4.19 and 4.25-4.28.

3.21 The largest group of subjective adjuncts refer to belief, conjecture and opinion. They may be grouped together in rough semantic classes ranging from the more doubtful to the more certain.

3.21.1   [= *Es posible que*]

As well as the standard *quizá, quizás, tal vez* and *acaso*, the following forms are found in colloquial Spanish:

a lo mejor
igual [especially used with *poder*] ⎫ *maybe; perhaps*
lo mismo   ⎭

(Note that, unlike the standard forms, these three are **ONLY** accompanied by an indicative verb. Also, *a lo mejor* may be used as a ritual response, whereas *igual* and *lo mismo* are not.)

Translation of sentences containing *igual* and *lo mismo* in this function will normally include one of the forms *may, might* or *perhaps*.

—A lo mejor iré mañana.

—A lo mejor no lo saben todavía.

—¿Volverán pronto?
—A lo mejor.

—Igual se va mañana.   (J. Polo, 1969: 58)
He may go tomorrow. / Maybe he'll go (away) tomorrow.

—Luego éste igual no la sabe apreciar.   (RSF, 1965: 102)
And then he may not be able to appreciate it.

—La verdad es que si te viera todos los días..., no sé, igual acabaría
despreciándote.   (JAZ, 1973: 40)
... I might end up despising you.

—Lo mismo no te contesta.   (overheard in Madrid)
He may not answer you.

—¿Va a votar el día quince?
—Mire, si no está malo el tiempo, lo mismo me llego a Refico con
Manolo.   (MD, 1978: 143-144)

Las nubes, unas nubes cárdenas de ribetes blancos, cubrían ente-
ramente el cielo. El señor Cayo las observó un momento:
—Lo mismo se pone a tronar ahora —dijo.   (MD, 1978: 116)

Particularly when accompanying *poder*, *igual* and *lo mismo* may
refer to a possibility additional to other considerations. Here English
translation may often need *too* or *also*:

—Igual pude proyectar un rascacielos y no lo hice.
(*Informaciones*, Alicante, 28-3-73)
I could also have planned a skyscraper, but I didn't.

—Pero igual podría ser un canalla.   (ABV, 1966: 109)
But he could be a swine too.

NOTES

1. The above uses are related to the use of *igual... que* and *lo mismo...
que* as colloquial variants for the standard coordinating construction
tanto... como... (... as well as...).

—La verdad es que lo mismo encuentra tiempo para chismorrear
que para ponerse en ridículo con Pedrito Atienza, quince años
más joven que ella y treinta y cinco que su marido.
(JCS, 1962: 18)
—¿Qué años tiene?
—Lo mismo puede tener cincuenta que ochenta; es indescifrable
su edad.   (JAZ, 1973: 492)

155

2. *todavía* at the end of a response (usually following a *si*-clause or a noun phrase may also imply *maybe* or *OK*, indicating a limit which the speaker considers reasonable:

> —¿Le tratarás bien?
> —¿Cómo puedo hacerlo? Si fuera uno de nosotros, todavía...

3.21.2

$$[= Parece\ que]$$
$$[= Creo\ que]$$

por lo visto *a lo que se ve* *a lo que parece*	*apparently, obviously* [as a deduction], *presumably*
que yo sepa *que sepamos*	*to the best of my/our knowledge;* *as far as I/we know; as far as I/we* *am/are aware*
que se sepa	*as far as is known*
que yo recuerde	*as far as I recall/remember*
para mí	*I think/reckon (that)*
para mí, que	*if you ask me*

—Por lo visto, para ti la vida no es más que esto.   (JAZ, 1972: 1083)

—La muchacha, por lo visto, solía ir a salones de pintura.
(ES, 1965 a: 14)

—A lo que se ve, su novia no ha podido salir.

—Que yo sepa, no han recibido ninguna contestación.

—Pues no, nuevos no hay, al menos que se sepa.   (JFS, 1971: 16)

—Que yo recuerde, nadie lo ha pedido.

—Y para mí, que fue Elvirita quien se lo pidió a su padre.
(ABV, 1963: 38)

NOTE

The following example, from a Mexican author, uses *acordarse* in a similar way:

> —Que yo me acuerde, nunca nunca había sucedido esto. Castigo de Dios.   (AY, 172)

3.21.3   [= *Está claro que*]
                          [= *Es seguro que*]

claro   *of course*

seguro   ⎱
seguramente   ⎰   *I bet; I'm sure*

—Lo hizo él, seguro.

—No te entendió nada, claro, porque no escuchaba.

3.22 The remaining subjective adjuncts are equivalent to relief, rejoicing, thanksgiving or lament.

[= *Es (des)afortunado que*]

afortunadamente	*fortunately*	*desafortunadamente*	⎱ *unfor-*
por suerte	*thank goodness.*	*desgraciàdamente*	⎰ *tunately*
		por desgracia	

—Afortunadamente, los vecinos los ayudaron.

—Por suerte, todo va muy bien en el mejor de los mundos posibles.   (JC, 1970: 200)

DIALOGUE STIMULANTS

3.23 Three other types of colloquial adjuncts are used specifically to lead the listener to respond or react in a particular way to the sentence in which they occur. If used rhetorically, their presence assumes such a response. The three types of adjuncts may be identified as producing

a) questions seeking (or assuming) positive agreement
      (with both positive and negative questions) 3.24;

b) emotional questions seeking a specific contradictory
      answer 3.25;

c) inferences seeking some sort of response ... ...   3.26.

3.24

¿No es verdad?	*¿Eh?*
¿Verdad?	*¿No es así?*
¿Verdad que?	*¿No es eso?*
¿Verdad que sí?	*¿A que sí?*
¿No?	

157

These adjuncts make the same sort of direct appeal for the listener's attention as the English

> *didn't he?, won't they?, isn't she?, can't they?,* etc.

and *right?, eh?,* and so on. The shorter forms occur more frequently than the longer ones.

> —Vendrás pronto, ¿no?

> —Te gustan, ¿verdad?

> —No está mal la comida, ¿eh?
> —Bah.   (JAP, 17)
> *'The food isn't bad, is it?'*
> *'Huh!'*

> —¿Qué te parece si me escapara de esta casa? ¿Verdad que tú lo harías, Andrea? ¿Verdad que tú no te dejarías pegar?   (CL, 133)

> —Crees que a la larga todo esto se arreglará, ¿no es así?
> (JMG, 1966: 66)

> —Las estrellas están en el aire, ¿no es eso?   (MD, 1966: 66)
> —Papá es muy bueno, ¿a que sí?   (LO, 1958: 64)

NOTES

1. For *¿a que sí?* as a response, see 4.18.

2. In popular or rustic speech, the pronouns *usted* and *tú* may follow *¿verdad?*:

> —Esto es duro, ¿verdad, usted?

3.25   *¿Es que?*
                              ¿Acaso? [*esp. Am. Sp.*]
                              ¿Siquiera?

¿Es que? is not merely the interrogative form of *Es que*, nor is it as generally used as the French *Est-ce que?* Its usual function is as an adjunct in emotional questions where the speaker hopes for a specific contradictory answer, even though he suspects, or knows, that this will not be forthcoming. The emotions most usually involved in the use of *¿Es que?* are indignation, impatience, annoyance, fear and sorrow, although sarcasm may also be expressed by means of this adjunct. In English, the following types of equivalents are worth noting:

> voice stress; ..., *then?; surely ... not...;*
> *you're not ..., are you?; don't you...?;*
> *do you think...?*

—En esta casa hace falta dinero. Hay niños. ¿Es que no comprendes? (LO, 1968: 88)

—Ya sabe usted que el señor nunca se queja de nada. ¿Es que hay que esperar a que se queje para hacer las cosas?
(JLR, 1969 *b*: 88)

—¿Es que no conoce usted el reglamento? (RM, 1971 *b*: 181)
Don't you know the rules, then?

—¿Pero es que usted cree que se dan cuenta de nuestra horrorosa vida? (JAZ, 1973: 470)

The form *¿acaso?* (primary meaning: *perhaps*), although found with roughly the same functions in Castilian Spanish, seems to be much more frequent in contemporary American Spanish. As a dialogue stimulant, its meanings in English are the same as for *¿Es que?* above.

—... ¿qué es lo que llevas ahí?
—¿Sé yo acaso lo que puede haber adentro? (JB, 1954: 9)
Do you think I know what may be inside?

—¿Acaso no os dice nada el hecho consumado de que el delegado de cuarto [*año*] haya sido detenido esta mañana? (ABE, 16)

—¿Acaso no cumplimos nuestro deber? (RM, 1971 *b*: 146)

—Es bastante para vivir. No necesitamos más. ¿Me quejo acaso? ¿Te he dicho que me falte algo? (RU, 1964: 6)

—¡Varias veces! Acaso se puede querer de veras muchas veces en la vida? (EB, 207)

—¿Qué llevas en ese paquete?
—Son mis patines.
—¿Tus patines? ¿Acaso vas a patinar? (CG, Mex., 14)

NOTE

In Mexican Spanish, the adjunct *¿a poco ... (no)?* has a similar function and is also sometimes equivalent to a sarcastic interrogative English sentence beginning with *Perhaps ...* or to a sentence containing *I suppose ... then*.

—¿No has visto a todos esos niños bien con coche...? ¿A poco tú y yo les vamos a hacer competencia? (CF, 1958: 334)
Haven't you seen all those rich playboys with their cars? Do you think we can compete with them? / I suppose you think... / Perhaps you think...

—¿A poco usted no lee? (CF, 1958: 77)

3.26

Así que	*Entonces*
Como que	*O sea (que)*
Conque	*... ¿pues?* [*esp. Am. Sp.*]
De manera que	*Total, que*
De modo que	

Although a major function of these adjuncts is as an explicit link between coordinate clauses or sentences to show a cause-result relationship between them (as described in 5.26.1), they are also very frequently used as dialogue stimulants in colloquial Spanish (with or without reference to a preceding sentence) to initiate or prolong a conversation or to elicit information or a reaction by putting forward an inference. (In English: *So...?; ..., then?; ..., isn't it?*, etc.). In the sence that sentences containing these adjuncts require an answer —which may not necessarily be given— they may be taken as constituting a special sort of question, whether or not this is reflected, in written representation, in the punctuation.

—Conque todo era una comedia.
—Sí, papá.   (VRI, 1970: 52)

—Hola, abuelo, buenos días.
—Muy buenas.
—Conque trabajando al aire libre, ¿eh?   (JCE, 121)

—¿De manera que usted es intelectual? —dijo, sin más preámbulos, Federico Robles.   (CF, 1958: 265)

—De modo que tu hermano Anselmo no sabrá que ha muerto el comandante.
—Eso creo yo.   (EB, 363)

—Monsieur Rodolos la llevará al cuarto de los perros.
—¿Así que tienen un cuarto los perros?
—Claro que tienen su cuarto.   (JC, 1968 *b*: 179)

—Como que usted se cree que íbamos a aguantar nosotras eso.
—¡Ay, no! ¡Qué disparate! Vosotras, no.   (AG, 1970: 176)
'*So you think we would put up with that?*'
'*Oh no! How ridiculous! Not you!*'

—Vi el paquete que trajiste la otra noche..., el uniforme, el sombrero tejano.
—¡Entonces me espías!
—Sí..., pero no quiero que te engañes más.   (RU, 1965: 43)

—... Es la triste realidad...
—O sea, que ha venido a amenazarme...
—Nada de eso, al contrario.   (MVL, 1973: 136-137)

—¿Dónde queda por aquí la casa de Lorenzo Barquero?
—¿No lo sabe, pues?   (RG, 55)

—Total, señor catedrático, que según usted, lo que permite que la vida de todos y cada uno siga, es el olvido.
—Por supuesto...   (FGP, 1973: 150)

NOTES

1. The idiomatic sequence *¡Conque ésas tenemos!*, which also presents an inference, is equivalent to English *So that's it!, So that's his/your game!*, etc.

2. For another use of *Total*, see 3.13.1 Note 1.

3. Following a question, the stereotyped clause *si se puede saber/si puede saberse* has a similar function in English: *May I ask...? / ..., then?*

   —¿Y de qué doy yo la impresión, si se puede saber?   (JMB, 377)

DIRECTIONS TO THE LISTENER

3.27 There are three sets of colloquial adjuncts which are used to indicate to the listener certain dialogue initiatives or attitudes taken by the speaker.

With the first set (3.28), the speaker signals a thought that has just occurred to him as relevant, necessary or of interest, but which, for the listener, constitutes a largely or totally unexpected digression or development.

With the second set (3.29), the speaker expresses a truculent or dogmatic attitude that he is not willing to argue about what he is saying, or that a suggested action or list of actions would be simple to carry out.

With the third set of adjuncts (3.30), the speaker dismisses the need for further discussion or consideration of a topic (which is quite often a suggestion for action seen as necessary by him).

As can be seen, the second and third sets of 'directions' add a brusque note to the sentence.

3.28

A propósito }	*By the way...*
Por cierto (que) }	*Speaking of...*
A todo esto	*By the way...*
	[primary meaning: *Meanwhile*]

Llamó al mozo [*waiter*], mientras decía:
—A propósito, me preguntaste muchas veces por Bruno. Ahora te lo presentaré.   (ES, 1965 b: 139)

—Me alegro. ¿Qué tal tu fin de semana? Por cierto, ¿te encuentras ya bien?   (JGH, 120)

—¡Ah, por cierto!... Con las prisas, he salido de casa sin un céntimo y pensaba comprar unas cosas. ¿Podrías dejarme algún dinero?   (JCS, 1962: 17)

—Si todos tomáramos el mundo como César, como debe tomarse, a broma.
—A todo esto, ¿ha habido alguna novedad? ¿Llegó el heredero?
(JB, 995)

El guardia, a todo esto, no hacía más que asentir con la cabeza.
(MBU, 142)
Meanwhile, the policeman just kept nodding his head.

NOTES

1. Sentences introduced by *Te advierto que* and *(Y) Conste que,* as well as indicating warnings, may have a similar directing function: *By the way; Incidentally:*

—Pero es que no se puede faltar un solo día.
—Calla, que te conozco. Explica inmediatamente lo que has hecho desde ayer. Te advierto que Dora está que trina contigo.
(JGH, 137)
... By the way, Dora's furious with you.

—Escúchame: y conste que eres la primera persona a quien voy a confiar este secreto.   (CG, Mex., 15)
Listen - and by the way you are the first person I'm going to tell this secret.

—Porque al fin la veo sonreír una vez. Y conste que lo hace maravillosamente bien.   (ACS, 49)

—Y conste que no me gusta hacer juicios temerarios, de sobra lo sabes.   (MD, 1967: 43)

2. The parenthetical expression *dicho sea de paso* is also found with a somewhat similar function in standard Spanish and is equivalent to *by the way, and I might add,* or *and, what is more.*

3. When added as an afterthought or as a parenthesis to a clause or sentence, *por cierto* may mean *as a matter of fact* or *come to think of it.* Sometimes, when in initial position, *por cierto (que)* may need to be translated as *of course.*

—Martínez sabe perfectamente que la única forma de defenderse de Suárez, es desacreditarlo totalmente. Por cierto que para eso no tiene que exprimir demasiado su imaginación, ya que Suárez es... una calamidad.　(MB, 1974 *a*: 56)

4. *a lo que iba/íbamos* is a resumptive adjunct meanin *as I was saying/as we were saying:*

—Bueno, pues nos bañamos, pero, a lo que iba, la invité a cenar.
(JLMV, 1975: 32-33)
So we had a swim, but, as I was saying, I invited her out to dinner.

3.29

Para que lo sepa(s)	*¿Estamos?*
Para que te enteres	*¿Me oye(s)?*
Para que se entere	*¿Lo oye(s)?*
	¿Te enteras?
	¿Entiendes?

These adjuncts add a particularly subjective or emotional note to the sentence in which they occur. English equivalents are: *OK?; D'you hear me?; Get it?; Let me tell you; If you must know; I'll have you know;* etc.

—Y para que lo sepas de una vez, yo no cedo ni puedo ceder.
Let's get one thing straight: I'm not giving in. I can't.

—Y eso no se puede hacer, para que lo sepas.　(MD, 1967: 129)
That just can't be done, d'you hear me?

—El wáter lo atascó un colega suyo, para que se entere, poco después de la Liberación.　(Sara Suárez Solís, 140)

—Escucha, Mauro. Te voy a hacer una pregunta. Y esta vez no te toleraré que me mientas. ¿Estamos?　(ABV, 1967: 79)

—Está bien; te doy el pan, pero te vas de inmediato, por donde entraste, ¿entiendes?　(EW, 134)
All right, I'll give you the bread, but then you must leave immediately, the way you came in, OK?

—Pero resulta que no tenemos derecho, ¿te enteras?
—Ya, ya... Bien. ¿Y qué?　(JCS, 1962: 45)
'But it so happens that we have no right to do it, understand?'
'Yeah, yeah... OK. So what?'

3.30

Y ya está
Y se acabó
Y sanseacabó
Y ahí queda eso
Y para de contar
Y pare usted de contar
Y adivina quién te dio
Y tengamos la fiesta en paz
Y aquí no ha pasado nada

Y a otra cosa (mariposa)
Y en paz
Y aquí paz y después gloria
Y listos
Y santas pascuas
Y (todos) tan amigos

In English:

And that's that/And that was that
And that's all there is to (say about) it
And that's an end to it
And Bob's your uncle
And no messing about
Just like that
It's as easy as that

—Va a ser peor el remedio que la enfermedad.
—Pues así lo he dispuesto yo, y se acabó.   (SE, 60)
'The cure will be worse than the illness.'
'Well, that's what I've decided, and that's that!'

—Yo bien sé lo que me hago y tengamos la fiesta en paz.
(CJC, 1963: 196)

—Te advierto que las esperas no me van. Tú verás. Si prefieres pudrirte aquí, me lo dices y a otra cosa.   (LO, 1981: 191)

... iba con mujeres. Pero sólo lo necesario. Al grano, y... ya está. A otra cosa, mariposa. Con esa frase: «A otra cosa mariposa», *el Oriental* cerraba la mayoría de las conversaciones.   (IP, 20)

—Si hay un médico que dice que está chaveta o que es un retrasado, se le encierra y en paz.   (MD, 1969: 103)
If some doctor says he's nuts or mentally retarded, we just get him locked up and that's all there is to it.

—Si resulta que me equivoco, usted me lo advierte y listos.
(JCS, 1962: 73)
If it turns out I'm wrong, all you have to do is tell me.

—A usted le duele el estómago, yo le mando traer bicarbonato y todos tan amigos.   (Sara Suárez Solís, 131) [See also 4.37]
If you get stomach ache, I'll send for some bicarbonate and you'll be right in no time.

164

1. Two other colloquial idioms, although not usually used as adjuncts but as integral parts of a sentence, have somewhat similar meanings:

   a) *(y) si te he visto no me acuerdo; (y) si te vi no me acuerdo.*
   This idiom is commonly used to indicate an ungrateful attitude on the part of someone else or to indicate the speedy dismissal (in the past or the future) of an action. In English, any of the following translations may be needed:
   but you/he, etc., ignored me; you were ungrateful; you/they forgot all about it/me; and that is/was an end of it; I forgot all about it; let's forget all about it:

   > —Pues el pobre papá te sacó del apuro, pero una vez que pasó, si te he visto no me acuerdo, una cartita de cumplido y para de contar. (MD, 1967: 180)
   > *Poor Daddy helped you out of that mess but when the danger was over, you were less than grateful: a short thank-you note and that was that.*

   b) *cruz y raya* (accompanied by a gesture: the sign of the cross). This idiom means: *it's finished* or *that's an end to it*:

   > —Bueno, lo que te decía, que el asunto... lo que es por mí, cruz y raya —daba hachazos en el aire con la mano abierta—.
   > (JMCB, 224)

2. The exclamatory use of *¡y bueno!* (with or without a following clause) derives from the use of *bueno* as an adjunct of assertion but is to be translated as *and my goodness!* or a similar exclamation:

   > La empezó a ondular ¡y bueno! ¡qué cabeza la [*sic*] puso.
   > (Beinhauer, 348)

   > —Si yo tuviera un niño así, cogía un garrote, y bueno.
   > (Beinhauer, 434)

3. The formulaic rhyming sentence

   > *Y colorín colorado, este cuento se ha acabado*

   is used to signal the end of a children's story:

CONNECTING ADJUNCTS

3.31 Connecting adjuncts are words or phrases which are mainly used to indicate some kind of logical, emphatic or subjective link between the sentence, clause or component which they accompany and preceding sentences, clauses or components.

Although, like coordinating conjunctions (*y, o, pero*, etc.: see 5.26), connecting adjuncts indicate additional, alternative or contrastive information, they may —particularly in colloquial language— convey other dialogue information of a subjective nature. Another difference between connecting adjuncts and coordinating conjunctions and adjuncts is that either *y* or *pero* may usually precede connecting adjuncts and both *y* and *pero* may form *part* of some connecting adjuncts.

3.32 The following colloquial variants for the connecting adjunct *(y) además* frequently indicate an emotional bias on the part of the speaker towards the additional information that they accompany. The adjuncts may also indicate that the speaker expects the listener's sympathy or agreement.

Para remate	*Por si esto fuera poco*
Para postre	*Para acabar de arreglarlo*
Para colmo	*Para más/mayor inri* [see Note]

English equivalents:

(and) what is more; (and) to cap it all; (and) to put the (tin) lid on it; (and) as if that wasn't/weren't enough; (and) into the bargain; (and) to make matters worse.

—Oh, yo no puedo soportar más, Andrea. Papá no ha vuelto a escribirme, no sé nada de él y, por si fuera poco, hace meses que no nos ha enviado ningún giro.   (JM, 1970a: 150)
I can't stand it any longer, Andrea. Father hasn't written to me again, I don't know where he is, and, to cap it all, he hasn't sent us any money for months.

—Para postre, se nos apagó la luz.   (Moliner, II: 815)

—Y ahora, para colmo, se ha puesto enferma su mujer.
(Moliner, I: 671)

El último año de convivencia de los tres, porque soy hijo único para más *inri*, ya fue un desastre.   (JLMV, 1981: 12)

NOTE

The word *inri* is made up of the initials of the words of the Latin inscription on the Cross of Jesus: *Iesus Nazarenus Rex Iudorum.*

3.33 Another group of common connecting adjuncts suggest that the preceding information should be disregarded or that its importance or relevance is less than might be thought. Other information in the sentence containing the adjunct suggests why this modification should take place. (When the adjuncts are used alone in an apparently unfinished sentence, this information is, in fact, implied.) If these adjuncts are compared with those described in 3.18.1, it will be seen that, although both groups may be used to introduce contrastive information, only those listed in 3.18.1 may be used *independently* of other preceding sentences or information. Such adjuncts therefore do not always function as links; the following contrastive connecting adjuncts **DO**:

3.33.1

Ahora, que	
Así y todo	*All the same*
De cualquier forma	*Anyhow*
De cualquier manera	*Anyway*
De todas formas	*At any rate*
De todas maneras	*(But) Still*
De todos modos	*In any case*
En cualquier caso	*Just the same*
En todo caso	*At least*
(Pero,) En fin	

[see 3.13.1 Note]

—Te lo agradezco mucho.
—Eso no es nada. Aún quisiéramos hacer mucho más.
—Ya habéis hecho bastante. Gracias de todos modos.
(ABV, 1963: 52-53)

—¿A dónde va usted?
—Voy a ver cómo sigue mi hermano.
—Es mejor dejarle descansar.
—De todos modos, quiero entrar a verle.   (MM, 1967: 220)

—¿No hay nadie?
—Sí, pero están durmiendo la siesta. ¿Es urgente?
—No es urgente.
—De todas maneras, puede usted llamar. En la primera puerta, a mano izquierda.   (JGH, 266)

—Hijo mío, usted tiene de la Iglesia unas ideas... muy particulares.
—Son, en todo caso, las que ustedes me enseñaron.   (JLMD, 53)

—¡Qué alegría oírle! Pero, en fin, ha llegado el momento, creo yo, de que también nosotros hablemos claramente.   (JCS, 1962: 77)

—Claro que la infeliz tiene una idea muy modesta del ferrocarril. Pero, en fin...   (VRI, 1970: 7)
Of course, the poor girl has a very limited idea of what the railway is. But still... [it doesn't matter / what can we do about it?]

pero bueno (see 1.26) and *pero, vamos* (see 1.22.3) may be used at the end of a sentence to indicate implicit indignation, an objection or a contrast (like *pero, en fin,* in the last example above). The most usual translation will be *but still...*

> Le dije que no lo hiciera, pero bueno... [*¿qué importa? / ¿qué pue-do hacer?*]

> —Yo no estoy de acuerdo con ellos, pero bueno.
> > (M. Esgueva and M. Cantarero, 327)

> —... yo no sé, en fin, no entiendo mucho de política ni de econo-mía, pero, vamos...   (M. Esgueva and M. Cantarero, 381)

3.33.2   *Eso sí*
                               eso sí
                               sí

Sí and *Eso sí* as affirmative responses are listed in sections 1.9 and 1.10. They can also be used as connecting adjuncts to highlight a contrast in the second of two consecutive sentences or clauses. English translation is usually by one of the following, and occasionally by voice stress:

> *But of course; However; I admit; Mind you; Granted; Oh, yes.*

> —No vengo a hacerles ningún mal. Eso sí, tengo que organizar mi gente y necesito que me ayuden.   (AUP, 67)

> —Porque tú ni de novio fuiste hablador. Me mirabas mucho, eso sí.   (AG, 1964: 56)

> —¿También era usted el ladrón de niños?
> —Naturalmente. Eso sí, nunca estuvieron mejor atendidos que en esta casa.   (ACS, 48)

NOTE

See also 3.7.1 and 3.7.2.

ADJUNCTS OF EXPANSION AND EXPLANATION

3.34 A few colloquial adjuncts introduce or accompany a number of expansions or explanations of the information just given. Very often, a form of the verb *decir* occurs as part of the adjunct. These adjuncts are used in the following contexts:

— with explanations and clarifications:

es decir	
o sea (que)	*that is (to say)*
o digamos	*in other words*
dicho de otra manera	

—Quería hablarnos de nuestra situación económica, o sea de las deudas que tenemos.

—Yo, la verdad es que en París he estado una vez..., o sea que tampoco lo conozco muy profundamente...
(M. Esgueva and M. Cantarero, 376)

—... hay una serie de... individuos que no cumplen ciertas normas de seguridad, que no cumplen los re... los... digamos, los requisitos mínimos...   (A. Rosenblat, 247)

— with more correct or more concise information:

mejor dicho	*rather*
... que diga	
en una palabra	*in a word*
por no decir	*not to say; and ... at that*

Lo demás no existía. O mejor dicho: existía para los otros, los que no eran como ellos.   (MS, 1975: 46)

Dos mil pesetas, tres mil, que diga.

Estos vascos son así..., según dicen. Porque yo, la verdad, he tratado pocos, por no decir ninguno.   (FGP, 1969: 72)

— with explanatory emphasis:

por más señas	*to be exact,*
para más señas [less frequent]	*in fact,*
	specifically

—Pues claro que vino, y estuvo con ella. El primer domingo de marzo, por más señas.   (JFS, 1967: 49)

Lo recuerdo muy bien, dijo la palabra «negocio», negocio urgente para más señas.   (FGP, 1971 *a*: 177)

— with examples (equivalent to standard *por ejemplo*):

pongamos por caso	*for example,*
sin ir más lejos	*... say ...*

Si cuesta... pongamos dos mil pesetas...   (Moliner, II: 801)

Ayer mismo, sin ir más lejos, me siguió un hombre por la calle.
(AL, 1961: 231)

— to accompany a statement or description felt to be unusual or daring:

$$
\left.
\begin{array}{l}
que \\
como
\end{array}
\right\}
\left.
\begin{array}{l}
dice \\
decía \\
dijo
\end{array}
\right\}
\left.
\begin{array}{l}
el\ otro \\
\\
\\
como\ aquel\ [dicho]\ que\ dice
\end{array}
\right\}
\quad as\ they\ say
$$

$$
\left.
\begin{array}{l}
por\ decirlo\ así \\
por\ así\ decirlo
\end{array}
\right\}
\quad so\ to\ speak
$$

—Haz bien y no mires a quién, que decía el otro.

—Mira, tú llevas pocos años [*casado*] todavía, sois un par de gua-
yabos, como el otro que dice...   (RSF, 1965: 297)
*Look, you haven't been married very long. You're still a couple of
spring chickens, so to speak.*

NOTES

1. In Spain, *o sea* may be used as a 'filler', a dialogue stimulant (3.26)
    or a coordinating adjunct (5.26). Also in Spain, the variant *o séase*
    may sometimes be heard, usually in ponderous style or in jocular
    imitation of it:

    —Veamos si se han producido lesiones y con qué clase de armas,
    o séase el cuerpo del delito.   (RC, 1979: 7)
    ... in other words, the corpus delicti.

    —..., la edaz pa [= *edad para*] ser gustoso de las señoras es la que
    yo tengo, o séase entre los treinta y cinco y los cuarenta y cinco...
    (JAZ, 1972: 675)

2. To accompany an imprecise term, *(o) como se llame (= or whatever)*
    is used:

    —¿Quién lo dijo?
    —Su marido, Carlos, Alfredo, (o) como se llame.

3. Other similar sentence additions involving forms of *decir* are:
    digo (as I was saying; I mean) and *qué digo* plus a repetition
    preceding a correction *(= I mean)*:

    —El te ha amado siempre. Y comprenderá —¡qué digo!—, él ya ha
    comprendido tus motivos y no tiene nada que reprocharte.
    (FSI, 29)

[For *y no digamos (not to mention...)* and its American Spanish
variants *(ya no digamos, y/ya no se diga and ni se digà)*, see 5.26.2.]

SUPPLEMENTARY EXAMPLES FOR STUDY AND TRANSLATION

Exercise 1. Sections 3.0 - 3.10

1. —Primero haré periodismo.
   —¡Pero si tú nunca has escrito una línea!
   —¿Y eso qué te importa, pelmazo?   (SSB, 243)

2. —Yo creo que va a haber tormenta.
   —¡Cómo que va a haber! Si la tenemos encima para reventar de un momento a otro.   (AML, 1965: 948)

3. —Es roñoso este Ñato, ¿eh?
   —Ahora que no está no habléis mal de él, che.
   —Y bueno... ¿No es un roñoso, acaso?   (CG, Arg., 1971: 72)

4. —Dicen que un médico dijo que era una gripe. Pero algo tienen que decir.
   —Y, claro, es su oficio.   (CG, Arg., 1971: 163)

5. —... si no te decía que vinieras [*a casa*].
   —¿Y un ratio ahora? ¿A qué hora viene él?
   —Y no, Raba, porque si después te ve acá... no va a querer salir [*al cine*].   (MP, 149)

6. —¿Y qué más decía de mí?
   —Y, eso, que usted era una buena chica...
   —¿Y no sabe si tenía ganas de verme...?
   —Y mire... la verdad es que yo me enojaba cuando hablaba de chicas...   (MP, 229)

7. —Oye, ¿cómo se llama esa chica?
   —¿Qué? ¿Que no sabes cómo se llama?   (JAP, 91)

8. —Déjala, que la vas a ahogar.   (JAZ, 1973: 408)

9. —¿Llueve?
   —¿Cómo? ¿Qué dices?
   —Que si llueve.   (JM, 1970 *a*: 71)

10. —Con cinco millones se podían hacer cosas... [= *podrían*].
    —¡Que si se podían hacer cosas! ¡Con cinco millones se hacían hasta hospitales!   (JLCP, 104) [= *se podrían hacer*].

11. —No puede entrar.
    —¿Cómo que no puedo entrar? Yo puedo entrar donde se me antoje en esta casa.   (JDO, 481)

12. —Usted no puede hacer eso, patrón.
    —¡Cómo que no puedo!   (CG, Arg., 1971: 201)

13. —¿Otro reproche?
    —¡No! Ya sabes que yo no tomo en serio esas cosas que tanto atormentan a Julia y a ti.   (RU, 1965: 20)

14. —Primero, iré a arreglar unas cosas en mi pensión.
    —Ya lo harás luego. No hay prisas.   (AS, 1967 *a*: 988-989)

15. —No te preocupes. Ya saldremos adelante.   (JCC, 1954: 50)

16. —Ya me parecía que no te sentías bien.   (JC, 1968 *a*: 200)

17. A la derecha se sentó un cuerpo voluminoso que olía a *Cuero de Rusia* de Atkinson, lo que ya es oler.   (JC, 1968 *b*: 85)

18. —Todo lo malo va a parar al hígado. Tú, por lo visto, no tienes hígado.
    —Sí que lo tengo. A veces me duele.   (CM, 213)

19. —Pero si no lo conozco.
    —Sí que lo conoces.   (SE, 26)

20. Un tonto está sentado al sol, hartándose de albaricoques.
    —Mire usted ése; ése sí que entiende la vida.   (CJC, 1961: 178)

21. —No sé qué me pasa.
    —Yo sí sé.   (SE, 49)

22. —Sí, sí, le quiero como a un hijo... En eso sí que acierta usted.   (JCS, 1962: 67)

23. [*Antes*] Uno no iba al *strip-tease* por ver a la señorita quitarse el corpiño, sino por verla quitarse el guante, los guantes, que eso sí que tenía *sexy*, refinamiento y locura.   (FU, 1974: 45)

24. —Entonces ¿por qué quieres casarte conmigo?
    —No lo sé. El día que te propuse matrimonio sí lo sabía, pero ya se me olvidó.   (JI, 426)

25. —¿Por qué no te callas de una vez?
    —¿Es que he dicho algo malo?   (JBE, 80)

26. El otro me acerca algo a los labios, lo mete entre ellos. Le escucho:
    —Fuma siquiera.   (LS, 1973: 38)

27. —Usted nomás léame en voz alta el periódico, amigo Cienfuegos, y no se preocupe por nada.   (CF, 1958: 260)

28. —¿Qué, cómo está el hombre?
    —No le baja la fiebre ni a la de tres.   (IA, 230)

29. —Yo sólo sé que en esta casa hay alojados ocho o nueve señoritas rubias que no tienen aspecto de peregrinas ¡ni por el forro! (JMB, 384)

30. —Oye, tengo un trabajo para ti —titubeó un instante—. Si es que quieres acompañarme, claro. (JFS, 1982: 41)

31. —Por qué no va a buscar a María, si es que no vive muy lejos. —Vive aquí, en el caserón. (MBU, 394)

32. —¡Vamos, contesta! —¿Quieres de verdad que te conteste? —Sí, claro. (MM, 1964: 11)

33. Y comencé a darle [al volante]. Y el ascensor, claro, a descender suave, suave... Me miraba fija, fija. (FGP, 1968 b: 42)

34. —... ya tengo un dolor de cabeza que se me parte como todos los días y cuando viene mi esposo peor que peor, quiere la cena en seguida. (MP, 28)

35. La Rocío tenía aquel viejo huerto de su padre como consuelo total de su soltería. Ahorrando, ahorrando, le puso cerca, mejoró la tierra y amplió la casa. (FGP, 1969: 53)

36. —Según esto, ¿qué cantidad de tiempo libre disfruta usted al año? —Pues libre..., libre..., las vacaciones normales y luego los domingos y sábados por la tarde. (M. Gorosch, 1973: 21)

37. —No me acuerdo de nada. Pero que de nada. Si es que no sé nada. (JMRM, 135)

38. —Tiene usted razón, pero que mucha razón. (CJC, 1971: 331)

39. —Nos haremos ricos, don Cristóbal, pero que muy ricos. (MBU, 150)

40. —... Paco, como hombre, estaba pero que muy bien. (MD, 1967: 151)

41. Él es que no sabía hacer nada, lo que se dice nada. (LMS, 33)

42. Cuando Gracia... se dejó caer en el sillón, murmuró, suspirando: —Estoy molida, lo que se dice molida. (AML, 1965: 1018)

43. —Sí, soy yo. No me esperabas, ¿eh? —Ahora mismo, pero lo que se dice ahora mismo, estábamos hablando de ti, Santana. (JMRM, 143)

44. —Un auténtico jefe, lo que se dice un guerrillero de veras, lo sacrifica todo por la revolución, aun a sus mejores amigos.
(ECC, 1969: 187)

45. Algunas me concedieron amables entrevistas matinales o a la hora de la siesta, momentos propicios si los hay, porque generalmente los maridos sólo temen la infidelidad nocturna.   (RJP, 85)

46. —¿A qué viene ése?
—Dice que a ver a Juana.
—El muy sinvergüenza.   (AS, 1967 a: 552)

47. Tanto ahínco ponía aquella mujer en defender el talento de su hijo, que el muy imbécil acabó por creer que su madre tenía razón.   (MS, 1975: 57)

48. —¡Ignorantes, más que ignorantes! ¡Eso es lo que sois vosotros, unos ignorantes!   (CJC, 1971: 340)

49. La muchacha se enfadó con él.
—¡Burro, más que burro! No digas esas cosas, se me pone la carne de gallina.   (ALS, 147)

50. —Ya sé que al fin y al cabo usted no tiene arte ni parte en ese maldito asunto. La culpa la ha tenido ese Nando del demonio.
(MS, 1968: 57)

51. Una mosca está sobre la cuchara.
—Condenada mosca —agita la cuchara en el aire como lanzando la mosca contra la pared.   (JLP, 13)

52. —Cuando se recoja la [*cosecha de la*] aceituna y tengamos dinero para el viaje, habrá que irse.
—Dinero, cochino dinero. Los hombres deben tener trabajo para comer.   (ALS, 19)

53. —Estoy enamoradísimo de Paquita y ella no me hace ni puñetero caso.   (MF, 31)

54. —Me hubiera gustado darle un poco de coñac, pero no sé dónde diablos lo he metido.   (JG, 1964: 83)

55. —No sé qué cuernos me voy a hacer con ese sujeto aquí.
(MVL, 1977: 89)

56. —Es una cuestión de estética.
—¿Estética? ¿Qué carajo tiene que ver la estética con eso?
(JG, 1962: 191)

57. Abrió mis alacenas y exploró sus interiores...
—¿Dónde carajos guardará esta gente su café?   (LS, 1977: 39)

58. —¿Quieres explicarme, entonces, qué carajo te hacía suponer que habíamos mudado de planes?   (JG, 1964: 65)

59. —Je, je, tiene gracia —dijo Julián Cobeña.
—¿Y usted de qué coño se ríe? ¿preguntó Miguel.   (JMCB, 61)

60. —No hay ratas, la cosecha se pierde, ¿puede saberse qué coños nos ata a este maldito pueblo?   (MD, 1969: 114)

61. —Pues no sé para qué leches quiere la gente gobernar, si luego no tiene tiempo ni libertad para charlar un rato con los amigos.   (JT, 1976: 134)

62. —Que si no llaman a un médico, como sería lo natural, es porque la madre no está mala, sino que lo finge.
—¿A santo de qué?
—Para retrasar la boda.   (MM, 1967: 343)

Exercise 2.   Sections 3.11 - 3.19

1. —¿No es lo que querías? Pues ya lo has conseguido.
                                                                    (AS, 1967 a: 273)

2. —Pero si lo sabe todo el mundo. Vino hasta en los periódicos.
—Pues yo no lo sabía.   (MBU, 67)

3. —... Y nos paramos en la plaza, como hacemos siempre... Bueno, digo en la plaza, en lo que nos pareció que era la plaza, porque aquello ni parece pueblo ni nada.   (JLP, 39)

4. —¿Quién no tiene secretos? Bueno, yo no los tengo, porque no les doy tiempo a que se hagan secretos.   (SE, 63)

5. La tentación es grande. Bueno, era grande. Ya caí.
                                                                    (MB, 1974 a: 82)

6. La mujer del tendero salió del rellano.
—Bueno, ¿qué ocurre?   (MBU, 489)

7. Había estado escribiendo a máquina, seguramente algún comentario sobre basquetbol. Al final del campeonato siempre se hace un balance de la temporada. No sé para qué. Total, siempre se opina lo mismo...   (MB, 1970 a: 234)

8. —Pero si llegara a dudar de los artículos de la fe, me parece tan difícil que volviera a creer en ellos de la noche a la mañana... ¡En fin! Estas cuestiones no son muy entretenidas que digamos. Dejémoslas.   (RJP, 157)

9. —¿Te has quedado mudo?
   —Es que... me ha pillado tan de sorpresa.   (JLCP, 220)

10. —Oye..., ¿dónde has ido con el papel?
    —Es que había cola, señorita.   (CJC, 1963: 66)

11. —Oye, rico: ¿es que yo no valgo nada?
    —¿Tú?... Claro que sí.
    —Entonces...
    —Es que no quieres comprenderme, nena.
    —Pero si te comprendo perfectamente.   (AML, 1965: 852)

12. —¿Vinieron muchos?
    —No, es que tienen miedo. Ellos dicen que es por el olor, pero
    lo que pasa es que tienen miedo.   (JFS, 1967: 29)

13. Lo que hay es que los alemanes... se fiaron demasiado de los ita-
    lianos.   (CJC, 1963: 67)

14. —Él pagará... Este americano es bueno, lo que pasa es que está
    un poco bebido...   (JLCP, 37)

15. —¿Dónde estuviste anoche?
    —¿Anoche? Pues, verás, fui al garaje, saqué el coche pequeño y
    estuve por ahí.   (VRI, 1970: 65)

16. —Si temieras, no lo harías.
    —Verás, mi hijo...
    Cuando mi padre emplea esa palabra, yo siempre digo «malo», y es
    que se va a poner trascendental y, por lo mismo, falso.
                                              (JLMV, 1981: 15)

17. —¡Hola! ¿Qué hay? ¿Cómo andas? —saludó el hijo.
    —Ya ves...   (JAZ, 1972: 1093)

18. —Óyeme, mira: fuimos a comer al... este... al Corregidor, ¿verdad?
    Allí en la plaza Real.   (J. M. Lope Blanch, 1971: 188)

19. —Hombre de Dios, yo creí que era alguna cantidad medio respe-
    table; ¿pero eso?... Nada, déjeme sus señas, y esta tarde tendré el
    gusto de enviárselas. [= las pesetas]   (Beinhauer, 119)

20. —¿Qué es eso de que la han robado? [= secuestrado].
    —Pues nada, que lleva dos días sin aparecer por su casa.
                                              (FGP, 1969: 22)

21. —Pues yo me alegro, la verdad. Se lo merecen.   (RRB, 53)

22. —No sé adónde iremos a parar si las cosas siguen así. La verdad,
    no lo sé.   (AML, 1965: 858)

23. —Estas mujeres están destrozando la vida de familia, Mario, así como suena... (MD, 1967: 42)

24. —¿Y qué quieres tú? ¿Que digan todo?...
    —Yo tenía un libro en que sí contaba todo, poco a poco, ¡palabra! (SG, 113)

25. —Un año me puso un pleito uno de gafas de allí... Pero se lo gané; y sin agarrarme a nadie, no crea. (RSF, 1969: 159)

26. —Tiene sus bemoles estar casada con un diplomático de carrera, no creas. (CF, 1958: 35)

27. Leía de corrido, escribía para entenderse y conocía y sabía aplicar las cuatro reglas. Bien mirado, pocas cosas más cabían en un cerebro normalmente desarrollado. (MD, 1963: 27)

28. —No comprendo por qué, en el cuento, se vuelca toda la simpatía hacia la Cenicienta, que no aporta más que un zapato, al fin y al cabo. (JLR, 1960: 16)

29. Ahora caía en la cuenta de la vacilación que había tenido la mucama la primera vez que hablé por teléfono. ¡Qué grotesco! Pensándolo bien, era una prueba más de que ese tipo de llamado no era totalmente novedoso. (ES, 1965 a: 41)

30. ¿Qué era, al fin de cuentas, lo que yo tenía en concreto contra María? (ES, 1965 a: 87)

31. Seguramente, en la ciudad se pierde mucho el tiempo —pensaba el Mochuelo— y, a fin de cuentas, habrá quien, al cabo de catorce años de estudio, no acierte a distinguir un rendajo de un jilguero. (MD, 1963: 28)

32. Después de todo, que su padre aspirara a hacer de él algo más que un herrero era un hecho que honraba a su padre. Pero por lo que a él afectaba... (MD, 1963: 27)

33. —Usted sabe muy bien que no puedo hacerlo...
    —¿Por qué no? Después de todo, ésta es su casa, caballero.
    (EW, 140)

34. ... que, te pones a ver, y el noviazgo es el paso más importante en la vida. (MD, 1967: 129)

35. —Porque cuando te casaste conmigo, no sé si te acordarás, pero por toda dote trajiste un colchón viejo de lana y un paragüero.
    —Tampoco es que tu ajuar fuera muy lucido que digamos.
    (JS, 1962: 20-21)

177

36. —¿Qué hacemos?
—Llevarle la corriente en todo... El mundo es de los locos.
—Pues nosotros bien locos estamos y el mundo no se nos da muy bien que digamos.   (MBU, 122)

37. —Pero tienes que decirle algo, tienes que dejarte caer por aquí, por lo menos. Vamos, digo yo, metiéndome en lo que no me importa.   (JLPC, 307)

38. —Sé que te sobra mucho dinero, chico; no piensas más que en gastártelo.
—Sobrarme no me sobra, pero ¿para qué sirve si no es para gastarlo?   (JFS, 1957: 94)

39. —¿No se puede querer a un solo hombre, a uno solo?
—Como poder, se puede, sí, pero es que son muchas a querer a mi hijo, y como él no quiere a una sola mujer... pues se da a todas.   (SE, 51)

40. —¿Cómo ve las cosas, amigo?
—Como verlas, no las veo.   (JC, 1968 *a*: 132)

41. —Ahora dígame lo que sepa del atentado.
—Pues como saber, saber... Pero sospechar, sí.   (WC, 49)

42. —¿Tú la viste entrar en esta casa?
—No, señor, entrar, entrar, lo que se dice entrar, no, señor. La vi llegar, que es otra cosa.   (FGP, 1969: 41)

43. —Si yo no me he divertido más ha sido porque no he querido..., y si no me casé no fue por falta de ocasiones, que tenerlas las he tenido, como la que más [*see* 5.12.4], en este pueblo.
(JFS, 1967: 46)

44. —¿No te extrañó eso?
—Como extrañarme, no. Me ha pasado muchas veces.
(JLMV, 1975: 51)

45. —... pero lo que es yo, te digo, no estoy nada contenta con el asunto.   (MVL, 1973: 67)

46. —Pues lo que es a ella no le hará mucha gracia que tengáis tantas cosas en común...   (ET, 28)

Exercise 3. Sections 3.20 - 3.34

1. —Todavía no han llegado.
   —A lo mejor vienen andando.

2. —Usted me dijo que no había hablado con ella...
   —A lo mejor hemos hablado. No sé. Tengo la cabeza como un bombo...   (JMB, 375)

3. —... si no me hubieran llegado a botar de la oficina, igual acabo por marcharme solita cualquier día de éstos. Como lo oyes.
   (AGR, 41)

4. José Vázquez, el alcalde, decía al enviado de esta revista...: «Nosotros hemos pensado que igual esto es bueno para el pueblo. Igual esto ayuda a solucionar alguno de los problemas que tenemos como el del paro.»   (*Cambio 16*, 22-7-79: 66)

5. —Ahora de momento me voy a mi pueblo. Aunque luego igual me aburro y echo de menos esto, no te digo que no. Son un vicio, chica, las ciudades grandes.   (CMG, 1976: 28)

6. —La cartera no está aquí.
   —Lo mismo está en tu despacho.

7. En 1952 tenía unos 4.200 habitantes, y ahora lo mismo puede haber cuadruplicado que seguir casi igual.   (EA, 194)

8. Es eso que la gente llama un hippy sólo por lo desmantelado y famélico; conoce unas palabras de inglés y francés y lo mismo se coloca en un chiringuito veraniego un par de semanas que vende dibujos por las terrazas.   (AP, 1972 *b*: 148)

9. —Igual te podías haber roto la cabeza.   (Moliner, II: 86)

10. —Lo dices porque eres jefe...
    —Igual lo diría si no lo fuera.   (LS, 1973: 55)

11. —¡Qué más da! Sin ellos se hace la revolución lo mismo.
    (EQ, 319)

12. —Recuerde que en esta casa cualquier pequeño detalle puede ser una catástrofe. Muchas vidas están pendientes de nosotros, pero el camino está lleno de peligros; y lo mismo podemos merecer la gratitud de la humanidad que ir a parar todos a la cárcel esta misma noche.   (ACS, 5)

13. —Y si le preguntas por mecheros americanos o por lo que sea, lo tienen. Ahí, en el carrito..., lo mismo puedes comprar una lata de gasolina, que un bote de nescafé, que una botella de whisky.
    (JLPC, 305)

14. —No es fácil improvisar un lugar de enterramiento de aquí a Ciudad Real y en plena noche... Si hubiese mar, todavía...

(FGP, 1968 a: 166)

15. —La historia de aquellos días —me contó una vez Elio— la sé por mi hermano menor, a quien se la relató un amigo. Por lo visto, a las tres semanas de morir la madre, la enfermera... llamó por teléfono a mi padre para saber si podía ir a verle.

(RT, 49)

16. —En ese trato se gana el alcalde, que por lo visto no es tan burro, cinco mil pesos.   (ECC, 1967: 25)

17. —¿Lo sabe alguien?
—Que yo sepa, no.   (AS, 1967 a: 538)

18. —¿No le han puesto preso?
—Que sepamos. Antes tendría que declarar [a la policía] mucha gente.   (JB, 769)

19. —Cuando uno se equivoca en la vida sale diciendo que todos le engañaron. Pero ya eres demasiado mayorcito para esas disculpas. Que yo recuerde, bien claro os dijimos en el seminario lo que era ser sacerdote.   (JLMD, 13)

20. Que él recordase, era ésta la primera vez que no dormía tan pronto caía en la cama.   (MD, 1963: 28)

21. —Cambió el servicio de los santos por el servicio de las armas, y para mí que se quedó entre Pinto y Valdemoro.   (CJC, 1961: 149)

22. —¿Y de qué vive?...
—Él dice que de lo que le pagan por echar coplas, pero para mí que lo mantiene alguna... o algunas. (FGP, 1971 b: 101)

23. —Nos bajamos a la parada de Serrano, ¿no?
—Sí, en la parada de Serrano.   (MBU, 156)

24. —Usted dijo, hace un rato, que deberíamos vernos más a menudo, ¿no es así?   (CG, Arg., 1971: 260)

25. —¿Verdad que es una vista encantadora? ¡Pues de día es aún más linda!   (MM, 1967: 11)

26. —¿Verdad que ha salido muy bien?
—Es cierto.   (RRB, 51)

27. —Hay algunas personas que tienen muy mal carácter, ¿verdad, usted?   (CJC, 1963: 181)

28. ¿Es que este señor ha pasado por alto las consecuencias posibles del pánico que cundió...?   (letter to *Blanco y Negro*, 5-5-73)

29. —¡Fuensanta! —grita una mujer dentro.
—Es mi madre. ¿Volverás pronto?
—Lo antes posible.
—... Ya voy, madre. ¿Es que no puede una ni tomar el aire?
(AML, 1973: 161)

30. —Acércate, así para que te vea bien.
—Pero ¿es que no me has visto otras veces?   (MU, 1956: 68)

31. —¿Acaso Dios podría permitir que le ocurriese alguna desgracia?
(WC, 38)

32. —¿A poco sabías que los padres de mi marido [=*Federico*] fueron peones de campo en la hacienda de tu tío? Ahí tienes, y ahora tú y los tuyos son los criados de Federico. ¡Ja! Qué vueltas [*da el mundo*]...!   (CF, 1958: 348)

33. —A poco me vas a decir que tienes miedo de que el viejo se entere.   **(VL, 469)**

34. —Decís que los bancos de la iglesia son duros. ¿Son acaso más blandos los de ese local inmundo?   (MS, 1968: 98)

35. —Así que es cierto que ha salido de la cárcel.
—Sí, esta tarde.   (AS, 1967 *a*: 611)

36. —¿Así que estás resuelta a darle ese dinero a Zabala? —preguntó por cuarta vez esa mañana. Constancia hizo un signo afirmativo con la cabeza.   (GC, 170)

37. Román levantaba una ceja.
—¡Ah! ¿Conque es eso lo que motivaba las huidas en estos días?
(CL, 89)

38. —¿Conque ésas tenemos, eh? ¿Conque se rebelan? Muy bien. El que combate contra nuestro zar es un criminal político, ¿comprendes?   (MAU, 231)

39. Gerardo me habló abundantemente de él mismo y luego de su situación en Barcelona.
—Conque solita, ¿eh? ¿De modo que no tienes padres?   (CL, 146)

40. —De manera que yo debo callarme.
—Sí.   (VRI, 1970: 59)

41. —Voy a tener un niño. Un niño que es fruto de tu irresponsabilidad y egoísmo.
—¿De manera que quieres achacarme el crío a mí?   (JD, 36)

42. —¡Caramba!... ¿Usted como que piensa cambiar las costumbres del Llano?
—Justamente. Eso me propongo.   (RG, 116)

43. ... surgió una voz ronca y autoritaria: «Buenas noches. ¿Cómo que se conversa?» Era un indio alto, fuerte... Al solo efecto de su presencia, todos enmudecieron.   (AUP, 85)

44. —¿Cómo? ¿De modo que Paiba es el amante de turno de doña Bárbara?
—Pero ¿usted no lo sabía, doctor?   (RG, 33)

45. —Entonces, ¿preparando el veraneo?
—Falta mucho [*tiempo*] todavía.   (JFS, 1971: 36)

46. —Hasta el domingo, pues.
—Hasta el domingo.   (JLCP, 272)

47. —El coche puedes dejarlo en un garaje. Y tomar una habitación en el hotel, para despistar.
—O sea, que se da por supuesto que me quedo hasta...
—No, no digas hasta cuándo...   (JGH, 121)

48. —¡Un té a beneficio de los suburbios! ¡Jesús! ¡Qué pesada se pone la duquesa con los suburbios!... Por cierto, allí estaba Lina Mendoza. ¿Conoces? Esa estrella de cine.   (VRI, 1970: 7)

49. —¿Qué hay, Lorenzo, guapo?... Ven aquí... Que conste que he mandado poner los platos que a ti te gustan.   (JAZ, 1972: 1023)

50. —Conste que me enteraré de lo que hay de verdad en todo esto. Le puede costar muy caro a usted el engañarme.   (CL, 189)

51. —Créeme; me duele hablar así, pero si he de ser sincero no podría hacerlo de otra manera. Pues bueno, a lo que iba. El Nuevo Testamento, Félix, me produce más frío que calor.
(RC, 1979: 64)

52. —Tú te callas, ¿estamos?   (ABE, 129)

53. —Pues, para que lo sepas, hasta en Londres se me conoce.
(MS, 1968: 316)

54. —Bueno. Se acabó el ensayo...
—¡Ah! Pero ¿estabas ensayando?
—¡Naturalmente! ¿Es que no se nota? Pues para que te enteres, dentro de ocho días debutaré como actor en un teatro de cámara.
(VRI, 1970: 21)

55. —Pero ya sabes que si no te pido el crédito no es porque no lo pueda obtener, sino porque no me da la gana de hacerte ese favor a ti. Ni ése ni ninguno..., para que te enteres.   (DS, 1965: 94)

56. La libertad es algo que se siente, no que se comprenda. Lo mismo que el amor. Tampoco puede razonarse. Se siente y ya está.

(JT, 1968: 171)

57. —Estás idéntico. Si acaso, algo más pálido. Y se acabó.

(JCS, 1962: 8)

58. —Somos eso, blandengues, y en cambio hay que ser duros, como son estos tipos. Al negocio y se acabó. Lo que sirve, sirve, y lo que no sirve, no sirve. (MB, 1968: 25)

59. —Pero tú nunca tuviste detalles, ésta es la verdad, Mario; la cartita de cumplido y sanseacabó. (MD, 1967: 180)

60. —Bajáis conmigo, abrís la puerta de la calle, a estas horas desierta, dejo a ese desdichado joven en medio del arroyo, y adivina quién te dio. (Beinhauer, 428)

61. —Tenía hambre, chico...
—Pues yo me puse como el quico.
—Pero ¿qué dieron [*en la boda*]? A ver, repasa: unas rodajas de salchichón, unas aceitunas, ensaladilla rusa... Luego... pastelitos de hojaldre, con carne de burro... Y para de contar.

(DS, 1965: 30)

62. —Pues que en mis cuartos mando yo, ¿te das cuenta? Yo bien sé lo que me hago y tengamos la fiesta en paz. (CJC, 1963: 196)

63. —Te advierto que las esperas no me van. Tú verás. Si prefieres pudrirte aquí, me lo dices y a otra cosa. (LO, 1981: 191)

64. —Pues nada, me pidió si la quería llevar a Alcázar, y dije que sí. Al llegar la dejé en la estación y en paz. (FGP, 1973: 155)

65. —Ven, ven, vamos a buscarla. La saludas, hablas un segundo y listo. (LS, 1970: 40)

66. Mujeres, sí, iba con mujeres. Pero sólo lo necesario. Al grano, y... ya está. A otra cosa, mariposa. Con esta frase: «a otra cosa, mariposa», *el Oriental* cerraba la mayoría de las conversaciones. La mayoría de sus pensamientos. Era como el telón final de la representación. Y había enseñado a Caridad a utilizar ese sistema para cortar de golpe cualquier tema que no le interesara seguir. Para borrar de su mente cualquier recuerdo o temor que no le conviniera. (IP, 20)

67. ... pero la religión islámica admite una forma... de matrimonio temporal, que puede durar desde un día hasta cualquier otro límite de tiempo...

El trámite es sencillísimo: los dos sólo tienen que ir al mulá o «cura» islámico, firmar un documento con las condiciones de la unión, y santas pascuas.   (*Cambio 16*, 6-1-80: 44)

68. —... procurábamos cenar fuera... [*de casa*]
—¿Y no pasaba nada?
—Había que avisar [*a sus padres*], pero Paloma daba el recado por teléfono al servicio: «No cenamos en casa, dígaselo a mi madre» y santas pascuas.   (JLMV, 1975: 210)

69. —Porque yo me he volcado con ellos y en cuanto le ha salido algo decente, dos patadas y, si te he visto, no me acuerdo.   (RRB, 52)

70. El otro día llegaron juntitas tu segunda carta y la segunda de mi hermana. Claro que había una diferencia... y así fue que a [*sic*] tu carta la leí como ochenta veces y la de mi hermana dos veces y chau, si te he visto no me acuerdo.   (MP, 107)

71. —Bueno, lo que te decía, que el asunto... lo que es por mí, cruz y raya —daba hachazos en el aire con la mano abierta.
(JMCB, 224)

72. —Y colorín colorado, este cuento se ha acabado.
—¿Por qué dices eso?
—Has acusado a González del asesinato de Mike; el Juez es empleado tuyo.   (CP, 155)

73. —La han botado del empleo por mi culpa... Y, por si fuera poco, nos despidieron del departamento.   (AGR, 38)

74. —Por si fuera poco, la muy torpe hablaba de forma que el marido pudiera oírla sin esfuerzo.   (JG, 1964: 39)

75. —Para mayor *inri* tengo el coche roto y he tenido que ir a pancho [*by Shanks's pony*] a visitar a un enfermo grave.
(FGP, 1971 *b*: 158)

76. El último año de convivencia de los tres, porque soy hijo único para más *inri*, ya fue un desastre... (JLMV, 1981: 12)

77. —Vaya, vaya; ha sido un contratiempo.
—Y que lo diga.
—Ahora que a cambio de eso disfrutáis del aire y de la luz de este sitio maravilloso.   (JCE, 121)

78. —Entonces nadie puede saber que estamos aquí.
—Nadie.
—De todos modos, hay que tener cuidado.   (AS, 1967 *a*: 817)

79. —Tenía que haberte escrito uno de estos días..., pero, con esto del tío, se me pasó. De todos modos te hubiera puesto unas letras antes de marcharme.   (JFS, 1957: 171)

80. —De todas formas, [*usted*] habrá llegado tarde a la oficina.
—No crea. Tardo en llegar seis minutos. (CM, 153)

81. —Nunca fui lo que se dice un estudiante aventajado; me gustaba mucho el café y las chicas. Pero, así y todo, fui aprobando materias hasta que llegué a quinto año... (RMC, 46)

82. —¿Qué es lo que no quisieras?
—Querer, sí. Pero no sé si será justo. O, en todo caso, me parece que vamos a lograr muy poco. (JT, 1968: 387)

83. —Dicen los músicos que si les manda un trago para calentarse.
—Ésos siempre andan fríos. Pero, en fin..., dáselo.

84. El chico encendió el cigarro que acababa de fabricar y le dio una chupada profunda...
—...¿Quieres [*chupar*]? Ha salido un poco deforme, pero bueno. Le pasaba el cigarro, ligeramente abultado por el centro, después de descabezarle la brasa con el meñique. Luisa supuso que era droga. (CMG, 1976: 183)

85. —Yo no sé a dónde vamos a parar, no respetan ni los años.
—En fin...
—Hasta luego, hija, y gracias. (JMCB, 93)

86. —... se dispone a casarse... con una viuda de San Sebastián... Una aristócrata, eso sí, nadie lo niega. Pero, hijito, una aristócrata rarísima. (VRI, 1970: 7)

87. —Fíjese que hoy en día, doctor Mesa, con los *jets*, usted puede poner de aquí a Europa menos horas de vuelo que días de navegación. Algo despampanante... Eso sí, como distensión nerviosa, como cura de reposo..., a todo el mundo le aconsejo el barco.
(MB, 1968: 107-108)

88. —Yo no he dicho que me gustaría que la vida fuera eso. Pero me preocupa, eso sí, darme cuenta de que nadie sabe lo que es.
(JMG, 1966: 488)

89. —Rarezas... ¿Quién está libre de ellas? Mire usted: sin ir más lejos, una buena señora que vive en mi casa tiene el capricho de lavarse la cara y las manos con agua de Seltz. (SJAQ, 36)

90. —Es muy suyo este tío, ¿no te parece, Manuel? —preguntó don Lotario cuando lo hubieron dejado en el garaje.
—Estos vascos son así... según dicen. Porque yo, la verdad, he tratado pocos, por no decir ninguno. (FGP, 1969: 72)

91. Acaso a este complejo de tímida inferioridad frente a lo de fuera se debe ese modismo con que el español, en cuanto le parece nue-

va o audaz la idea que expresa, se apresura, curándose en salud, a apuntalarla con una vaga autoridad extraña y difusa: «como dijo el otro». ¿Quién es ese «otro»...? Probablemente la idea es del mismo que la dice, pero no se atreve a lanzarla sin apoyarse en ese genérico «otro» que alude al mundo... (JMP, 454)

92. Tardé bastante en darme cuenta de que eran cambios superficiales, más de apariencia que de realidad, cambios, por decirlo así, de los músculos más que de los huesos. (VA, 13)

93. ¿Qué había en esta alma compartida, por así decirlo, que era la nuestra: de Víctor y mía? Ya se lo he dicho a usted: el desprecio por los hombres, el respeto por las piedras. (CF, 1980: 171)

94. —Pues yo soy agente de la justicia, señores. Permítaseme que me informe... Veamos si se han producido lesiones y con qué clase de armas, o séase, el cuerpo del delito. (RC, 1979: 7)

95. —¿A que no habéis oído otro chiste tan bueno? El caso es que Isaac, o Samuel, como se llame, iba por la calle con su hijo... (AL, 1966: 194)

96. —Van ya dos días que hago la vista gorda con vosotros. Pero, por lo que parece, se os da el pie y cogéis la mano, qué digo la mano, el brazo y todo. Nada es bastante, ¿eh? (JLMV, 1975: 211)

97. —Pero ¿sabe usted lo que yo creo?; qué digo creo, estoy segura: que más bien lo hacen porque coincide con la llegada de los estudiantes esos que vienen a hacer aquí sus prácticas. (FS, 242)

98. ... dio una conferencia don Camilo José Cela... Entre el público todos los «must» o séase, los inevitables de conferencias cultas madrileñas... (*Cambio 16*, 21-11-83: 9 - Carmen Rico-Godoy)

4

STRUCTURAL VARIATION: THE VERB

4.0 Preceding chapters have dealt with emotional and other special characteristics of colloquial Spanish which manifest themselves in the form of adjuncts, ready-made ritual sentences and sentence patterns and formulae. Such sentence features and types are relativey easy to identify either because they exhibit syntactical features different from those of standard Spanish sentences or because they require a non-literal semantic interpretation fixed by the special conventions of colloquial usage.

There are, however, many other colloquial syntactical characteristics which consist of variants or equivalents of components of otherwise standard sentences. Such features are of the following types: replacement of standard sentence components by colloquial counterparts; alternatives for standard sentence components; omission or ellipsis of standard components.

These colloquial structural variants occur in many parts of the sentence but the greatest number — and those which perhaps most affect accurate comprehension and translation by non-native students of Spanish — are variations of the central feature of the standard sentence: the verb. These variations will be described in detail in this chapter, leaving all other types of structural variation for Chapter 5.

SENTENCES WITH NO MAIN FINITE VERB

4.1 As has been seen in Chapters 1 and 2, many colloquial sentences are characterized by the absence of a main finite verb. Apart from those ritual sentences and patterns already described in those chapters, three broad groups of such sentences can be distinguished:

NOTE

As in standard Spanish, the repetition of a verb already used in
the same sentence may sometimes be avoided. Special to colloquial
Spanish, however, is the optional avoidance of such repetition after
lo que, when this is equivalent to *lo mismo que:*

   —Y a mi hermano le va a pasar lo que a don Quijote de la Mancha.
   (Keniston, 98)
   *The same thing is going to happen to my brother as happened to
   Don Quixote.*

   —He hecho lo que cualquiera.   (RJP, 103)

4.2 To be briefly considered here are examples of verbless sentences
(usually exclamations or questions) whose meaning is completely de-
pendent on intonation and the linguistic or extra-linguistic situation
in which they are uttered.

An interrogative utterance like *¿Otra copa?*, for example, could be
taken in two different situations and with different intonation as an
offer (i.e. *¿Quiere usted otra copa?*) or a criticism of the listener's
drinking habits (i.e. *¿Pero vas a tomar otra copa?*).

Similarly, the verbless question *¿Otra vez?* might be a variant for
an impatient *¿Me lo preguntas otra vez?* or for a surprised or indignant *¿Lo has hecho otra vez?*

In a given situation, such verbless sentences should present no real
translation/comprehension problems because the clues will all be
present.

4.3 Below are listed types of response sentences which consist of
what we might call sentence fragments and which depend for part of
their meaning on the form used in a preceding sentence. For this
reason they can be said to be semantically and syntactically bound to
their context.

4.3.1 In answer to a question, virtually any sentence component may
be used as a response:

   —¿Quién lo hizo?
   —Yo. / Su tío.

   —¿Cómo te encuentras?
   —Mejor que ayer.

—¿Qué vas a hacer?
—Nada.

—¿Cuándo se va?
—Mañana.

—¿Cómo le va?
—Bien, ¿y usted?

—¿Te gusta?
—**Mucho.**

—¿Vendrás hoy?
—Si puedo.

—¿Cómo lo conseguiste?
—Trabajando como un negro.   (JS, 1965: 372)

4.3.2 A case of particular interest is the use of the infinitive in answer to a question, whether direct or reported. Usually, the question verb is *hacer* or *querer*, or a synonym. The tense and the subject of the reply are implied by the form of the preceding question.

—¿Qué haces?
—Lavarme, mujer.   (Coste, 474)
(I'm) Having a wash.

—¿Qué hacéis vosotros aquí?
—Esperar la orden.   (J. Dubský, 1966: 1)

—¿Y qué vais a hacer?
—Morirnos de hambre.   (Keniston, 235)
Starve to death.

—¿Y sabes lo que hizo al verme?: pues pararse en seco, dar media vuelta y empezar a seguirme.   (AL, 1961: 231)

NOTE

For the use of the infinitive in indignant responses, see 2.17.

4.3.3 Another group of these verbless sentences is especially important to the English-speaking student of Spanish, because it corresponds to the use in English of responses or contrastive sentences containing auxiliary or modal verbs and voice stress on a subject pronoun or noun (e. g. **HE** *can't come.* I *can;* **HE** *doesn't see it.* I *do;* **HE** *sees it.* I *don't*). The Spanish sentence pattern normally involves the use of a subject pronoun or a noun (although other sentence elements are also possible) followed by *sí* or *no*.

—El no lo ve; yo sí.

—Tengo mucho tiempo.
—Yo, no.

189

—No quiero ir.
—Yo, sí.

—Mauricio no puede resistirlos.
—¿Y tú sí?   (ACS, 122)

—El no puede venir; su hermano, sí.

—Pero no vino.
—Por la tarde, sí.

NOTE

See also 3.7.1, 3.7.2 and 3.33.2.

4.3.4 The use of *¡Ojalá!* alone as a response also deserves a brief
separate mention here. In answer to a question, or as a response to a
statement, *¡Ojalá!* means either *I wish I could* (etc.) — implying a negative response — or *I hope so.* In both cases, the action referred to
is the one mentioned in the previous question or statement.

—¿No puedes venir al cine conmigo?
—¡Ojalá!

—¿Habrá estado Gustavo alguna vez con una mujer?
—¡Ojalá! Seguramente, sí.   (MB, 1968: 108)

NOTE

For *¡Ojalá!* in ritual sentence patterns, see 2.25.

4.4   Ellipsis of *ser* and *estar*
                          [See also 5.5.2.]

NOTE

As frequent variants for *ser* and *estar* (when followed by an adjective, a noun or a noun phrase, or an adverbial expression), the
verbs *andar, ir* and *venir* should be noted. In these functions, these
verbs lose all or part of their primary meaning as verbs of motion.
In translation, of course, the verb *to be* will normally be needed:

Anda malucha estos daís.   (Moliner, I: 177)

Andamos muy mal de dinero.   (Moliner, I: 177)

Ese pueblo anda por el norte de España.   (Moliner, I: 177)

Soy el único que no sé por qué ando en este asunto.
(GCI, 1971: 52)

El reloj va atrasado.   (Moliner, II: 168)

El pantalón le viene ancho.
The trousers are too big for him/you.

Vengo muy cansado.   (Moliner, II: 1456)

4.4.1 Ellipsis of the verb *estar* is relatively common, both as copula verb and as an auxiliary.

—Le leyeron la noticia, pero él tan tranquilo.
The read the news to him but he didn't turn a hair.

—Tú, tranquilo.
Don't you worry.

—¿Tú, aquí?
You here?

—Estás loco.
—¿Yo loco?

—Me ofreció el puesto, y yo encantado.
He offered me the post and I was delighted.

—... y yo en la luna.   (MD, 1967: 56)
... and I didn't know a thing about it!

—Y para colmo, los vecinos escandalizando aquí todo el día, y los niños jugando al tren y armando un barullo del infierno.
(ABV, 1964: 82)
And on top of all that, the neighbours have been making a noise all day and the children have been playing trains and kicking up a helluva din.

—Se murió tu mamacita anoche —le dijo—, y yo buscándote por todita la ciudad, y nada.   (CF, 1958, 240)

In the case of the construction [*estar*] *sin* + infinitive, English translation is often by a negative past tense:

—Pobre criatura. Y, desde entonces, ¿sin tomar nada?
(JCS, 1954: 58)
Poor thing. And hasn't she had anything to eat since then?

—La una y tu padre sin venir.   (Keniston, 236)
One o'clock already and your father still hasn't come home!

—Aquí se vivía, ¡y yo sin verlo!   (Keniston, 50)

4.4.2 The verb ser is sometimes omitted from the beginning of sentences, from judgements of people or things and from interrogative or exclamatory repetitions of judgements. It is also usually omitted at the end of expressions of proportion, e.g. *Cuanto más... mejor (será): The -er..., the better (it will be).*

—Me ha dicho la muchacha que Luisa está algo delicada.
—Lo de siempre, los nervios.   (JB, 410)
(It's) The usual trouble: her nerves.

Buena gente los Guitart.   (DM, 1956: 146)

Malo cuando no lo quiere reconocer.
It's a bad thing when he won't admit it.

—Mal día el de hoy —dijo—, mal día.   (IA, 103)

—Es un paraíso esta casa.
—¿Paraíso esta casa?

—Si puedes vernos hoy, tanto mejor.

—No, yo prefiero esperar. Ya sé que hay que pasar calamidades, pero cuanto más tiempo tarden, mejor.   (CJS, 1971: 315)

NOTES

1. A special positive response form is the use of *mucho* as a variant for *Sí, es muy* + adjective (just used):

    —Ésta es una colección muy interesante.
    —Sí, mucho.   (Ramsey, 172)

2. Ellipsis of the infinitive *ser* occurs in the obsolescent construction *no ser para* + past participle (where the past participle is most usually *dicho* or a synonym indicating speaking or naming):

    No es para dicho.
    It is not fit to be spoken / talked about.

    Dejemos el punto para tratado en su ocasión.   (Spaulding, 109)

4.4.3 Ellipsis of the verb *haber* in its related descriptive uses (and usually of a preceding *no*) occurs in the following types of verbless comparative sentences, which are not confined to colloquial usage:

nada/nadie + comparative adjective/adverb + *que* + noun/infinitive;
ningún + noun + comparative adjective + *que* + noun/demonstrative pronoun;
nadie como + pronoun or noun phrase;
muy lejos de... + noun/infinitive;
¿Qué + noun + comparative adjective + *que* + noun/pronoun;
cada + noun, *más* + noun.

    —Nada más fácil que decírselo.
    Telling him is a very simple matter.

    Y con las maletas al hombro nos echamos en busca de sitios para disfrutar del sueño. Nada mejor en tales circunstancias que los furgones de los trenes.   (MLG, 374)

192

... como sedante, ... ¡nada como dos semanas en casa mirando la
acera de enfrente! (MBA, 93)

¿Qué mejor noticia que la de esta mañana?
What better news could there be than this morning's?

Cada año más trabajo.
There's more work every year.

4.5 Another common verb frequently omitted in colloquial Spanish is
decir. Usually the connecting *que* is retained and, sometimes, the phrase
de parte de followed by a name or noun may be used to indicate
the source of the message. Also *nones*, a familiar variant of *no*, may
be used, e.g.
Y él, que nones. [= Y *él dijo que no.*]

—Señora Marquesa, la peinadora, que no puede esperar. Que si
tarda mucho la señora Marquesa, volverá luego. (Seco, 285)

—Cuando pueda, lleva usted este libro a la señora de Ponce..., de
parte del señor. Y que muchas gracias. (JLR, 1969 b: 144)
... *Say it's from your master and thank her.*

In the case of sentences containing *que si* (other than emphatic
responses as described in 3.4.2), the idea of saying is often implied.
Que si is used in enumerations of sentences, clauses or nouns, especially to quote other people — particularly their gossip — often to
convey a feeling of monotony, boredom, irritation or mockery of what
is reported or said. The speaker may even mimic the voice of the
person(s) (s)he is quoting.

—Y esta mañana, cuando estuve en casa de las de Cirujeda, ¡ay!,
tú no puedes figurarte cómo me pusieron la cabeza... Que si habías venido a derribar la catedral; que si eres comisionado de los
protestantes para ir a predicar la herejía en España; que pasa-
bas la noche entera jugando en el Casino; que salías borracho...
(L. Spitzer, 115)
*And this morning, when I was visiting the Cirujedas' house, oh
dear, you can't imagine the things they said about you. 'He's
come to demolish the cathedral.' 'He's been hired by the English
protestants to preach heresy in Spain..."*

—... que yo no sé cómo la gente lee *El Correo*..., no trae más que
miserias y calamidades, que si miles de niños sin escuelas, que
si hace frío en las cárceles, que si los peones se mueren de
hambre, que si los paletos viven en condiciones infrahumanas;
pero ¿puede saberse qué es lo que pretendéis?
(MD, 1967: 176-177)
*I don't know why anyone reads the 'Correo', it only prints squalid and
depressing stories about thousands of children with no schools
to go to, the lack of heating in the prisons, starving labourers,
peasants living in subhuman conditions, and so on, but what
I would like to know is what do you and your friends hope to
achieve with all this?*

—Claro..., si en todo el pueblo no se hablará de otra cosa, ¡que si yo, que si ella, que si los mozos!   (FGL, 1962: 57)

Of course. I imagine they're all talking about it in the village, about me, about her, about the young men.

—Un día, se lo juro, eh, las dejo plantadas. ¡Que si barre! ¡Que si friega! ¡Que si haz la comida!   (LO, 1958: 74)
One day I swear I'll leave them. They're always on at me: 'Sweep the floor!' 'Wash up!' 'Cook the meal!'

NOTES

1. Where the idea of saying is **NOT** implied, a list effect is usually intended. Often the emphasis is on the routine or monotonous nature of the things listed. Sometimes here the use in English of *What with* before the first item, and *and* later will achieve a fair translation:

    —... que también tenía sus pegas, a ver, que si los carabineros, que si la veda, que si el paludismo.   (AZV, 1973: 27)
    Of course, it had its drawbacks, what with the police, the hunting bans, the malaria, and so on.

    —¡Que tengo unos avisitos de vez en cuando...! Que si un dolor aquí, que si otro por allí, y retortijones allá, y...   (AZV, 1973: 27)
    From time to time, I get little warning signs. What with a pain in one place, another in a different place, stomach cramps, and...

    —En cuanto nos casamos empiezan las muertes: que si los abuelos, que si los padres, que si los tíos, que si los hijos... Así nunca nos podemos quitar el luto de encima.   (AML, 1965: 653)

2. The expressions *que si tal y que si cual* and *que si patatín, que si patatán* (equivalent to *esto, lo otro y lo de más allá: this, that and the other; and so on and so forth*) are used with the same effect, either after *decir* or with this latter verb omitted:

    —A la salida empezará a decir que si tal y que si cual y que si patatín, que si patatán.   (Sara Suárez Solís, 136)
    When he comes out, he'll start rambling on about this, that and the other.

4.6 Question patterns with no main finite verb are of two types:

— those beginning with **Y** (4.6.1)
— those containing an interrogative word followed by an infinitive, or, occasionally, by a noun (4.6.2).

4.6.1 Interrogative *Y* accompanied by a noun or pronoun, and sometimes followed by *¿qué?*, is equivalent to English *What about...?*

—¿Y los niños?
—Bien, acostaditos ya.   (CJC, 1963: 172)
'What about the children?'
'Fine. They're tucked up in bed.'

—¿Y las pruebas de todas sus afirmaciones? —preguntó Diz.
—Mañana, en el taller, las tendrán ustedes.   (PB, 1954: 83)

—Ya no los podemos parar.
—Pero ¿y la policía? ¿Qué hacen?   (EW, 149)

When followed by *si*, interrogative *Y* is similar in meaning to *What if...?* or to the suggestion *Why don't we* (etc.)...?

—¿Y si tu padre nos ve?
But what if your father sees us?

—Oiga, señora Tomasa. ¿Y si nos fuéramos ahora?
—¡Lo estaba pensando! ¡Vamos!   (ABV, 1964: 55)

—Andrés, ¿y si bebieras un poco más despacio?   (JGH, 26)

NOTES

1. For the ritual response *Y (a mí/eso) ¿qué?*, see 1.16.

2. For *¿Y?* as a blunt introduction to another question, see 3.3.

3. *¿Y eso?* is a query meaning *And how/why is that?* or *How come?*

4.6.2 A colloquial interrogative sentence may have the structure interrogative word + infinitive or, less commonly, interrogative word + noun. The interrogative words most frequently met in these sentences are:
   ¿A qué? (see also 5.5.2 Note 1), *¿Por qué?* and *¿Para qué?* Possible translation equivalents are:
   Why (not)...?, Why should...?, How can...? What's the point of...? Why (so much fuss, etc.)?

—Salgamos. Aquí corremos todos un grave peligro.
—¿A qué salir? Nos matarán en la calle.   (FB, 142)

—¿A qué diablos explicar la razón de que no fuera a salones de pintura?   (ES, 1965 a: 18)

—¿Por qué no divertirse un poco?   (Keniston, 87)

—... ¿para qué tirar el dinero en unos pobres diablos que ni te lo van a agradecer?   (MD, 1967: 198)

—¿A qué tantas protestas de amistad?   (Moliner, I: 2)
Why all these declarations of friendship?

—Buenas noches, doctor Romano...
—¿A qué tanta ceremonia? Llámame Pablo. ¿O es que no somos amigos...?   (LML, 97)

4.7 There are a few (mainly lexically restricted) negative verbless patterns consisting of *ni* + noun or infinitive (4.7.1.) and *nada de* + infinitive or noun (4.7.2). (See also 1.13 and 2.11.3.)

4.7.1 *Ni* + noun or infinitive may imply either a negative past tense, an order, or a suggestion (especially with reference to doing and saying).

—... y que mi papá, que en paz descanse, era como usted: ni una mala acción, ni una mala cara para nadie, ni una palabra fea.
(SJAQ, 99)
... and my father, God rest his soul, was just like you: never a bad deed or an unfriendly reception for anyone, and he never swore.

—Ná [= *nada*], le pareció caro. «Pero si no para de subir to [= *todo*], señor Paco», le expliqué. Y el tío, ni caso.
(LO, 1968: 29)
But it still seemed dear to him. 'But everything keeps going up in price, Paco', I explained to him. But he didn't pay a blind bit of notice.

—Es que...
—Ni una palabra.
'But...'
'Be quiet!'

—Por una excepción especialísima, te daré el sesenta por ciento... Pero ni una palabra, me crearías un lío terrible con tus compañeras.   (MVL, 1973: 13)
... But don't breathe a word to anyone or I'll be in terrible trouble with your colleagues.

—A la gente, señora, ya sabe usted, ¡ni caso!
(Sara Suárez Solís, 177)
But you know you mustn't pay any attention to what people say.

—... en medio de todo me hacía ilusiones, pánfila de mí; total, para nada: entraste y ni mirarme; sólo a tu madre.
(MD, 1967: 65)
... but foolishly, I had high hopes, but it was no good, you came in and didn't even look at me, only at your mother.

—Tú debes decirle: «A mí, por mí, ni preocuparte. Pero ¿y tu hija, has pensado en tu hija?   (JCS, 1962: 48)
You should say to him: 'Don't you worry about me, but what about your daughter? Have you thought about her?'

4.7.2 Sentences with *Nada de* + noun or infinitive may imply an order, a suggestion, or, occasionally, an action in the past, but they may also indicate the undesirability of an action (rather like English *We don't want any* + *-ing*).

—Terminad pronto vosotros. Y nada de historias con la mujer, ¿eh? No hay tiempo que perder.   (ABV, 1966: 142)
Hurry up and finish, and no messing around with the women. There's no time to lose.

—Y ahora, a dormir, ¿eh? Nada de hablar, que ya es muy tarde. Buenas noches, hijos.   (LO, 1958: 197)

—Por eso el señor senador... expuso ya que los métodos pacíficos son los que deben emplearse. Nada de aventuras armadas innecesarias. Pacíficamente, como se hizo en Hawai.
(MAA, 1968: 362)

4.8   *The infinitive as imperative*

In addition to the construction *Ni* + infinitive and *Nada de* + infinitive described in 4.7, there are other cases where the infinitive may function as a colloquial imperative.

4.8.1 In place of the positive *vosotros* imperative in Spain, the use of the infinitive has been spreading for some time. In contemporary colloquial Castilian Spanish, the infinitive is either exclusively used in place of the form ending in -*d* (e. g. *comprad, comed*, etc.) or it is is at least accepted as an alternative for that form. The use of *No* + infinitive as an alternative for the standard negative *vosotros* form (e. g. *No habléis, No comáis eso*), however, is less general and is not yet considered as an acceptable alternative. Nevertheless, the use of the infinitive as a *general* equivalent of the imperative forms is becoming increasingly visible in such written styles as those of advertisements, signs, and public notices (e.g. *No pasar: De not walk/cross; No entry*).

—Chicas, esperar; no os vayáis por delante.   (RSF, 1965: 42)

—Callaros, escuchad esto que nos dicen.   (JLCP, 165)

—Abrir... Abre, Senén.   (Keniston, 48)
Open up, someone... Open the door, Senén.

—Un momento, no hablar todos a la vez.   (JGH, 11)

—Ya vendrán, no preocuparos.   (MM, 1967: 388)

—No acelerarse.   (RSF, 1965: 105)

4.8.2 As a general imperative, usually restricted to a few basic actions, one finds *a* + infinitive.

—¡A trabajar!
—¡A dormir!
—Venga. A beber.   (AS, 1967 *a*: 193)
—A bailar se ha dicho.   (LO, 1968: 106)

—¿Qué manda la señorita?
—Pero ¿no estás oyendo? A ver qué quieren. Di que no estoy en casa.   (JB, 974)

Tomás se calló, de pronto...
—Os pica la curiosidad, ¿eh?... ¡Pues a aguantarse, que no cuento más...!   [Note the use of *se*]

NOTES

1. For other uses of *A ver*, see 1.10 and 4.15; for *¡A mandar!*, see 1.7.2.
2. A sentence consisting of *a* + basic noun may also indicate an imperative where movement is required:

> —¡A la cama!
> —¡A la mesa!
> *Sit down at the table.*

> —¿Qué es eso? Tú, a tu puesto.   (EQ, 41)

3. Examples like the following, with interrogative intonation, indicate omission of a main verb like *venir* or *ir*:

> —A disfrutar del campo, ¿no es así?
> —Sí, señor; a pegarnos un bañito.   (RSF, 1965, 14)

But in past narrative, *a* + infinitive in a clause without a finite verb may indicate the ellipsis of *empezó/empezaron*:

> ... y preguntan por el jefe. ¿El jefe? Todo dios a buscar al jefe. Al fin sale el jefe...   (MD, 1978: 59)
> *... And everyone starts looking for the boss...*

4. *¡A ver qué pasa!* may be uttered in a defiant tone with an equivalence to *¿Y qué?* (1.16). In English: *So what?* or *What are you going to do about it?*

4.8.3 As an equivalent for a negative imperative form, *sin* + infinitive is found.

> —Sin atropellar, niños, que hay sitio para todos.   (Coste, 457)
> *Stop pushing, children; there's room for everyone.*

> —Un momento, por orden. Sin quitarnos la palabra unos a otros.   (JGH, 11)
> *Just a minute, one at a time, please. There's no need to interrupt one another.*

> —Tuvieron que correr igual que conejos.
> —Bueno, sin exagerar —dijo Aniceto.
> —Y no han parado aún.   (JT, 1976: 14)

The occurrence of sentences consisting of a subordinate clause form and implying a main clause is not uncommon in colloquial Spanish, nor does it usually constitute a comprehension problem since the implied thought is clear in the context. Such sentences are most commonly introduced by *si* and less often by other subordinating conjunctions like *como*, etc. Special patterns are dealt with in 4.9.1.

> —Si no hay otro remedio.   [*lo haremos*]
> —No hay otro remedio.
> *If there's no other alternative...* [*we'll do it*]

> —De prisa, de prisa, niña, antes de que venga Juan o Román...
> ¡No quiero pensarlo!   (CL, 256)

> Me había cogido bebiendo el agua que sobraba de cocer la verdura...
> —¿Qué porquerías hace usted?
> —Es que a mí este caldo me gusta. Y como veía que lo iban a tirar...   (CP, 126)

NOTES

1. The use of a *si*-sentence to express a wish is an emotional extension of this pattern and is described in 2.25. For *¿Y si...?*, see 4.6.1. For [*si*] *Vieras*, etc., see 2.26.1.

2. The idiomatic expressions *como si nada* and *como si tal cosa* should be noted. They have several possible English translations according to whether the ellipsis is of a preceding verb (often *ser*) or of a following subordinate verb, or of both:

   > —Mire que le llevo dandos palos, ¡pues como si nada! [= *es como si no hiciera nada*]   (CJC, 1961: 64)
   > *... but it's useless.*

   > —Le voy a decir una cosa que quizá no sepa... Usted lo sabe, pero como si nada, ¿eh?   (CJC, 1961: 79)
   > *... act as if you didn't know, OK?*

   > —Le sacó el reloj del bolsillo como si tal cosa [= *como si tal cosa fuera fácil*]   (Moliner, I: 788)
   > *... very easily./... as if it were child's play.*

3. *Porque sí* and *Porque no* may be heard as rather defiant answers to *¿Por qué?* questions. English will normally need a whole *because* clause:

   > —¿Por qué lo hiciste?
   > —Porque sí.
   > *Because I felt like it.*

4.9.1 Worth separate consideration is the use of sentences consisting of a *como que* clause (of reason) unaccompanied by a main clause. The principal function of such sentences is to offer an emphatic reason or justification for the idea contained in a *preceding* sentence. In other words, the two separate sentences display or imply the relationship **main clause-subordinate clause** normally found within a single sentence.

> Le había quitado el gorro y se lo encasquetaba él.
> —Me queda bien, ¿verdad?
> —A la medida... Como que Blanco y usted han de tener la misma horma.   (EB, 362)
> '*It's a good fit, isn't it?*'
> '*Perfect... Because Blanco and you must be the same size.*'

> —Parece que comes con hambre.
> —Como que no he desayunado.   (Moliner, I: 684)

However, there is a not uncommon extension of this use, where the *como que* sentence is an emphatic reaction to a preceding sentence and offers a reason for or a corroboration of an affirmative response, whether this is expressed or not. Where *Because* is not suitable in translation, one of the following will normally be needed:

> *Why, ... (even)...*
> *Yes, and... (too).*

> —Pero ¿tú qué sabes?
> —¡Como lo vi con mis propios ojos! [= *Lo sé porque lo vi...*]
>   (A. Alonso, 1925: 150)
> '*How do you know?*'
> '*Why, I saw it with my own eyes!*'

> —¿Es posible?
> —Como que yo lo vi.   (*Esbozo*, 551)
> *Yes, and I saw it too.*

> —Y ha intentado comprármela.
> —¿Es posible?
> —Y tan posible. Como que me ha ofrecido dos mil pesetas.
>   (MM, 1967: 245)
> *I'll say! Why, he's even offered me two thousand pesetas for it!*

NOTES

1. For the use of *como que* as an equivalent of *como* or *porque*, see 5.25.

2. An even more emphatic use of *como que* occurs where a preceding *parece* (see 4.32.3) is omitted:

> Con ella [= *la carta*] en la mano se presentó ante Luzardo, diciéndole: —Ya como que reventó la cosa, doctor. Esto es del juez para usted.   (RG, 190)

3. Exclamatory sentences beginning with *Con decir(te) que* and lacking a main finite verb fulfil an emphatic clarifying or explanatory function broadly similar to the extended use of *como que* described above. The 'full' version *(Con decir que... ya está dicho todo)* is less common:

> —Pues verá, nuestra historia es bien corta... ¡Con decir que no llega al siglo! Nuestra Iglesia nació en Inglaterra.
>
> (JFS, 1971: 23)
>
> *Well, you see, our Church has a very short history. Why, it isn't even a hundred years since it was founded, in England.*

> —Si no se tomaba la píldora... no se dormía. Con decirte... que una noche se levantó a las tres... a buscar una farmacia... está dicho todo. (MD, 1967: 33)

REPLACEMENT OF VERB FORMS BY STEREOTYPES

4.10 There are three colloquial types of replacement of either the finite verb or of the present participle of a progressive tense by stereotyped forms. All are used to indicate a particular *intensity* with which an action is carried out.

4.11 To indicate the intensity or duration of an action in the present or past, a pattern consisting of the second person singular imperative form of the verb followed by *que* and either a repetition of the same verb form or the second person singular of the future tense may replace a present participle or, less frequently, a complete present or past tense. The pattern, which also allows the optional inclusion of the pronouns *te* or *le* before the second verb form and, in American Spanish, the replacement of *que* by *y*, can be more clearly described in a schematic way, using *esperar* as a model verb:

$$
(está/estaba, \text{ etc.}) \left\{ \begin{array}{l} espera\ que\ (te)\ espera \\ espera\ que\ (te/le)\ esperarás \\ espera\ y\ espera\ [Am.\ Sp.] \end{array} \right.
$$

Very often the exclamatory form *dale* (and occasionally the formula *erre que erre*) is used as a stereotype representing some other verb. Here the patterns possible are:

$$
(está/estaba, \text{ etc.}) \left\{ \begin{array}{l} dale\ que\ dale \\ dale\ y\ dale\ [Am.\ Sp.] \\ dale\ que\ le\ das \\ dale\ que\ te/le\ darás \\ dale\ que\ te\ pego \end{array} \right.
$$

201

A suitable English translation must indicate the insistent nature of the action (e.g. *He waited and waited; He kept on waiting; He tried for all he was worth; He is always/constantly waiting*).

Examples where the pattern replaces a present participle, with *estar* (or ellipsis of *estar*), equivalents of *estar*, and with other main verbs:

—Estaba espera que te espera, a ver si vendría y no vino.
(Beinhauer, 357)
I waited and waited to see if he would come, but he didn't.

—Es que son las mujeres más aseadas que he visto en mi vida. Lucha que te lucha contra el polvo, las manchas y el desorden.
(FGP, 1971 *a*: 70)
They are the most houseproud women I've ever seen. Forever battling against dust, stains and untidiness.

—Se había quedado mira que te mira.   (JCE, 122)
He had stood there staring hard.

—Yo me paso todo el día trabaja que trabaja, y tú al menor descuido sales de cotilleo.   (APA, 1965: 76)
I spend the whole day working hard and as soon as my back's turned you go out for a gossip.

—¡Vaya una basura de calcetines! ... Lo barato es caro... Una, cose que te coserás..., y enseguida, otra vez rotos.   (DM, 1967: 159)
... I'm forever darning them... and they get holes in them immediately.

—Las ocho ya. ¡Válgame! Y yo aquí habla y habla.   (RU, 1964: 5)
Eight o'clock already! Good heavens! And here am I going on and on!/... talking my head off!

—Tengo pena por la perra Malpapeada, que anoche estuvo llora y llora.   (MVL, 1968: 173)

—... me levantaba de madrugada... y dale que dale, sin parar hasta las doce de la noche.   (AE, 84)

In the following two examples, the stereotype refers to past action:

—Lo que ruedan estas monedas. Se me cayó una en la Cibeles y corre que te corre.   (APA, 1965: 76)
How these coins roll! I dropped one in Cibeles Square and it rolled and rolled.

—Y después ha empezado con lo de siempre... Y yo sin chistar, como me ha aconsejado don Carlos, pero ella, dale y dale.
(EB, 20)
And then she brought up the usual complaints. I didn't say a word, as Don Carlos advised me, but she just went on and on.

NOTE

For the exclamatory ritual function of *dale que dale*, see 1.22.5; for *dale con*, see 2.6.1.

4.12 A further stereotyped way of indicating persistent action in the present or past is by using the patterns *(estar) venga a* + infinitive, or, less frequently and mainly in popular or dialect use, *(estar) venga de* + infinitive. Although these occur as replacements for a present participle, they are more usually found as equivalents for a past or present tense according to context.

—Estaba venga a mirarme, y no decía nada.   (Moliner, II: 1505)
He kept on staring at me and I didn't say anything.
—El camarero, venga a traernos botellas, y nosotros, venga a beber.   (R. Fente Gómez *et al.*, 1972 *b*: 65)
The waiter kept on bringing us bottles and we just kept on drinking.

Cuando hablaba desde el púlpito, solía ponerse muy nervioso:
—Venga a enseñar brazos, piernas, hombros... y otras cosas que no quiero mencionar por respeto a esta santa casa.
(MS, 1968: 8)
You go around all the time with bare arms, bare legs, shoulders... and other parts which I prefer not to mention out of respect for the House of God.

—Y yo trabajaba mucho. ¡Venga a coser! ¡Venga a coser!
(MM, 1967: 389)

—Bueno, pues tú, venga de tirarle de la lengua, con que si ganaba mucho o poco, calentándole la cabeza.   (MD, 1967: 54)

—El señor cura... está venga de machacarle al novio para que se vaya...   (FGP, 1981: 44)

... y ahora venga de dar premios... a las memorias de la guerra civil.   (*Hermano Lobo*, 22-3-75)
... and now they keep on giving prizes for Civil War Memoirs.

NOTES

1. Occasionally, to indicate the existence of a large quantity of objects *vengan* + plural noun is used:

—Y por detrás vengan rascacielos y una avenida que no se la salta un torero.   (MD, 1966: 197)
And behind there were masses of skyscrapers and a fantastically wide avenue.

(However, for a different use of *vengan* + plural noun, see 1.22.4 Note.)

2. The close equivalence of the verbal patterns described in 4.11 and in this section is well illustrated by the following example (taken from a play by S. and J. Álvarez Quintero) quoted by W. Beinhauer (1978: 68). The absence of *a* after *venga* may simply reflect its assimilation in speech by the last vowel of the verb form.

—La coge la criada y llora que te llora..., la coge su hermana mayor y venga llorar y venga llorar...
The maid picked her up and she bawled her head off. Her elder sister picked her up and she kept on bawling her head off.

3. Also used to denote continued and constant action is the pattern noun + *va,* noun repeated + *viene:*

—Y palo va palo viene. Pero yo nanay.   (LMS, 46)
And they kept beating me but I kept my mouth shut.

—Lo cierto es que trago va trago viene terminé un poquillo mamado.   (MD, 1966: 213)
The truth is that I kept on drinking and finished up a bit sloshed/smashed.

4.13 The third type of replacement of a verb form by a stereotype is *mucho* + infinitive, or, less frequently, *mucho* + noun or *tanto* + + noun/infinitive. Since these structures are usually followed by a contrasting *pero* or *y* clause (and in other cases a *pero* link is *implicit* in the sentence), the general effect of the pattern is that of a concessive sentence, usually of a critical or complaining kind. The time reference is frequently to a generalized or habitual present. Possible English translations are:

You may... a lot, but...; It's all very well to... but...

—Mucho hablar de negocios, pero apuesto a que entre todos no tenemos dinero para jugarnos una quiniela.   (AML, 1965: 770)
This talk about business deals is all very well, but I bet that between us we haven't got enough money to have a bet on the football results.

—... que mucho predicar tolerancia y después hacéis lo que os da la realísima gana ...   (MD, 1967: 110)
You talk a lot about the need for tolerance, but then you go and do whatever you damn well like.

—Mucho criticar a la Silvia por lo de las cartas, y mucho amenazar al Nando, pero en cuanto nadie lo ve, allí está él a que le lean el porvenir.   (MS, 1968: 213)
He likes criticizing Silvia for going to the fortune teller and he likes threatening Nando, but as soon as no one is looking he goes off and gets his own fortune told. / He's always criticizing Silvia...

Mucho ruido y pocas nueces.
Mucho ado about nothing.

Mucha plancha en la ropa, pero los trajes les caían flojos y sin gracia.   (JLCP, 155)
In spite of all the ironing, their suits were baggy and far from smart.

—¡Qué tontos sois los hombres, y tú, el más tonto de todos! Tanto hablar de él, tanto ponerle verde a sus espaldas y, cuando vas a su casa, con dos palabras y un cigarro os engatusa.
(JFS, 1967: 32)

You men are so stupid, and you're the stupidest of the lot. After all your talk and criticism of him behind his back, as soon as you visit his house, he gets you round his little finger with a few words and a cigarette.

—Tanto trabajo y esta noche vendrán los barrenderos y se acabó.
(JC, 1970: 420)

All that work and tonight the street cleaners will come along and sweep it all away.

REPLACEMENT OF INTRODUCTORY VERBS

4.14 Also common as colloquial sentence structures and serving to reflect the speaker's feelings, are those in which an introductory standard 'personal' verb of belief, judgement or emotion (e.g. *Supongo que, No sé si, Espero que, Me alegro de que,* etc.) or a so-called impersonal verb (e.g. *Es posible que, Parece que,* etc.) is replaced by other elements. The replacement of such introductory verbs by adverbial and other expressions, although resulting in a different shape to such sentences, can be seen as offering further colloquial alternatives for the expression of such subjective needs as tenuous or qualified belief, hope, doubt, certainty, relief, advising and warning.

Some of these replacements, which take the form of detachable colloquial *adjuncts* have already been dealt with in 3.20-3.22 (e.g. *a lo mejor, afortunadamente*). The remainder are listed here because they are clausal in form and/or are an integral part of the sentence in which they occur.

NOTE

For other colloquial alternative for introductory verbs of belief and emotion, see 4.25-4.28.

4.15 *A ver si*

Apart from other more literal uses of *a ver si* (i. e. as a variant for *vamos a ver si* and *para ver si*), the construction is very commonly used to introduce speculations on the part of the speaker. Many nuances of meaning are possible but all of them are connected with some form or combination of hoping, wondering, doubting, fearing and, particularly if the following verb is addressed directly to the listener, suggesting or even ordering. The tone conveyed may sometimes be impatient or indignant. In view of the extremely wide scope covered by this construction, a variety of English translations are possible, including:

I wonder; I hope; May I suggest...? Why don't you...? I doubt whether.

For convenience, the examples that follow are grouped according to the ending of the accompanying verb.

First person forms:

—A ver si llegamos a tiempo.
I wonder if we'll arrive in time.

—Entonces mañana daremos otra vuelta a ver si encontramos otra cosa que te gusta más.   (MM, 1967: 524)
[This is very close to the literal meaning of 'in order to see if', but there is still an implied 'perhaps'.]

—¡Vamos, ¡a ver si nos quedamos aquí todo el día!
(FDP, 1972: 62)
[Here the speaker is a driver impatiently waiting for the traffic lights to change to green.]
Really! I hope we're not going to be stuck here all day! / Hurry up and change, lights!

Third person forms:

—A ver si es verdad que sabe tanto como quiere saber.
(RSF, 1965: 67)
—A ver si llueve de una vez.
—¡Ya es hora!   (AML, 1965: 947)
'Perhaps it'll hurry up and rain.'
'It's about time!'

—A ver si te oye alguien.
—Me tiene sin cuidado.   (JLCP, 224)
'Careful, someone may hear you.'
'I don't care if they do.'

—Díselo a tus padres cuando vayas a tu casa, a ver si la quieren cambiar...   (JAZ, 1973: 163)
... they may want to change it./... perhaps they'll change it.

Second person forms:

—A ver si esta tarde te dejas caer un rato por aquí.
(RSF, 1965: 12)
Why don't you come round here for a while this afternoon?

—A ver si escribes pronto.   (E. Lorenzo, 128)
Write soon. / I hope you'll write soon.

—A ver si os hacéis daño. (overheard in Madrid)
Mind you don't get hurt. / You'll get hurt if you aren't careful.

—¡A ver si se cree que yo no tengo tanta prisa como usted por llegar a casa antes de que empiece...! (*Ya*, 23-3-73)
I suppose you think... / I hope you don't think... / You surely don't think...

NOTE

Similar in function are sentences beginning with *a ver* + interrogative word (especially *qué* and *cuándo*). (See also 4.8.2 Note 4):

—A ver qué dice ese señor inglés sobre la merienda. Requirieron el libro. (JAZ, 1973: 377-378)
I wonder what... / Let's see what...

—Vas al pueblo, ¿no? A ver qué dicen por allí.
—¿De la mujer muerta?
—Pregunta a Raimundo. (JGH, 7)

—Desde la última huelga de metalúrgicos la gente se sindica a toda prisa. A ver cuándo nos imitáis los dependientes.
(ABV, 1963: 27)
Since the last strike by the metalworkers, people have been rushing to join the unions. When are you white collar workers going to follow our example? / Why don't you follow...?

4.16 As equivalents for the verbal expresion *es posible que*, standard Spanish has *quizá*, *quizás*, *tal vez* and *acaso*. Particularly colloquial, however, are the forms *a lo mejor*, *igual* and *lo mismo*. Moreover, unlike the standard equivalents, which are either followed by an indicative or a subjunctive verb form, these three colloquial variants are ONLY followed by the indicative. For examples of these variants, which are used as adjuncts, see 3.21.1.
Less frequently the following *verbal* equivalents of *es posible que* are found:
puede que, *pueda ser que* and *pudiera ser que*. (As ritual responses, *pueda ser* and *pudiera ser;* less often, *pueda* and *pudiera*.)

—Puede que la acompañe. (ABV, 1964: 100)

—¿Cuándo vinimos?
—Serían las tres..., o puede que las cuatro. (AS, 1967 a: 952)

—Sé bien que mi nombre, en las historias de estas tierras segovianas, ocupará no más que un minúsculo rinconcillo, pudiera ser incluso en letra pequeña y a pie de página. (CJC, 1971: 347)

—Quizá venga mañana.
—Pueda ser.

—¿No hay nada serio ahora?
—Pudiera ser.   (ABV, 1963: 30)

—¿Y tú qué crees?, ¿que Fernando va detrás de Mely?
—Pudiera.   (RSF, 1965: 77)

4.17 Other clausal colloquial equivalents of standard introductory verbal expressions of assumption, deduction and qualified belief (e.g. *Parece que, (No) Es probable que, (No) Creo que*) are as follows. (For non-verbal independent adjuncts see 3.21.2 and 3.21.3.)

Se conoce que *Está visto que*	*Apparently; Obviously* [deduction]; *Presumably*
Es fácil que *(Es) Capaz (que)* [*Am. Sp.*]	*Probably; It's likely that*
Es difícil que *Difícilmente*	*It's unlikely that*
Malo será/sería que no + subjunctive	*I'd be surprised if... / Il would be very bad luck if... not...*

—El fotógrafo no está en casa.
—Se conoce que no.   (PB, 1954: 196)

—Está visto que, tal como está el mundo, uno no puede vivir su vida.   (MD, 1972: 30)

—Como ya dije anteriormente, es muy fácil que ambos cónyuges sean de la misma edad.   (FDP, 1971: 170)

—Capaz que llueva en seguida.   (C. E. Kany, 421)

—Entendernos no podemos, amigo. Pero si es asunto de negocios, podemos, capaz, acordar algo.   (JMR, 195)

—¿No nos hemos visto en ningún otro lado?
—Es difícil que lo hayas visto, Mariví. Sebastián no va al cine, no va al teatro, no va a cafés, no va a bailar.   (MM, 1967: 112)

—Según ella, agrada como peina, y como fija unos precios arreglados, malo sería que no se haga una parroquia.
                                                           (MD, 1966: 304)
According to her, women like the way she does their hair and since prices her are reasonable, I'd be surprised if she doesn't get a nice lot of customers.

4.18 Common colloquial equivalents for introductory verbs indicating certainty or near certainty are *Claro que* (see also 1.9 and 1.12), *Seguro que* and *Seguramente (que)*. In addition, there is the introductory expression *¿A que?*, which corresponds to English *I bet...* or *How much do you bet that...?* The verbless responses *¿A que sí?* (3.24) and

¿A que no? refer back to the verb in the *preceding* sentences and are best translated by stressed auxiliary or modal verbs (e. g. *I bet he* **DID/ IS/COULD**, etc.; *I bet she* **DIDN'T/ISN'T/COULDN'T**, etc.).

—Claro que te daré lo que pueda, pero tendrás que ahorrar mucho.
Naturally, I'll give you what I can, but you'll have to save hard.

—Seguro que su hija lo habría hecho muchas veces en el mar.
(FGP, 1981: 9-10)

—Pero ¿quién dijo eso? Seguramente que fue Valentina.
(GC, 214)

—¿A que sé cómo te llamas? Lo he soñado esta noche...
(AML, 1965:771)

—¿A que no sabéis cuántos resultados?
—¿Trece?
—¡Catorce! (LO, 1968: 87)

—No lo sabes.
—¿A que sí?
'I bet I **DO***.' / What's the betting I don't?*

NOTES

1. The interrogative punctuation which always accompanies written versions of *¿A que?* [not *qué*, notice] seems to reflect the origins of this structure, whether it comes from the standard question pattern *¿Cuánto va a que...?* (Beinhauer, 394) or from the pattern *¿Qué te apuestas a que...?* (Moliner, I: 2).

2. For *¿a que sí?* as an adjunct, see 3.24.

3. For the use of *claro* and *seguro* as adjuncts, see 3.21.3.

4.19 Two other colloquial types of alternatives for introductory verbs of emotion and judgement are worth noting. Those of the first group, consisting of or deriving from exclamations, express happiness, relief or sorrow (4.19.1), while those of the second group, mainly used in American Spanish, indicate the advisability of a course of action and may also function as variants for the imperative (4.19.2). An additional feature of interest is that after these expressions, the indicative is either required or optionally possible. (See 4.31.)

4.19.1

¡Qué suerte que...!	
Menos mal que	*Fortunately; Thank goodness;*
Por suerte que	*It's a good job (that)*
Gracias a Dios que	

¡Qué lástima que...! }
¡Qué pena que...! }   *What a pity (that)*

—:... Ayer no tenía gasolina y me acerqué a pedirle. Menos mal que fue poco tiempo, pero no me dejó ni respirar durante su discurso.   (JGH, 135)

—Le tuve que prometer. Me arrancó la palabra. Por suerte que no se trata de una gran cuota. Ocho pesos y centavos.

                  (EB, 492)

—¡Gracias a Dios que se ha acabado el curso y que puede uno encerrarse unos días en casa...!   (MU, 1958 *b*: 629)

—Ah, qué suerte que vino, señor Budiño.   (MB, 1968: 106)

NOTE

Rather different is the use of *gracias a que* as a compound conjunction combining reason and judgement (=*fortunately*). In English, *thanks to the fact that* will be the usual translation:

«Hoy, viernes, ya me encuentro bastante mejorado, gracias a que todos se han portado muy bien, médicos y enfermos.»

        (Cambio 16, 7-10-79: 89)

4.19.2 The basically American Spanish use of *mejor* followed by the indicative, the subjunctive or the imperative in the constructions shown below corresponds to English sentences containing *better* (e.g. *I/I'd better go now*), *Why don't you...?*, or an imperative:

Mejor me voy	*Mejor vete*
Mejor me vaya	*Mejor no te vayas*
Mejor nos vamos	*Mejor se vaya (usted)*
Mejor nos vayamos	*Mejor que te vayas*
	Mejor que no te vea

—Mejor sales del cuarto hasta que votemos.   (MVL, 1972: 200)
You('d) better leave the room until we've voted.

—Mira, creo que mejor lo dejas para mañana. Ya es un poco tarde...   (GCI, 1971: 81.

—No le oigas [= *escuches*] a tu madre; va a exagerarlo todo.
—¡Tú, mejor te callas!   (EW, 160)
You ('d) better shut up!

—Mejor no ponga el disco —aconsejó Gregorovius.

                 (JC, 1970: 171)
'Better not put the record on,' G. advised.

—Está durmiendo... Mejor que lo dejés [*vos*].   (ES, 1965 *b*: 72)

—Mejor averigüemos de una vez qué les pasó —dijo Santiago—.
Voy a llamar por teléfono.   (MVL, 1972: 195)

—Mejor nos ponemos a trabajar en seguida.   (JC, 1970: 357)

NOTE

The following example of a past tense is explained by the fact that
the thought is *reported:*

> —Estuvo aquí la señora de don John..., pero mejor no hubiera
> venido porque no la pude atender bien.   (MAA, 1968: 42)
> (This also shows a possible origin of the sentence pattern des-
> cribed in 2.26.1)

TENSE VARIATION

4.20 The specific colloquial use of certain tenses as equivalents of,
or replacements for, other tenses is a large and important topic, not
least from the point of view of comprehension. The simplest way of
presenting these multiple uses is to start with the tense *form* and
illustrate its specifically colloquial functions. In sections 4.21-4.28, therefore, we shall be examining colloquial uses of the present tense, the
present and imperfect progressive, the imperfect, the future and related tenses (i.e. the conditional, future perfect and conditional perfect)
and, finally, those tenses of the verbs *ir a* and *haber de* which have
particular colloquial functions.

4.21   *The Present Tense*

4.21.1 The present tense forms are very frequently used to refer to
future events, with or without a specific time reference in the sentence
itself. Since this is one of the best known and documented characteristics
of this tense, no great amount of exemplification is necessary here.

> —Pero tú no te preocupes, que yo encuentro trabajo.
> —Pues claro que lo encuentras. Resistiremos una vez más las ca-
> lamidades y saldremos a flote como siempre.   (AS, 1967 a: 146)

> —Dame a mí. Yo lo hago, verás.   (RSF, 1965: 163)

4.21.2 The present tense is also used in questions and statements to
indicate a suggestion, a request, instructions or an order. The inclusion
of a subject pronoun often adds a brusque, impolite or peremptory
tone to the sentence.

> —¿Abro la ventana?
> *Shall I open the window?*

> —¿Me pone un café, por favor?
> *A coffee, please.*

—Pedro, ¿quieres callarte?   (AS, 1967 a: 203)
Pedro, will you please shut up?

—Escucha..., si la pensión de tu madre no te llega, nos lo dices.
—Bueno.
—Pero dínoslo.   (JFS, 1957: 16)

—Pero no se preocupe. No tenemos prisa.
—De todos modos, si pasa algo, se asoma a la ventana de la co-
cina y da un grito.
—Descuide. Daré todos los gritos que sean necesarios.
(MM, 1967: 251)

Amigo: —Es cierto, señora.
Frida: —Usted se calla.
Crock: —Frida...
Frida: —Y tú también te callas.   (CM, 143)

4.21.3 As in English, the present tense may be used as a popular or
'gossipy' narrative past tense. In this sort of usage, the narrative,
whether in the past or present tenses, may be reinforced by the addition of *va y/fue y, coge y/cogió y,* and (mainly in Argentina), *agarra y,*
which are more or less equivalent to English *go and* or *ups/upped and
And he goes and(says)..., And he upped and left.* Notice also in the
first example below the addition of a relative *que* (see also 5.19.3).

—Pues al oírle me dio como un calambre y la silla que se me cae
de las manos.   (JCE, 122)
*Well, when I heard him I got a sort of shock and I dropped the
chair I was carrying.*

—Entonces llegan esos dos detectives y me asustan y me revuelven
el cuarto.   (RM, 1971 b: 37-38)

—Me cuentan lo que sucedía, y entonces agarro y salgo a la calle.
(Seco, 19)

—Va y me dice que le ayude.   (Moliner, II: 170)

—¡Ella que va y me da dos pesetas pa [= *para*] traer aceite, y voy
y las pierdo!   (Keniston, 203)

—Oye, Genovevita, chata —fui y le dije—, ¿a ti qué te parece?   (Sara Suárez Solís, 134)

4.21.4 The following are idiomatic colloquial uses of the present tense:

a) The present tense of *llevar,* when followed by a time expression
and either a present or past participle, *sin* + infinitive or an
adjective, is a variant for the constructions *Hace* + time expressión + present tense and present tense + *desde hace* + time
expression.

English translations: *I have been + -ing/-ed for (two years).*
I haven't + -ed for (two years).
I have been + adjective for (a week) (now).

—Lleva muchos años viviendo en Sevilla.
He's been living in Seville for many years.

—Llevo año y medio encerrada en una jaula como si fuera una rata.   (HQ, 78)
I've been shut up in a cage for eighteen months as if I was an animal.

—Lleva más de un mes enfermo.
He has been ill for more than a month.

—Tengo ganas de dormir. Llevo tres días sin desnudarme.
(RJS, 1970: 222)
I want to sleep. I haven't taken my clothes off for three days.

b) After *por poco (just about, very nearly, jolly nearly)* as a familiar variant for *casi* accompanied by a past (preterite) tense:

—Me tiró un tiesto que por poco me aplasta.   (Beinhauer, 366)
... that very nearly flattened me.

NOTES

1. In American Spanish, and particularly in Mexican and Central American Spanish, *tener* is used with the same function as *llevar* above in the following constructions:

tener + time expressión + adverb/present participle
tener + time expression + *de/sin* + infinitive
tener + time expression + *de* + past participle

—Tengo dos años aquí.   (C. E. Kany, 229)
—Tengo más de seis años de leer *Visión*, ya que un amigo la recibe y él me la presta...
(letter from Honduran student, *Visión*, Mex., 23-3-81: 3)

—Tengo mucho tiempo queriendo a la morena, señor gringo.
(CP, 97)

—¡Tengo tiempo sin verlo! El año pasado...   (SG, 123)

2. An idiomatic use of the present tense of the verb *venir* often replaces a past tense:

—Hola, Pablo. Aquí estoy. Vengo a charlar contigo.   (AS, 1967 a: 96)

4.21.5 In conditional *(if)* sentences, the present tense may be used colloquially as a replacement for both tenses in standard sequences of the type *Si lo hubiera sabido no habría venido,* or as a replacement for the main verb in sequences of the type *De háberlo sabido no habría venido.* Less frequently, a present tense may replace both tenses in sequences of the type *Si tuviera dinero iría.* Such simplifications

213

of the tense system have been seen by some commentators as inspired by a desire for more vividness or greater dramatic effect in dialogue. Obviously, accurate comprehension and translation of such tense usage, which alters the *explicit* time references, will depend on other information present (e. g. adverbial expressions of time), or on the context.

—Si lo llego a saber en aquel momento, me muero.   (LO, 1968: 105)
If I'd found out at that time, I'd have died.

Al final [*de la carta*] lloraban el padre y el hijo.
—Si sé, no os la leo —les anunció la madre.   (JAZ, 1973: 21)
If I'd known, I wouldn't have read it to you.

—Cuando la guerra, si no anda listo, le dan dos tiros el primer día, cuando bajaron los asturianos.   (JFS, 1967: 28)
... if he hadn't had his wits about him, they'd have executed him on the spot...

—De haberlo sabido, no me caso.
If I'd known, I wouldn't have got married.

—Una guerra es una guerra, y en las guerras esas cosas no tienen importancia; peor hubiera sido si le llevan un brazo o un pie.
(JAZ, 1972: 519)
... he'd have been worse off if he had lost an arm or a leg.

—Burgos, que es la cabeza de Castilla, si lo ve usted ya no lo conoce.   (JAZ, 1973: 414)
If you were to see Burgos, which is the capital of Castile, you just wouldn't recognize it any more.

4.22   *The Present and Imperfect Progressive Tenses*

4.22.1 Preceded by *ya*, the present progressive tense may be a brusque alternative for the imperative.

—Y tú pasmado, ya estás yendo por el periódico.   (CJC, 1963: 30)
And you can clear off and fetch the paper, you fool.

—Ya te estás largando —continuó el camarero.   (JLCP, 36)
On your way with you...

NOTES

1. Occasionally, the *ya* + present progressive may convey a vivid future reference:

—Si don Florentino quiere, mañana ya estás trabajando —aseguró.   (ALS, 73)

2. For the use of a present participle on its own as an imperative, see 1.22.7.

214

4.22.2 Also preceded by *ya*, the present or imperfect progressive tenses may indicate disapproval of an action (often an habitual one) or they may add vividness to a narrative. In English: *He 's always + -ing, There (s)he goes..., He immediately...*

> —En cuanto se muere, se casa o se pone malo alguno de los de arriba de este Ayuntamiento, ya está don Prudencio escribiéndole una carta. (JFS, 1967: 85)
> *As soon as any of the imprortant members of the Town Council dies, gets married or falls ill, Don Prudencio immediately dashes off a letter.*

> Apenas cien palabras, y ya estaba don Cecilio poniendo incómodos a aquellos enseñantes. ¿Qué sabía él de sus ideas y sus gustos? (RC, 1974: 20)

4.22.3 Particularly with verbs of perception (most often with *ver*), the present progressive tense is used as an emphatic or inceptive form of the present: *I* **SEE**; *I can* **SEE**; *I'm beginning to see*. The imperfect progressive may be similarly used.

> —Oiga, pero ¿me quiere usted decir a qué ha venido?
> —A verle a usted.
> —¡Pues ya me está usted viendo! (JMB, 378)

> —El hombrecillo estaba teniendo la extraña virtud [= *quality*] de inquietarme. (EV, 72)

> —Álvaro es un tipo de exposición. Y baila de miedo...
> —Pues a mí ya me está pareciendo demasiado idiota.
> (AML, 1965: 1014)

> —Esperá un poco. *(Se acerca lentamente y lo enfrenta.)* ¿Estás queriendo decir que todo fue pura invención tuya?
> —No. Eso no. (CG, Arg., 1971: 167)

NOTES

1. *ir* may be used with *yendo* in colloquial Spanish with some of the functions of *estar*, particularly the inceptive (above) and as an imperative (4.23.1). See also 4.4 Note.

> —Yo me voy yendo ya con esto, ... no se deshaga. (RSF, 1965: 106)
> *I'm taking these back before they melt.*

> —[*Usted*] Se va yendo o si no... (CG, Arg., 1971: 182)
> *Get going, or else!*

2. The use of *va siendo* in the following example is related to the above uses:

> Don Cristóbal se levantó.
> —Ya va siendo hora de irnos para casa, ¿no? (MBU, 187)

215

The principal variant uses of the imperfect tense in colloquial Spanish are as equivalents of the conditional, the conditional perfect and other compound tenses.

4.23.1 In conditional sentences of the type *Si tuviera dinero, lo compraría*, the imperfect frequently replaces the conditional main verb, but, unlike the present tense (4.21.5), it does not replace a *subjunctive* subordinate verb.

> —¡Si yo fuera secretario de este ayuntamiento, le echaba del pueblo!   (JFS, 1967: 32)

> —Si tuviera dinero se lo compraba.   (CM, 159)

> —Si de mí dependiese, usted y su novia se casaban mañana mismo.   (CJC, 1963: 190)

This replacement may still take place when the sentence contains an adverbial equivalent to a *si*-clause:

> —Yo en tu lugar no le aguantaba semejante grosería.
>   (Keniston, 185)
> *If I were you, I wouldn't allow him to be so rude to me.*

NOTE

In the following *si*-sentence, the pluperfect in the main clause is equivalent to a conditional perfect:

> —Si a mí me hubieran dado una ocasión así para no casarme, Manuel, de un salto de gusto ya me había sentado en el coche y a estas horas cruzaba el [río] Guadalete...   (FGP, 1981: 44)

4.23.2 The imperfect tense of the verbal periphrases or modal auxiliary verbs *deber (de)*, *tener que* and, particularly, *poder*, may be used as colloquial alternatives for the conditional tense of these verbs and for the compound tenses *debería haber (ido)*, *podría haber (ido)*, and *tendría que haber (ido)*. Other colloquial alternatives for these compound tenses consist of the imperfect of these verbs followed by a perfect infinitive (e. g. *podía haber llamado*).

> —Yo creo que ya podíamos bañarnos.
> —Espérate, hombre...   (RSF, 1965: 31)
> *I think we could have a swim now.*

—¿Por qué no quieres que vayamos a otro médico?
—Nada. Esto no tiene arreglo; es de la edad... y de las desilu-
siones.
—¡Tonterías! Podíamos probar...   (ABV, 1963: 76-77)
Rubbish! We could try.

—No debía consentirse eso.   (Moliner, II: 1472)
He shouldn't (have) allow(ed) that.

—Yo tengo hambre...; creo que debíamos de ir pensando en comer.   (RSF, 1965: 70)
I'm hungry. I think we should start thinking about having something
to eat.

—Ella tenía que ser más comprensiva.   (Moliner, II: 1472)
She should have been more understanding.

4.23.3 The imperfect may also be used as a variant for the conditional
tense outside the categories described in the preceding sections. In the
first example below, the imperfect is merely the reported version of
a present tense with future reference. In some other cases, a condition
or hypothesis may simply be implied.

—Charlaban de vosotros y me dijeron que, a lo mejor, se acercaban a veros.   (JGH, 120)
... perhaps/maybe they would drop by and see you.

—Valías para modelo.   (RSF, 1965: 20)
You could be a model.

—Mira, yo soy mejor de lo que crees. Hasta de dejarte con la Tere
era yo capaz.   (ABV, 1964: 88)
I'd even be capable of leaving you with Tere [if I had to].

—Otro Santo Oficio es lo que hacía falta para limpiar el país de
esa contaminación.   (Esbozo, 468)
It would need another Holy Inquisition to rid the country of this
contamination.

4.23.4 The following idiomatic uses of the imperfect are associated
with specific verbs or patterns:
The imperfect of *llevar*, when followed by a time expression and
a present or past participle, an adjective or *sin* + infinitive, is a variant
for the constructions
   hacía + time expression + *que* + verb
   verb + *desde hacía* + time expression

(e. g. *Estudiaba el español desde hacía tres años*). (See also 4.21.4.)

—Ya llevaba seis años estudiando la materia.
He had already been studying the subject for six years.

Llevaba dos meses enfermo.
He had been sick for two months.

Llevaba dos días sin dormir.
He had not slept for two days.

217

decía (usually preceded by emphatic *ya* (3.5) and which should be *translated* as *I* **THOUGHT** or *I* **TOLD** *you*) and *venía* may replace the perfect or preterite tenses *(dije, he dicho; vine, he venido)*. In questions, the imperfect of *decir* and other verbs may be used deferentially instead of the preterite.

> —Ya te decía yo que no era su hermana.

> —Ya te decía que era mejor dejar todas esas cosas.   (CM, 159)

> —Nos vamos en seguida. Precisamente venía a recoger la silla, porque aquí no la voy a dejar durante la noche.
> (ABV, 1964: 120)
> —¡Mauricio! Me alegro de verlo. Pase, pase.
> —Venía sólo a preguntarte si...   (RU, 1964: 46)

> —¿Decía?
> *You were saying?*

> —¿Llamaba usted, señor?
> *Did you call, sir?*

quería and *deseaba* are used deferentially as alternatives for the present tense (cf. the similar functions of *querría, quisiera* and *desearía*):

> —Quería preguntarle si me podría dejar mil pesetas.

> —¿Qué deseaba usted?

NOTE

As noted in 4.22.4 Note 1, in American Spanish the imperfect of *tener* is used with the same functions as *llevar* above:

> Tenían tres meses de no cobrar sueldo.   (C. E. Kany, 230)
> Cuatro años tenía sin verlo.   (C. E. Kany, 229)

4.24   *Other Past Tenses*

Other minor variations, affecting the preterite and pluperfect are described below.

4.24.1 For translation purposes, there is a broad correspondence between, on the one hand, the Spanish preterite (e. g. *Habló*) and the English simple past tense (e. g. *He spoke*) and, on the other, between the Spanish and English perfect tenses (e. g. *He hablado: I have spoken*). In such cases, the former tenses are used for more 'remote' past actions or states and the latter tenses for those which the speaker sees as more closely related to the present (at the time of speaking). However, the correspondence is far from complete. For example, in questions, a Spanish preterite may be translated as *did* + verb or as a perfect tense (*have* + past participle) depending on the context and on the speaker's viewpoint:

—¿Tú oíste algún disparo?   (A. Barrera-Vidal, 203)
Did you hear a shot?

—¿Llamaron ustedes?
Did you call?

—¿Lo terminaste (ya)?
Have you finished it (already)?

[Also possible in American English: *Did you finish it (already)?*]

—¿Lo terminaste (ayer)?
Did you finish it (yesterday)?

Also, in non-interrogative sentences, an English *perfect* tense may be necessary to translate a Spanish preterite if the sentence contains an explicit link with the present (in the form of verbs meaning to finish, or adverbs like *ya, aún, todavía, hoy,* etc.) or an implicit link. Such usage is much more widespread in American varieties of Spanish but also seems to be spreading in Castilian Spanish.

—Prepara tus maletas. Se acabaron los estudios en Madrid.
(A. Barrera-Vidal, 227)

—La semana que viene voy a ir al Museo de Arte Moderno. Ya fui al Museo de Bellas Artes.

—No tengas prisa. Y tómate otra copa. ¡Que la fiesta aún no terminó!   (DS, 1965: 21)

—Parece que todavía no vino.   (CG, Arg., 1971: 12)

—Todavía no los usé nunca.   (RMC, 15)

—Este mes estudié mucho.   (J. M. Lope Blanch, 1961: 377)

—Oye, ¿llamaste hoy al profesor López?   (H. Berschin, 546)

NOTE

A second person form of the preterite ending in *-s* is common in certain areas but is considered substandard:

—... ¿no la oístes [*sic*]?
—Oírla, sí la oí.   (JG, 1962: 89)

219

4.24.2 Sometimes, in negative questions, a Spanish pluperfect is better translated by English *Didn't* or *Haven't* rather than a literal *Hadn't*.

—Bueno, ¿no habías dicho que esta noche iba a ser de fiesta para ti?
—Pues claro. Por eso quiero poner la ropa mejor.   (AML, 1965: 368)

4.25   *The Future and Related Tenses*

The future, conditional, future perfect and conditional perfect tenses are commonly used to express questions and suppositions relating to the present and past. The system of time references is as follows:

— future tense refers to present or vague general time;
— conditional tense refers to past time;
— future perfect tense refers to past time related to the present (English perfect tense);
— conditional perfect tense refers to reported or remote past time.

NOTE

The repetitive *Veremos a ver* is an alternative colloquial version of *Veremos (We'll see)*.

4.25.1 In questions, these tenses express the speaker's direct or indirect (i.e. reported) curiosity towards present, past or timeless events. Where an interrogative word is present in a direct question, the English translation will very often begin with *I wonder*. In the case of other direct or reported questions, the translation will often include one of the forms *can, could, may* or *might*.

—¿Qué se sentirá cuando cortan un dedo?
—No se siente nada, sólo le duele a uno.   (JFS, 1967: 23)
I wonder what you feel...

—¿Por qué no me atropellaría a mí en vez de ella ese autobús maldito?   (JAZ, 1973: 97)
Why didn't that wretched bus run **ME** *over instead of her?*

—¿Por qué le habremos dado el dinero?
Why did we give him the money?

—¿Qué habría ido a hacer tan temprano...?   (CMA, 30)
I wonder what he can have intended to do so early?

—¿Será posible que yo... haya heredado tan inmenso caudal?
(Ramsey, 340)
Can it be possible that I have inherited such a fortune?

—No sé lo que ella iría [= *estaría*] pensando.   (AML, 1973: 98)
I don't know what she could have been thinking about.

—... que yo no sé si serían celos o qué.   (MD, 1967: 119)

—... a veces me asusto y pienso si no será una enfermedad.
(MVL, 1973: 70)
...sometimes it alarms me and I wonder if it may be an illness.

NOTE

Occasionally the interrogative pattern ¿*si*? + future (or conditional,
if reported) is found). (See also, 2.21.1):

—¿Si será verdad que he heredado?   (Moliner, II: 1159)

—... no puede ser militar —repitió el hermano—. ¿Si será contra-
bandista?   (R. M. Macandrew, 67)
... I wonder if he's a smuggler.

4.25.2 The same tenses are used to indicate conjecture, supposition
or statements of qualified belief (which may function as cautious or
approximate answers to the question patterns just described). Not
infrequently, such sentences may contain, either before or after these
verb forms, a verb of supposition, an adjunct like *(vamos) digo yo*
(see 3.18.2) or an adverb like *seguramente* (see 3.21.3). For translation,
possible equivalents are varied:

probably; I imagine; I assume; I suppose; must; approximately,
etc.

—¿Qué hora será?
—Serán las dos.
'I wonder what the time is.'
'It must be about two.'

—Serían las tres cuando llegamos.
It must have been about three o'clock when we arrived.

—Me desaparecieron diez mil pesetas.
—Las perderías.   (AS, 1967 *a*: 984)
You must have lost them. / You probably lost them.

—Ya habrás descubierto sus defectos.
I imagine you've already found out his faults.

—Supongo que Zavala estará con usted y que ya le habrá explicado
que todo depende de usted.   (MVL, 1972: 444)

—No me preguntes, papá, no me preguntes.
—Porque alguna razón habréis tenido, digo yo.   (VRI, 1970: 53)
*You must have had **SOME** reason, I imagine.*

221

—¿Quién es?
—Es un vaquero amigo de Pascual; nos vería subir ayer y vendrá a ver quién está enfermo.   (JFS, 1967: 177)
... he must have seen us come up here yesterday and I assume he's come to see who's ill.

—Soy la madre del coronel Aureliano Buendía.
—Usted querrá decir —corrigió el oficial con una sonrisa amable— que es la señora madre del *señor* Aureliano Buendía.
(GGM, 1970: 110)
I assume you mean... that you're the mother of **MISTER** *Aureliano Buendía.*

—Yo no pude encontrar uno de mis zapatos. Algún perro hambriento se lo habrá llevado.   (ARB, 77)
... Some hungry dog must have taken it.

NOTE

For a similar function of *haber de*, see 4.27.3.

4.25.3 An extension of this conjectural use of the future and related tenses occurs when they are used as alternatives for sentences introduced by *es posible que* to indicate a tentative or reluctant admission or concession and they are followed by a contrasting *pero* clause (or when a contrasting statement is implied), the purpose and effect of which is to make the tentative admission sound irrelevant in any case. An equivalent English sentence pattern is:

He may/might (be rich) but (he shouldn't have behaved like that).

A concessive clause with *although* may also be useful in translation.

—¿Por qué Remo no será amable como los otros novios? Mamá tendrá razón, pero yo preferiría otro hombre.   (RA, 1968 *a*: 193)
... Mother may be right, but I would prefer another man.

—... y no será grave si quieres, pero has infringido la ley.
(MD, 1967: 80)
It may not be serious, perhaps, but you **HAVE** *broken the law.*

—¡El petróleo es bueno, Natividad!
—Lo será para otros, para quienes se lo llevan en esos barcos de hierro...   (CR, 159)
[Implied: *but it doesn't do* **US** *any good.*]

—Sería fea, pero tenía una gracia extraordinaria.   (Esbozo, 474)

—Habrá cometido alguna imprudencia, pero en el fondo es honrado y hombre de fiar.   (Esbozo, 472)

The idiomatic intensifying structure *todo lo* + adjective + *que (quiera)* meaning *very* or *as... as (you like)* may follow a copula verb *(ser,* etc.) used in this way:

—Será todo lo egoísta que quieras pero a mí me ha tratado muy bien.
He may be as selfish as you say but he has treated me very well.

4.25.4 A further rhetorical extension of this conjectural use of the future and related tenses of *pensar, creer, querer* and their synonyms is best translated as *I hope,* or *Surely,* both followed by a negative clause, or as

You don't expect (me to...). (See also 4.27.4.)

—¡Yo sé quién fue!
—... ¡No pensará que fue este hombre!   (ABV, 1966: 109)
I hope you don't think it was this man.

—¿Sigues jugando al póker?
—¡Bah! De Pascuas a Ramos... No creerás que este dinero te lo pido por eso. (JCS, 1962: 18)
Oh, very seldom. But I hope you don't think that's why I'm asking you for the money.

—¿Sabes lo que me ofrecieron el otro día por la casa?
—¡No pretenderás venderla!   (TLT, 21)

—¡No habrás pensado quedarte a vivir aquí!   (ACS, 136)

4.26 The following miscellaneous uses of the future and conditional should also be noted.

4.26.1 The future is used at times for giving instructions. As happens with the more frequent use of the present tense with this function (see 4.21.2), the inclusion of a subject pronoun may turn a polite or firm request into a sharp order.

—Saldrás a su encuentro y le dirás que venga.   (Esbozo, 470)
Go and meet him and tell him to come.

—No matarás.   (Esbozo, 470)
Thou shall not kill.

—Tú harás lo que te digan.
You'll do as you're told.

NOTE

For the ritual use of the future of *ver* and *decir,* see 3.15 and 1.7.5, respectively.

4.26.2 In addition to the general use of the conditional to formulate a polite request (e.g. *¿Podría usted decirme sus señas?* or *¿Tendría la bondad de decirse su nombre?* - see 1.4), the following idiomatic uses of the tenses are found:

(se) diría, parecería, and *juraría* are used in place of the present tense to introduce a deferential personal opinion.

> —Se diría que lo sabe todo.
> *You'd think he knew it all. / One would think...*

> —Yo diría que tiene razón.
> *I would say he is right. / It seems to me he's right.*

> —¿No has oído como unos golpes?
> —No.
> —Pues juraría que eran unos golpes.   (CM, 170)
> *I could swear I heard blows.*

> Andaban en la escalera.
> —A lo mejor es Horacio.
> —A lo mejor. Más bien parecería el relojero del sexto piso; siempre vuelve tarde.   (JC, 1970: 167)

No sabría is used as an equivalent of *no puedo* or *no podría:*

> —Siento de una manera vaga, que no sabría explicar, el impacto de la naturaleza.   (JD, 65)

4.27   *Ir a* and *Haber de*

Because of their standard functions as verbal periphrases and their frequent use with varied colloquial functions (some of which have been described in preceding chapters), it is necessary to treat these two verbs separately rather than as a series of notes under the relevant preceding sections on tense usage.

The functions which we may take as standard are the following:

Ir a:

Present tense followed by an infinitive, for future action:

> *Voy a salir.*

Imperfect tense followed by an infinitive, for future action reported:

> *Dijo que iba a salir.*

Haber de:

Present and imperfect tenses followed by an infinitive:

a)   to denote prearranged, destined or known (past) action:

> *Ha/Había de venir el día doce.*
> *He is/was to come on the twelfth.*

b) to denote obligation:

Ha de reconocer la verdad
You have to admit the truth.

Peculiar to colloquial usage, however, are the following functions of these two verbs.

4.27.1 The most common function of *ir a* and *haber de* (usually in the present and imperfect tenses but occasionally in the conditional tense of *haber de*) is in interrogative sentences of emotional denial, rejection and indignation. This use as an emotional response pattern has been described in detail in 2.22, to which the reader is now referred.

4.27.2 The imperfect of *ir a* may be used as an alternative for signalling the conditional (more rarely, the conditional perfect) of a following infinitive. This occurs particularly in interrogative main clauses which follow a subordinate clause containing a hypothesis (i.e. after *si*, *aunque = even if*, etc.), but such usage may also be found in statements accompanied by an explicit *or* an implicit hypothesis. (See also 4.23.)

> —Si yo no fuera buena, Andreíta, ¿cómo les iba a aguantar a todos?   (CL, 35)
>
> —Y si todos pensasen como tú, ¿quién iba a quedar aquí?
> (JFS, 1967: 29)
>
> —Ya sé que aunque te pareciera lo contrario, no me lo ibas a decir.   (RSF, 1965: 65)
>
> —No vengas a casa hasta que yo te lo diga... Es que no me ibas a encontrar, ¿sabes? No quiero que te molestes.   (CL, 152)
> *You wouldn't find me at home [if you came]...*
>
> —Él no valía mucho, pero se llenó de plata con el negocio que le dejó su padre. ¿Quién lo iba a decir?   (RMC, 52)
> *... Who would have thought it?*

4.27.3 In American Spanish, and particularly in Mexico, the present tense of *haber de* is still more frequently used than in Spain to refer to future time. It also retains the corresponding extended function of indicating a supposition or conjecture (see 4.25.2).

> —No ha de tardar mamá. Ya es casi la hora de la cena.   (WC, 53)
> *Mother can't/won't be very long now. It's almost dinner time.*
>
> —Pero una cosa te advierto: tan pronto como vea el cadáver, te lo juro..., que te he de sacar de donde te metas y te mataré con mis propias manos.   (GGM, 1970: 148)
>
> —Entonces has de tener por ahí tus ahorritos debajo de algún ladrillo escondido.   (AGC, 102)
> *Then you must have your savings hidden under a brick.*

4.27.4 The future of *ir a* is not infrequently used, particularly when followed by *decir*, in negative sentences indicating an emotional attitude (see also 4.25.4). Possible as English translation patterns are the following:

> *I hope* (followed by a negative clause); *You're surely not going to...; You don't think he's going to... (do you?).*

> —Tú viste la escenita de ayer, cariño, ¡qué bochorno!; no irás a decirme que es la reacción normal de una cuñada...
> (MD, 1967: 41)

> La señora Mendía le miraba ahora como si fuera un ser venido de otro planeta.
> —No irá usted a darle la razón a Nando...   (MS, 1968: 59)

> —Ha salido de casa como una exhalación... ¿No irá a hacer alguna tontería?
> —Descuida, mujer. Es un chico muy sensato.   (AML, 1965: 943)

4.28 Some of the forms of the present and imperfect subjunctive of *ir a* have emotional colloquial functions similar to those described in 4.25.4 and 4.27.4. In the first of these functions, the form *sea* and the forms *fuera* and *fuese*, which are common to both *ir* and *ser*, are used.

4.28.1 In the second of a sequence of sentences or juxtaposed clauses, a combination of possibility and negative hope may be expressed by the following introductory verbal patterns, which are derived from standard constructions for expressing possibility, wishes and negative hopes (i.e. *Es posible que, Espero que no,* and *Que no*, all followed by the subjunctive):

> *No (te,* etc.) *vaya(n) a* + infinitive
> *No vaya a ser que* + subjunctive
> *No sea que* + subjunctive

Usually, an adequate English translation will be obtained by using *in case*, but in some contexts the following may prove more suitable:

> *We don't want you* (etc.) + *-ing; If you don't want to...; I hope it doesn't ...*

> —Abramos los paquetes, Mudito, no vaya a haber algo importante.   (JDO, 30)

> —¿Estará cargado el fusil?
> —Sí.
> —Pues bájelo entonces, no vaya a ser que me pegue usté [= *usted*] un tiro.   (AG, 1970: 260)
> *Well, don't point it at me, in case it goes off.*

—Vía Trentina, 18. En el 19 vive un comerciante que se llama también Julio. No se vayan a confundir y le den a él la carta.
(APA, 1961: 176)
We don't want them giving the letter to him by mistake.

—Desayunemos antes, Cris, no sea que se nos quite el apetito.
(TS, 1972: 67)

—Cuida tus palabras, bruja, no sea que te devuelva a la esclavitud de la que te saqué.   (CF, 1970: 152)
... unless you want me to put you back in the gutter where I found you.

—Manda, pues, guardar el sepulcro hasta el día tercero, no sea que vengan sus discípulos, le roben y digan al pueblo: Ha resucitado de entre los muertos.
(Seco, 245, quoting St. Matthew, 28, 64)

NOTE

In reported forms, of course, *no vayas a* and *no sea que* become *no fuera/fuese a* and *no fuera/fuese que:*

> ... observé con atención el descabezado cadáver del ex Protector, no fuera que aún estuviese vivo; tantas sorpresas nos había dado...   (HAM, 1971: 113)

4.28.2 When addressed to the listener(s), the verbal formula is *no vaya(s) a* or *no vayan a,* and it is most commonly followed by *creer.* It has the combined force of an imperative and a negative hope. In English: *Now don't go and ... ; I hope you don't ...*

—¡Señora!..., no vaya a creer nada malo..., antes que faltarle al respeto a usted preferiría estar muerta.   (JD, 141)
Madam! I hope you won't think badly of me...

—Aunque soy cobarde con algunas cosas, no vayas a creer que no soy capaz de todo.   (RJS, 1970: 166)
Although I'm a coward in some matters, don't run away with the idea that I can't do what has to be done.

—Por Dios, Paloma, que acaba de comer... No la vayas a matar de una indigestión.   (JAZ, 1973: 380)

—Quítate la ropa que llevas puesta... Ahora mismo, no vayas a estar llena de microbios.   (MVL, 1972: 661)
Take off the clothes you're wearing. Right now, in case you're covered in germs.

THE IMPERATIVE

4.29 The imperative, although used in standard sentences, is obviously one of the most characteristic of colloquial verb forms since its purpose is for the speaker to give an order *directly* to the listener(s). It is, then, a form for direct personal communication. Because it is a basic and well known feature of the verb system, it is described in its essential forms (i. e. of *comprar: compre(n), no compre(n), compra, no compres,* and, in Spain, *comprad, no compréis*) in all basic Spanish course and grammar books, which makes further comment here superfluous. What might be more useful and illuminating, however, is a composite list of those many colloquial variants for and equivalents of the imperative forms which have been described in several preceding sections of this book.

4.29.1 *Verbless Equivalents*

Nouns and adverbial expressions (1.23.1).

—¡Silencio!
—¡Fuera!

a + noun (4.8.2 Note 2):

—¡A la cama!

ni + noun (4.7.1):

—A la gente... ¡ni caso!   (Sara Suárez Solís, 177)

nada de + noun (4.7.2):

—Y nada de historias con la mujer.   (ABV, 1966: 142)

cuidado con/ojo con + noun phrase (2.6.2):

—¡Cuidado con las tijeras!

4.29.2 *Non-finite Equivalents*

The infinitive (4.8.1):

(positive):

—Chicas, esperar; no os vayáis por delante.   (RSF, 1965: 42)

(negative):

—Un momento, no hablar todos a la vez.   (JGH, 11)

a + infinitive (4.8.2):

—¡A dormir!

a ver (+ noun) (1.23.2):

—A ver ese dibujo.   (TLT, 9)

ni + infinitive (4.7.1):

—Tú debes decirle: «A mí, por mí, ni preocuparte...»   (JCS, 1962: 48)

nada de + infinitive · (4.7.2):

—Nada de hablar, ¿eh?

sin + infinitive (4.8.3):

—Sin atropellar, niños...   (Coste, 457)

cuidado con/ojo con + infinitive (2.6.2):

—¡Cuidado con olvidarlo!

andando (1.22.7):

—¡Andando!

4.29.3   *Other Verbal Equivalents*

Present Tense (4.21.2):

—Escucha..., si la pensión de tu madre no te llega, nos lo dices.
                                                    (JFS, 1957: 16)
—Usted se calla.   (CM, 143)

ya + present progressive tense (4.22.1):

—Ya te estás largando...   (JLCP, 36)

mejor + present indicative or subjunctive (4.19.2):

—¡Tú, mejor te callas!   (EW, 160)

Future Tense (4.26.1):

—Saldrás a su encuentro y le dirás que venga.   (Esbozo, 470)
—Tú harás lo que te digan.

verás (3.15):

—Verás, Margarita. No te enfades, ¿eh? Déjame hablar sin enfadarte... (RRB, 54)

tú dirás/usted dirá (1.7.5):

—... Queríamos preguntarle algunas cosas.
—Usted dirá. (ABV, 1969: 57)

NOTES

1. See also, for other references to the imperative, 1.22, 2.9.2 Note,
2.13.2, 3.7.3, 4.15 and 4.28.

2. The colloquial imperative which consists of the forms *vaya, vayan,
vete, ir, id* and *iros* followed by a present participle may sometimes
be translated into English by *Start + -ing*, but usually the most
adequate translation will be by a plain imperative:

—Vete cerrando las puertas. (E. Lorenzo, 127)

—Vayan ustedes sentándose, mientras yo termino esta preciosa
pieza de Chopín. (MM, 1967: 422)

—Vayan recogiendo [*los libros*].
(overheard in a Madrid library at closing time)

—Iros llevando las cosas, hala. (RSF, 1965: 98)

3. Like the formula *Ya está bien de* + infinitive (2.15 Note 2), the
exclamatory pattern *¡Basta (ya) de* + noun or infinitive! often has
the force of an imperative.
In English: *Stop + -ing!, That's enough + -ing*/noun!:

—¡Héctor! ¡Basta ya de faltarle al respeto a tu padre!
(CG, Mex., 36)

VARIATION IN MOOD

4.30 Statements on the decline of the subjunctive mood in modern
times have been made by more than one Spanish grammarian. Where
these statements refer to the decline and loss of functions of subjunctive tenses like the future, the future perfect and even the imperfect
in -*se* (e. g. *comprase*), they must be accepted as reflecting the truth.
However, before it is assumed that the use of the subjunctive in general
is in decline, a further factor, also mentioned by a few grammarians
and linguists, should be examined. This important factor is the availa-

bility and use of **CHOICES** (or equivalents) for many functions of the subjunctive. For example, in standard grammar, there is a choice of mood available (albeit with slight differences of meaning or intention, which are not always translatable into English) in the following cases:

after *quizá* and its synonyms; after *aunque* (when followed by a 'fact'); after *esperar*; after negative verbs of thinking, believing and knowing (e. g. *no creo que, no sabía que*); and after interrogative verbs of belief.

There is also a choice available after certain verbs of ordering and allowing (e. g. *mandar, ordenar, permitir, prohibir, dejar*), and *si* followed by the subjunctive may be replaced by *de* + infinitive (e. g. *De haberlo sabido, te lo habría dado = Si lo hubiera sabido...*). Finally, one may choose between *que* + subjunctive and *si* + indicative after certain verbs and expressions like *perdonar* and *no me importa*.

When we examine the use of the subjunctive and indicative in colloquial Spanish, we find that there are a number of instances where an indicative form is either an alternative or a replacement for a standard subjunctive. The use of the indicative in such cases may give the impression of a decline in the use of the subjunctive —and, indeed, such a decline may be accelerated because of their very existence— but it should be remembered that these uses of the indicative are *restricted* to one type of usage (i. e. colloquial Spanish) just as other choices of mood may be restricted to other more formal styles of Spanish; such uses are not therefore an indication of *standard* usage, and this should be borne in mind by students and teachers of Spanish.

This said, it should be further pointed out that, in colloquial Spanish, there are a few other cases where the replacement of a standard indicative or infinitive by a subjunctive verb is possible. However, leaving aside the debate on the decline of the subjunctive we return to our main concern in this chapter, namely the description of variations of the verb forms. In the following sections, both types of colloquial alternatives and replacements for subjunctive or indicative forms are examined.

4.31   *Subjunctive Replaced by Indicative*

In other sections we have seen:

— that the subjunctive forms of the imperative may be replaced by a wide range of alternatives (4.29);
— that after colloquial synonyms of *quizá* and *es posible que* (i. e. *a lo mejor, igual* and *lo mismo*: 3.21.1), only the indicative is used;

231

— that in conditional sentences, the present tense of the indicative may replace the imperfect and pluperfect subjunctive (4.21.5);
— that with certain expressions of emotion and judgement (4.19), the indicative is either required (e. g. *menos mal que*) or possible (e. g. *mejor*).

—A lo mejor viene hoy.

—Lo mismo se va mañana.

—Si lo sé, no me caso.

—Menos mal que has llegado.

—Mejor nos vamos.

There is also a slight tendency to use the indicative instead of the subjunctive after other expressions of emotion and judgement when these are exclamatory in nature (e. g. *Lástima que*) and, very occasionally, when they are not (e. g. *Estoy contento de que, Me alegro de que, Me temo que*, etc.).

—Lástima que yo no hablo inglés.   (D. L. Bolinger, 1950: 372)

—Lástima que don Ricardo no lo ha oído.   (AY, 13)

—Es una pena que Aldo Moro no vivió para leerlo.
                                        (*Cambio 16*, 9-9-79: 66)

—Qué bueno que llamaste.   (D. L. Bolinger, 1959: 372)

—Qué suerte que te gustaron.   (JC, 1970: 408)

—Me alegro mucho de que así es.   (D. L. Bolinger, 1959: 459)

—Estoy contento de que supiste hacerlo solo.   (*Cuestionario*, 88)

—No lo puedo remediar: me da coraje que lo hizo sin mi permiso.   (J. M. Lope Blanch, 1958: 383)

—Temo que llegará con retraso.   (*Esbozo*, 456)

With emphatic rearrangements of expressions of emotion and judgement (e. g. *Es triste que → Lo triste es que; Está bien/mal que → Lo bueno/malo es que*), the indicative seems to be more frequent than the subjunctive.

—Lo curioso es que la idea de encarcelarlo no fue del Serrano.
                                        (MVL, 1972: 178)

—Lo importante es que has salido de ésta.   (ABV, 1967: 69)

1. Also worth noting is the occasional colloquial use of *sin* and *para* followed by a subject pronoun and an infinitive instead of by *que* and a subjunctive form:

    —Pudiste, sin yo saberlo, ver a mi hijo. (Spaulding, 111)

    —Señor Tobías, me merezco que usted me mate... Que usted me pegue todo lo que quiera sin yo defenderme. (AS, 1967 *a*: 553)

    —Déjala sobre la cama para yo arreglarla. (*Cuestionario*, 90)

    And note the following example:

    —Fíjate que entre las normas del paracaidismo existe una... que es muy fundamental, que es: Antes de tú jalar el gancho, verlo, ver lo que vas a jalar. (A. Rosenblat, 247)

2. A further choice available is with *hacer como que (to act as if/to pretend to)* and *parecer como que* as variants for *como si* and a subjunctive:

    —Hice como que no me daba cuenta. (MB, 1974 *a*: 100)

    El notario Noguer hizo como que se espabilaba... (JMG, 1966: 83) *... pretended to have just woken up.*

    —Cuando le dije al del teléfono que no tenía coche, pareció como que se desinflaba. (FC, 10)

4.32   *Colloquial Uses of the Subjunctive*

Far less in number are the instances where a subjunctive alternative exists for a standard indicative or infinitive.

4.32.1 The most frequent of these cases involve the use of:
    a) verbs of thinking followed by the expression of a possibility:

    —Ésa creo que sea la mejor actitud. (JAZ, 1973: 240) *I think that may be the best attitude.*

    —Pienso que sea así. (overheard in Madrid)

    —Pensé que haber trabajado en la juventud me aprovechase para en la vejez tener descanso. (CF, 1970: 183) *I thought that having worked in my youth might help me to have a rest in my old age.*

    b) a negative or interrogative verb of knowing followed by a doubt:

    —¿No sabes lo que sea? (Spaulding, 80) *Don't you know what it is?/... may be?*

—Yo me desperté y no sabía lo que aquello significase.

(J. Polo, 1968: 258)

*I woke up and I didn't know what that could (have) be(en). /
... what that could mean.*

—Nunca he visto la justicia en Tajimaroa. No sé con qué se coma eso que llamas justicia.   (FB, 100)

—¿Quién sabe qué tenga?   (AGC, 104)

—¿No es una locura?
—No sé qué te diga. Locura sí es, pero natural consecuencia de otra locura...   (JB, 446)

—No sé si diga que en cuanto a pintar no tiene que envidiar a nadie.   (Spaulding, 95)
... whether to say...

4.32.2 Other alternatives occur in conditional sentences where *como* + subjunctive and, less frequently, *con que* + subjunctive replace *si* + present indicative. (See also 4.34.)

—Como lo digas otra vez, me marcho.

—Con que salga bien su proyecto, estará contento.

4.32.3 The subjunctive is also found after *parece que* as a variant for *parecer como si (it seems as if)*. (See also 4.31 Note 2.) Here it is not uncommon for an imperfect subjunctive to refer to present time as in the first example below.

—Parece que nunca tuviera nada que hacer. Siempre está en el balcón.   (CG, Arg., 1971: 232)
It seems as if he never has anything to do...

—Es extraño... Parece que sea ayer cuando nos reuníamos en el café de las Ramblas.   (JG, 140)

—... parece que los años no hubieran pasado por él.   (SG, 36)

NOTE

There are also a few set expressions containing subjunctives which are equivalent to standard and colloquial indicatives:

pueda ser/pudiera ser (see 4.16); *que yo sepa, que se sepa, que sepamos (= creo/se cree/creemos)* and *que yo recuerde (= creo:* 3.21.2) For sentence patterns which include a subjunctive see 2.26.1.

VARIATION IN CONDITIONAL SENTENCES

4.33 Tense variation in conditional sentences has already been described in sections 4.25, 4.26 and 4.27.2. Also characteristic of colloquial Spanish, however, are a number of clause and sentence patterns which are equivalent in meaning to standard *si*-clauses or to sequences of main clauses and *si*-clauses (or *aunque* clauses meaning *even if*). These clauses and sequences are described in 4.34-4.37.

NOTE

As a stereotyped main clause accompanying a conditional clause, the idiomatic *otro gallo le/me/*etc., *cantara/cantase/hubiera cantado* can be translated as *it would have been very different/things would have been very different/it would have been a very different thing/kettle of fish*, etc.

—... otro gallo me cantara si en el amor hubiera encontrado estímulo para luchar por algo o por alguien.   (JRR, 89)

—Si no me fuese del pico, otro gallo me cantara.   (MD, 1966: 280)
If I didn't shoot my mouth off, it would be very different.

[Note the archaic use of *cantara* as an equivalent of *cantaría* or *habría cantado* in a main clause and cf. the current use of *quisiera* as a replacement for *querría*.]

4.34 Alternative colloquial versions of subordinate clauses containing *si* and *aunque* are as follows:

como + subjunctive (usually the present tense and indicating a threat): 4.34.1.
con que + subjunctive or *con* + infinitive or a noun phrase: 4.34.2.
Verbless expressions equivalent to a *si*-clause: 4.34.3.
ni aunque + subjunctive: 4.34.4.
ni que + subjunctive: 4.34.4.
ni + noun + *que* clause: 4.34.4.
ni + adjective: 4.34.4.
a + infinitive: 4.34.5.

4.34.1

—Como vuelva a verte con Rosa, te juro por tu madre que te tiro por el hueco de la escalera.   (ABV, 1963: 32)
If I catch you with Rosa again, I swear I'll throw you down the stairs.

235

—Como digas que me viste salir, me las vas a pagar.   (CG, Mex., 38)

—... como pudiera, poco tiempo iba a pasar aquí.   (JFS, 1967: 29)
I wouldn't spend much time here if I could avoid it.

NOTE

como no sea/fuera/fuese, found both in colloquial and standard Spanish, may be regarded as equivalents of *excepto:*

—... pero nada podemos hacer, como no sea dormir hasta mañana.   (RU, 1969: 53)

Susana casi nunca salía con la criada, como no fuese para alguna compra.   (Spaulding, 83)

4.34.2

—Con que salgamos a las cuatro, nos da tiempo.
(N. D. Arutiunova, 1965: 96)

—¿Ganas ni pierdes con que paguen o dejen de pagar los impuestos?   (AML, 1965: 859)
Does it affect you either way whether they pay their taxes or not?

—Con sacar para merendar, ya me conformo.   (MD, 1969: 83)
As long as I get enough to buy something to eat, I'll be happy.

—Con una hembra así era yo el rey de España.   (Lidia Contreras, 85)
With a woman like that I'd be king of Spain. / If I had...

NOTE

Occasionally, the *con* + infinitive construction occurs as a second hypothetical qualification of a main clause already qualified by a *si*-clause:

—Yo creo que si le da por conquistar mujeres, con solo mirarlas todas hubiesen caído de rodillas a sus pies.   (GC, 138)
I think that if he'd taken it into his head to flirt with women, a single glance from him would have had them on their knees in front of him.

4.34.3

$$\left.\begin{array}{l} si\ no \\ de\ otro\ modo \\ de\ lo\ contrario \end{array}\right\} \text{ otherwise}$$

$$\left.\begin{array}{l} yo\ que\ tú \\ yo\ de\ usted/ti \\ en\ tu\ lugar/en\ su\ lugar \end{array}\right\} \text{ if I were you}$$

—... hazle caso a ella. De otro modo, te hundes.   (EB, 464)
Do as she says. Otherwise, you're finished.

—Menos mal que hubo arreglo. Si no, calabozo tenía para un mes.
(Lidia Contreras, 69)
*Luckily they sorted it out. Otherwise, he'd have been in jail for a
month.*

—Debiste suponerlo, porque, de lo contrario, ¿quién habría venido
a contarme todo?   (ECC, 1967: 26)

—Yo que tú, se lo digo con la mejor voluntad..., me iba a otro
sitio.   (AP, 1973: 104)
*If I were you, and I say this for your own good.... I'd go somewhere
else.*

—En tu lugar yo me iría a un sitio tranquilo como Cuba.
(JG, 1966: 38)

4.34.4

—Ni aunque me lo jurase me lo creería.   (Moliner, I: 304)
I wouldn't believe it even if you swore it was true.

—No, no las voy a tocar, ni aunque tuviese la tentación.   (SE, 57)

—No me quedaría un minuto a tu lado, ni que me lo pidieras de
rodillas.
—Descuida. No te lo pienso pedir.   (JS, 1962: 49)
*I wouldn't stay with you for a minute, not even if you begged
me to.*

—De aquí no nos mueve ni el fin del mundo que se adelantase...   (IA, 266)
*We wouldn't leave here even if the end of the world were ap-
proaching.*

—Lo que yo quería era entender un poco mejor su vida...
—Mi vida —dijo la Maga—. Ni borracha la contaría.   (JC, 1970: 12)
I wouldn't tell you my life story even if I were drunk.

—No seas ingenuo, Crespi —sonrió—, ni muerta me casaré contigo.
(GGM, 1970: 98)

... se presentó a la jefa de zona...
—Vienes que ni caída del cielo.   (JFS, 1982: 64)
You couldn't have come at a better moment.

NOTE

For a derived colloquial response pattern, see 2.23.

4.34.5

—A poder ser, te lo haré esta semana.   (Moliner, II: 1468)
—A ser cierto, este acontecimiento revolucionará la política mexi-
cana.   (RU, 1965: 49)
—¡Parece mentira! A no verlo, no lo creería.   (MU, 1956: 148)

4.35 Several combinations of coordinate or juxtaposed clauses and sentences may function as conditional sentence equivalents. Although the conditional meaning is not explicit, it is interesting to note that tense variations found in colloquial conditional sequences (see 4.21.5 and 4.23) may be found in some of these combinations.

4.35.1 The most frequent type of combination consists of two clauses linked by *y* or *o* and often conveying advice or a warning. The first clause is often an imperative. Sequences with *y* are equivalent to positive conditions and those linked by *o* are equivalent to negative conditions. Occasionally, the conjunction *o* may precede both clauses. The same types of sequences exist in colloquial English:

> *You just... and...; You (just) ... or I'll...; Do that or I'll...; Either you do that or I'll...*

Sometimes an explicit *if*-sentence will be needed in translation.

—Cásate y verás.
You just get married and you'll see! / If you get married, you'll see.

—Pues el mar no parece revuelto.
—Aquí, no. Pero salga un par de millas y empezará el baile.
(JGH, 78)
'*But the sea doesn't look rough.*'
'*Not here, but you just go a couple of miles out to sea, and you'll find it choppy enough.*'

—Pruébelo, y me lo agradecerá.   (Ofelia Kovacci, 11)
Try it and you'll thank me.

—Suéltame o te pego un sartenazo.   (LO, 1968: 48)
Let me go or I'll hit you with the frypan/frying pan.

—Ponte algo o pescarás un buen catarro.   (JGH, 81)
Put something on or you'll catch cold.

—O ese niño se porta bien o no va al cine.   (Ofelia Kovacci, 19)
If that child doesn't behave, he won't go to the cinema.

—De ti no me interesa nada, ¿comprendes? Mañana me dicen que te has roto la cabeza con esa moto y me quedo tan fresca.
(JM, 1970 b: 86)
I'm not interested in anything to do with you, you understand? If I'm told tomorrow that you've broken your neck on that motorbike, I won't turn a hair....

—Fíjese; me lo tenían que jurar y no lo creería.   (JFS, 1967: 45)
Imagine. Even if they swore it was true I still wouldn't believe it.

—¿Quién puede resistirse? Si a usted lo quisieran comprar, Ocampo, ¿podría resistirse? Pues yo, no. A mí me muestran un dólar, y todas mis defensas se derrumban. ¿Por qué será eso?
(MB, 1968: 24)

4.35.2 The following variant patterns are found:

a) a verbless first clause (usually a noun phrase) equivalent to a *si*-clause;

b) a verbless second clause equivalent to a main clause;

c) two verbless clauses connected by *y*;

d) a clause beginning with a subjunctive verb and followed by *y* and an independent clause (see also 2.26.1).

a)

—No puedo. Una palabra más y la abrazaré.   (FG, 439)
I can't. Another word and I'll hug her. / If she says another word...

—Un simple esfuerzo de voluntad, y toda la fortuna y el poder volverán de golpe a tus manos.   (Ofelia Kovacci, 11)
Just a little will-power on your part and all the power will suddenly come back to you.

—Fue un alivio para ti salir de aquella casa. Un poco más y hubieras estallado...   (JLMV, 1975: 276)

«Otro año más de reforma y el país se va a la ruina.»
(*Cambio 16*, 20-9-76: 12)

b)

—Le hago yo dos caricias a ese tigre, y un borreguito.
(M. Regula, 1853)
All I've got to do is to stroke that tiger and he'll be eating out of my hand. / If I just stroke... he'll...

c)

—¿Cómo no se me ocurrió antes? Una cosa tan sencilla. Un poquito de nervios, y listo.   (EB, 155)
Why didn't I think of that before? It's so simple. A little self-control and that will be that.

Una ráfaga de viento sobre el despeñadero y un pescador de menos en la aldea.   (Ofelia Kovacci, 11)
A strong gust of wind over the cliff and there'll be one fisherman less in the village.

d)

—Viniera con humildad... y el pan me quitara [= *quitaría*] de la boca para dárselo.   (Lidia Contreras, 77)

—Hubieras ido en avión y llegabas al día siguiente.
(Ofelia Kovacci, 11)
If you'd gone by plane you'd have arrived the next day.

—... le hubiera regalado unos zapatos y habría quedado más contento.   (Lidia Contreras, 77)
If I'd given him a pair of shoes he'd have been a lot happier.

Le hubieras quitado esa colilla eterna... y se hubiera muerto antes.   (*Cambio 16*, 3-8-81: 61)

4.36 In standard grammar, the conjunction *que* may function as an equivalent of *si* after certain verbs and expressions of emotion when a hypothetical clause is stated as grammatical subject or object. For example:

> *Me gustaría que vinieras; No me importaría que lo dijera; Imagínate que me digan que no.*

Also, in colloquial Spanish, *que* may replace *como si* after *parecer* (see 4.32.3):

> —Parece que tuvieras treinta años.   (JAP, 24)

Such parallels as these may help to explain the fact that, in the following colloquial sentence types equivalent to conditional sentences, the common factor is the inclusion of *que* in sentences consisting of juxtaposed clauses but lacking any other subordinate conjunctions.

4.36.1 The first pattern consists of *que* + clause + *y* + clause. Here, *que*, unlike *si*, may be followed by a verb in the present subjunctive.

> —Ay... ayayay... mi mamita. ¿Quién como ella? Tenía el corazón de oro y la palabra de plata. Que viera un enfermo, que viera un lisiado, que viera cualquier necesitao [= *necesitado*] y lueguito [= *en seguida*] se condolía y lo curaba y atendía...
> (CAL, 1941: 48)
> ... *if she saw a sick person, a cripple, anyone in need, she immediately felt pity for them and nursed them and cared for them.*

> —Que alguien se decida a dar cuatro martillazos y la casa queda construida.   (Lidia Contreras, 77)
> *If someone would make up his mind to get stuck into it, the house would be built in no time.*

4.36.2 The following patterns, which contain *que* and which are also equivalent to *si-* or *aunque*-clauses, accompany negative main clauses and are related to the clause types described in 4.34.4.

> —Sangre mía que fueran, no me causara su perdición tan honda pesadumbre.   (Spaulding, 65)
> *Even if they were my own flesh and blood, their loss would not cause me such deep affliction.*

> —El mismo Veneno, que me pillase aquí, no se escamaría.
> (Keniston, 171)
> *Veneno himself wouldn't suspect anything, even if he were to catch me here.*

For examples like the following (involving the repetition of a noun), which need *if* or *even if* in translation, see 5.18.2:

—Dicen [*los asesinos*] que mil veces que resucitase, mil veces que lo matarían.   (FGP, 1968 *a*: 203)
The murderers say that even if he came back to life a thousand times they would kill him again each time.

4.37 Two juxtaposed clauses or sentences, the first usually introduced by *que* or *¿que?*, the second by *pues, entonces,* or nothing, may also be loosely considered as equivalent to conditional sentences, since they convey an imagined or alleged problem, objection or criticism (often with ellipsis of a form of *decir*), and its possible solution, result or a comment on it (e. g. *¡Qué más da!, ¡Psé!, Bueno,* etc.). In some cases, the sentences translate into English as conditional sequences, but often the nearest equivalent will be based on the following pattern:

So (they say) you (may) get hurt? Too bad.

El patio da también a la casa del cura.
—Así estoy mejor. ¿Que quiero un poco el fresco? Pues me doy un paseo por aquí y no tengo que salir a la calle más que en caso de necesidad.   (CJC, 1961: 101)
If I want a bit of fresh air. I just take a walk around here...

—Que no puedes venir..., me avisas.   (Moliner, II: 901)
If you can't come, just let me know.

—¿Que voy por la vida sucio, greñudo, desgarrado? ¡Y qué importa si no tengo con quien quedar bien! ¿Que no trabajo? Qué más da, si nadie tiene que vivir a mi costa.   (JRR, 89)

—Pero te aseguro que conozco más de mi tema que ustedes del suyo. ¿Que somos colonia? Claro que sí. Afortunadamente.
(MB, 1968: 115)

—... Que va a aparecer un cometa el mes que viene... Pues ya le [*sic*] veremos cuando aparezca...   (L. Spitzer, 113)
So (they/you say) a comet's going to appear next month? Well, we'll see it when it appears, won't we?

—Piensas otra cosa, entonces me avisas para que vaya yo en tu lugar.   (Moliner, II: 51)
If you have second thoughts, just let me know and I'll go in your place.

—Ahora, las mujeres vamos solas a todas partes. ¡Que el marido no quiere acompañarnos! Bueno. ¿Que no puede? Bueno...
(DM, 1967: 68)

SUPPLEMENTARY EXAMPLES FOR STUDY AND TRANSLATION

Exercise 1. Sections 4.0 - 4.9

1. —A los veinte años hice lo que todos. (AS, 1967 a: 44)

2. —¡Bah! ¡No seas exagerado!... He hecho lo que cualquiera.
   (RJP, 103)

3. —En cuanto se ha «forrado» [= 'forrado' de dinero] hace lo que todos los millonarios. (MGS, 20)

4. —Buenas noches.
   —Hola, Marta. Mucho frío, ¿verdad? (AS, 1967 a: 233)

5. —Buenos días señora. ¿De la compra?
   —¿Y qué remedio? Mi suegra, la pobre, ya no está para el trote de los mercados. ¡Mire qué flores más lindas! (ABV, 1976: 40)

6. —Me gustaría saber qué hubieses hecho —observó su compañero.
   —Molerte —exclamó Norte con voz ahogada—, molerte a palos.
   (JG, 1964: 67)

7. —¿Y qué hacemos ahora, Manuel?
   —Esperar a ver si se despabila... No entiendo qué puede hacer aquí un hombre como éste, solo y sin sentido. Borracho tampoco parece. (FGP, 1981: 17)

8. —¿Y qué piensas hacer allí?
   —Ayudar como todas. (JFS, 1982: 26)

9. —No espero a nadie ni estoy para nadie.
   —Para mí, sí. (ACS, 133)

10. —Cuando regresemos habrá pasado ya la polvareda y las cosas volverán a marchar con la rutina de siempre. ¿No te parece a ti?
    —¡Ojalá! —exclamó José, no muy convencido. (AML, 1965: 568)

11. —Dice también esto que... este ultra que anda mezclado con la matanza de [la calle de] Atocha se ha dado el piro. (RAY, 43)

12. —¿Has visto qué día de calor?
    —Iban negros los chiquillos que llevan el agua a los segadores.
    (FGL, 1966: 1183)

13. —En el barco que iba casi vacío me dieron para mí solo un camarote con cuatro camas... (JC, 1968 b: 94)

14. —... esa niñera que me señalas va vestida igual que hace cincuenta años. (MBU, 165)

15. —¿Crees que me debo quitar el impermeable? Vengo un poco mojado. (MM, 1964: 16)

16. —Me acosté con un pijama prestado. Me venía pequeño y me sentía incómodo. (MS, 1975: 67)

17. —Me he tomado algunas copas, pero no vengo borracha. (CP, 142)

18. —¡Luzardo! ¡Santos Luzardo! ¿Tú por aquí, chico? (RG, 80)

19. —Esto significa que [él] baja en seguida. ¡Y yo sin arreglar! (JS, 1962: 37)

20. —A mí lo que me está aburriendo ahora es que ésos no bajen de una vez y comamos. Todo el mundo por ahí comiendo y nosotros aquí todavía, muertos de risa. (RSF, 1965: 90)

21. —¿Ha visto usted el monumento? Muy artístico. La estatua es de gran parecido. Es él, es él. (JB, 320)

22. —Mal día el de hoy —dijo—, mal día. A la noche habrá tormenta. (IA, 103)

23. Buena gente los Guitart. No les habían molestado nunca. Y eran amables. (DM, 1956: 146)

24. —Mira este pobre. Hasta ayer dueño de la casa; hoy, nadie. (MD, 1975: 87)

25. —Y si, aun a costa de un pequeño esfuerzo, hasta fueras amable con él por unos días, tanto mejor. (RPA, 225)

26. —¿Es fanático?
—Mucho. (PB, 1960: 95)

27. —Y no me tires más de la lengua, porque estas cosas no son para habladas entre nosotros. (AML, 1965: 350)

28. —Nada peor para el soldado que combate que la inactividad a lo largo del frente de batalla. Así estoy yo. Quiero luchar, pero no puedo. (JLMV, 1971: 69)

29. —Si sólo supiera usted el esfuerzo que me cuesta recordar los rostros de mis dos primeras mujeres. Nada más cercano en la vida. Nada más alejado en la muerte. (CF, 1980: 201)

30. —No sé lo que dirán los psiquiatras..., pero como sedante, lo que se dice sedante, ¡nada como dos semanas en casa mirando la acera de enfrente! (MBA, 93)

31. —Con permiso, ¡señorito Manolo!
    —¿Qué ocurre?
    —La muchacha de ustedes, de parte de la señorita, que ha venido el médico y la señorita quiere que esté usted presente... (JB, 459)

32. —Mi tío me ha dado un recado para ti. Que si mañana, a las ocho de la noche, quieres ir a una reunión en su casa. (CMG, 1961 a: 208)

33. —Te doy una casa por veinte duros, y tú que nones. ¿Qué es lo que quieres, entonces? (MD, 1969: 26)

34. —Ya sabemos cómo es el barrio. A mi madre le han ido alguna vez con cuentos de los Climent y de mí, no creas que no lo sé: que si esta mujer ha sido una fulana desde que le dejó el marido, que si la hija será lo mismo, que si son raros, que si estarán locos, que si no salen ni para ver el sol durante meses enteros... ¡Qué sé yo! (JM, 1970 a: 48)

35. —Ahora imagine lo que [ella] tuvo que oír de la familia. Que si era tonta, que si yo la había engañado, que si era el truco más viejo de los trucos, que si lo que buscaba [yo] era el dinero, que si a mí se me tapaba la boca con mil duros, que me podían empapelar si me ponía molesto, que diera gracias de que no hubieran ido ya por mí... (JLMV, 1975: 117)

36. —Además, oye, es que todo el año pasado me tenían aburrido en casa con las versiones contrarias que se traían sobre vuestra separación, que si tenía la culpa Andrés, que si tenías la culpa tú...
    (CMG, 1974: 60)

37. —Nadie duda que ... doña Elena ... se casó con él por miedo. Muchos resultaron víctimas de su celosa locura: veía moros con tranchetes a cada paso: que si la miraron, que quién le dio esto y aquello, que por qué ahora se puso este vestido, y se peinó así, que si estaba triste o si risueña, que no se ve bien de rebozo ni le gustan esos zapatos de mujer alegre. (AY, 72)

38. A pesar de su origen gallego, Isabel, como la mayoría de los trabajadores inmigrantes [de otras regiones de España] de la empresa [SEAT] se siente catalana:
    «Hace unos años teníamos problemas, como, por ejemplo, el fútbol. Que si el Madrid, que si el Sevilla. Esto creaba tensiones de identidad. Tardamos dos años en superar las diferencias... y hoy nos sentimos todos de aquí...» (Cambio 16, 22-10-78: 54)

39. —Una discusión con el viejo. Imagínate que se había empeñado en poner dos camas gemelas: que si los tiempos, que si patatín, que si patatán. (ACS, 87)

40. —... llevo ya seis partidos sin jugar.
    —¿Y eso?
    —Cosas del entrenador. Que si soy muy joven... Que si patatín que si patatán...   (MBU, 482)

41. —¿Y si nos atacan las fuerzas del gobierno?
    —No podrán atacarnos.   (AL, 1961: 22)

42. —Nacho es bueno...
    —Y tu padre, ¿qué? ¿Es un ogro?   (LO, 1968: 61)

43. —¿A qué preocuparte por saber de dónde y cómo vinimos?
    (JAZ, 1973: 343)

44. ... podría verla en cualquier momento a la entrada o a la salida de la oficina. ¿A qué correr como loco?   (ES, 1965 a: 24)

45. —¿Pero por qué en ese caso recurrir a un procedimiento tan engorroso y cruel? ¿No podría habérmelo dicho personalmente por teléfono?   (ES, 1965 a: 43)

46. —¿Buscas triunfar, comercializándote?
    —Tampoco.
    —¿Para qué entonces ir a un lugar donde la única razón para buscar el triunfo es la de hacerse rico?   (LS, 1970: 119)

47. —¿Has bebido mucho champaña?
    —Ni probarlo.   (JB, 394)

48. —Fui al periódico porque necesitaba verle [a mi padre], y el tío [= mi padre] ni alterarse, o sea, todo lo contrario de mi madre.
    (JLMV, 1981: 14)

49. —En mis tiempos los padres ya no casaban a los hijos. Ahora, eso sí, se tenían otras costumbres más normales. Nada de eso de salir todos los días.   (JAP, 63)

50. —Si usted está ocupado, doctor, y prefiere que nos marchemos... Podemos volver cualquier otro día.
    —Nada de marcharse... Todavía nos quedan muchas cosas por aclarar.   (MM, 1964: 24)

51. —Si te dan dinero, dices que no, pero si insisten mucho..., lo coges. Nada de guardártelo, porque pienso registrarte cuando vengas.
    (RRB, 50)

52. —Vamos a llevarlas [= las cajas] al remolque con mucho, mucho cuidado. Nada de tropezar, nada de tirarlas [= dejarlas caer]. Fíjense bien en lo que hacen.   (LS, 1973: 24)

53. —Mirar: por allí encima pasa el tren.   (RSF, 1965: 27)

54. —Iros, iros vosotros. (RSF, 1965: 43)

55. —¡Largarse ya! ¡A jugar por ahí! ¡Divertíos! (RSF, 1965: 188)

56. —¡Anda, no quejaros! (JAP, 69)

57. —Adiós, jóvenes. Tengan cuidado ahí, no tropezar, que van ustedes muy cargados. (RSF, 1965: 83)

58. —¡A callar, todos, hijos del demonio, morralla, cerdos!... De rodillas, ¡He dicho que «de rodillas»! (MAU, 232)

59. [*Lawyer to lawyer*]
    —Usted tiene una convicción, lo que ya es mucho. Ahora a luchar, con todas las armas que le ofrece la ley, que no son pocas, a pesar de su humana imperfección; a luchar hasta el último recurso. He ahí lo más noble de nuestra profesión. (JLMV, 1975: 122)

60. El guardia: —Tranquilos; sin correr y sin perderse. Ordenadamente, siguiéndolo, nos ponemos a caminar.
    (LS, 1973: 258)

61. —¡Sin ofender!
    —Usted sabe leer, supongo.
    —¡Repito que sin ofender! (AP, 1973: 184)

62. —Anda, vete ya a casa, que mañana tenemos que madrugar.
    —Sin empujar, ¿eh? Sin empujar... Déjame despedirme antes de marcharme. (DM, 1967: 58)

63. —Pero ¿cómo puedes decir eso? ¿Y cómo pueden pensarlo siquiera tus amigas?... Si vieras lo que me duele todo esto, Maribel... Y si vieras lo que me preocupa... Si mamá llegara a enterarse...
    (MM, 1967: 370)

64. —¡Ni siquiera te pagan! Si pagaran bien, por lo menos...
    (DS, 1961: 113)

65. —Mira que te tengo dicho que no guardes [*put away*] las camisas sin planchar...; pues como si nada. (JMRM, 139)

66. La avisé para que se callara y le pedí por favor que me dejase oír [*la radio*]. Como si nada. (JLMV, 1971: 66)

67. Andando el tiempo, cuando Encarna se casó con Paco Páez, un vivalavirgen que se agarraba a lo que fuese y al que seguramente por eso le decían el «Tenazas», Encarna seguía viniendo a verme como si tal cosa [*no tuviera importancia*, etc.]. (JMCB, 219)

68. —Lindo el traje.
    —Y nuevo.
    —Como que tiene sólo una noche de uso. (EB, 362)

69. —¡Este curro ya tuvo miedo!
—¡Como que no es igual poner cataplasmas y lavativas a manejar un fusil! (MA, 53)

70. —Es el hombre más inteligente que conozco. Como que cuando él habla, todos le escuchan y le encuentran razón. (EB, 146)

71. —Soy química y biológicamente estéril. Se lo puedo probar. Tengo certificados y todo. Con decirle que me querían llevar a la India como marido modelo. Pero yo dije: «¡No! Lo que hay en España es de las españolas.» (JMB, 364)

72. —Si no se tomaba una píldora y se embadurnaba las narices... no se dormía. Con decirte, que no te lo querrás creer, que una noche se levantó a las tres de la madrugada a buscar una farmacia de guardia, está dicho todo. (MD, 1967: 33)

73. —A la hora de comer, de repente, nos cayó el chaparrón más grande que he visto yo en mi vida. ¡Qué vergüenza! Con decirte que se nos deshizo la tortilla. (AG, 1973: 58)

Exercise 2. Sections 4.10 - 4.19

1. —A mí me ha dicho que allá en Rusia anduvo tras uno de esos melenudos que tiran bombas: un mozuelo con cara de mujer que no le hacía caso... Y la niña, por lo mismo, erre que erre, detrás de él, hasta que por fin lo ahorcaron. (VBI, 1958 b: 90)

2. —Porque me acuerdo cuando trabajaba en la bodega de Eliseo, que me levantaba de madrugada, y un mulatico y yo, dale que dale, sin parar hasta las doce de la noche. (AE, 84)

3. Fue de los primeros en dar crédito en gran escala para la industria de la construcción. Y mientras tanto, los terrenitos sube que sube, las rentas de los apartamentos también... (CF, 1958: 175)

4. —Se pasó toda la noche llora que te llorarás. (Moliner, II: 901)

5. —Escóndete otra vez. Voy a llamar a la chica [= *la criada*].
—Pero, por favor, no te estés charla que te charla. Me ahogo ahí dentro [= *dentro del armario*] (JS, 1962: 28)

6. —Desquitas bien el sueldo, hijo... A reniega y reniega, pero a trabaja y trabaja. (MA, 105)

7. —Y los letrados sólo quieren una revolución a medias... Mírame a mí. Toda la vida leyendo a Kropotkin, a Bakunin, al viejo Plejanov, con mis libros desde chamaco, discute y discute. Y a la hora de la hora, tengo que afiliarme con Carranza porque es el que parece gente decente, el que no me asusta. (CF, 1967: 195)

8. En el pueblo decían:
   —La tía venga a traer criaturas al mundo, y el sobrino, venga a planear el modo de suprimirlas. (MS, 1968: 53)

9. —... tuve que echarme al monte en plena tarde, a las seis..., y venga a trepar; ciega, sin saber por dónde iba. (CMG, 1974: 22)

10. —Menudo susto se habrá llevado la pobre.
    —Por lo visto, ella venga decirle pecados y más pecados y como don Manuel [*el cura*] ni suspiraba, se escamó, metió la cara por en ventanillo donde confiesan los machos y lo vio con la cabeza apoyada en el respaldo del confesonario, las manos juntas sobre el pecho y la boca abierta de par en par. (FGP, 1981: 135-136)

11. —El señor cura, el bajo de las gafas, está venga de machacarle al novio para que se vaya, pero el ingeniero [= *el novio*], con la cabeza alta, sigue mirando a lo lejos... (FGP, 1981: 44)

12. —Yo hacía antes con este cacharro hasta los cien [*kilómetros por hora*], pero empecé a meterle peso, carga va y carga viene, y se jodió. (JAM, 7)

13. ... mientras en el taller de la esquina el joven Fidias, martillazo va, martillazo viene, perfilaba las pantorrillas de un Apolo.
    (MBA, 192)

14. —... mucho presumir de modesta y de leída y no es más que una rancia. (MD, 1967: 113)

15. —Mucha sonrisa, mucha amabilidad, pero cuando apenas les puede decir lo del dinero, empezaron a hablar de otras cosas, como si no entendieran. (CG, Arg., 1971: 82)

16. —Mucho «todos camaradas» y «llámame de tú», pero cuando bajé del coche y di la mano a Vicente, me dijiste luego que no diera la mano a los criados. (EQ, 305)

17. —¡También los hombres, siempre lo mismo...! Fíjate Alejandro, mucho cortejar a su mujer de soltera y ahora ni la mira.
    (JFS, 1957: 72)

18. —Necesito pillarle a solas, cuando esté más descuidado. A ver si así es capaz de negarme lo mío. (AML, 1973: 234)

19. —Hace frío, ¿eh?
    —Un poco. A ver si se pasa ya este invierno. La primavera es otra cosa. (AS, 1967 *a*: 145)

20. —Está muy clara la noche...
    —A ver si oscurece un poco, a ver si oscurece —repitió, porque en aquellas palabras iba todo su deseo. (JFS, 1967: 34)

21. —Creo que vuelvo a estar embarazada.
   —Pues a ver si viene ese hombrecito que tanto deseo.

   (JAZ, 1973: 130)

22. Sánchez se volvió ahora repentinamente hacia los dos redactores
   y les gritó:
   —¡Vosotros, a ver si escribís y os dejáis de perder el tiempo! Que
   quiero acabar con esto en seguida.   (DS, 1961: 112)

23. Se acercó a Tomás Muñoz y clamó, con una gran irritación en
   la voz...:
   —¡A ver si me pagan de una vez, que me tengo que marchar!

   (DS, 1965: 29)

24. Y luego, como un cuchicheo entre la madre y la hija:
   —A ver si somos formales, porque como me entere de algo malo,
   te rompo las costillas...
   —Pero, madre, si no pasa nada, si estoy bailando con el Francisco...   (IA, 161)

25. —Pero eso no es verdad.
   —Yo ya no sé lo que es verdad. Puede que lo sea.

   (AS, 1967 a: 265)

26. —Según parece, señor cura, se nos irá [usted] de San Julián.
   —Puede que sí, pero ¿quién lo sabe?   (RC, 1979: 105)

27. —¿Cuándo piensa que ha podido ocurrir?
   —Unas horas antes de la corrida; puede que una hora.

   (AS, 1967 a: 885)

28. —De todos los que estamos aquí, pueda ser que la única que lo
   cogiera [= acogería] fuera yo, que todavía me sobra un cacho
   de pan para repartirlo con ella.   (AB, 137)

29. —¿Así que usted, capitán —le decía Pastor—, ha peleado mucho?
   —Bastante...
   —Ha de saber lo que son las balas —guiñándonos los ojos—;
   ¿hasta por el olor las conocerá?
   —¡Por el olor, no; pero por el chiflido, pueda!   (RGI, 23)

30. —¿Y tú qué crees? ¿Que Fernando va detrás de Mely?
   —Pudiera.   (RSF, 1965: 77)

31. «... Oiga, ¿qué hago con esto?» El médico se conoce que no sabía
   qué hacer, porque lo único que le contestaba era: «Eso se llama
   pierna...»   (CJC, 1961: 109)

32. —Yo ¿sabe usted, Manuel, por qué las distingo [a las dos hermanas gemelas]? Porque una de ellas, la señorita Alicia, tiene muy

fea la uña del dedo gordo de la mano derecha. Se conoce que la mudó. (FGP, 1971 *a*: 52)

33. —¿Qué ocurre, Félix?
—Nada, don Matías. Esos tres gamberros, que, a lo que parece, venían por lana. Pero ya han entendido que podían salir trasquilados.
—No sé adónde vamos a parar con esta juventud, Félix. ¡Miedo me da pensarlo! (JFDS, 61)

34. —Como somos primos, ¿sabés?
—Sí, pero, que yo sepa, al menos, no son primos carnales.
(SE, 27)

35. —¿Lo sabe alguien?
—Que yo sepa, no. (AS, 1967 *a*: 538)

36. Que él recordase, era ésta la primera vez que no se dormía tan pronto caía en la cama. (MD, 1963: 28)

37. —Capaz que venga Luis esta noche. (Berta E. Vidal de Battini, 397)

38. —¿Cuándo le vino el mal?
—Un poco después de nacer.
—Capaz entonces que le viene del padre. Los hombres siempre son los más enfermos. (ARB, 72)

39. —¿Cree usted, don José, que si yo hubiera nacido en Inglaterra, hubiera sido protestante?
Don José, el cura, tragaba saliva:
—No sería difícil, hija. (MD, 1963: 57)

40. —En mi casa ganamos todos. ¡Malo será que, entre todos, no podamos pagarle a uno los estudios! El chico parece bueno y aplicado. (CJC, 1971: 332)

41. —La cosa no parece mal planteada y, puestos a ver, todo está calculado por lo bajo, y malo sería que a fin de mes no recojamos veinte o veinticinco mil pesitos sin otro trabajo que alargar la mano. (MD, 1966: 271-272)

42. —Dice que si como mucha carne, me pondré bien en seguida. Cuestión de vitaminas. Claro que yo prefiero que se coman la carne los chicos. (CM, 124)

43. —¿A que no lo sabías, Gabriel, que tu viejo se sentó en la silla presidencial? (CF, 1958: 187)

44. María se acercó al mayor de los hijos de Felisa y lo apartó del grupo.
—¿A que habéis venido a fumar...? Ya verás cuando se enteren vuestros padres. (IA, 320)

45. Los mozos de Languerón comenzaron a hacer apuestas.
... «Te juego a ti, a que no levantas a éste con los dientes aga-rrándole por el cinturón. Te juego a que corriendo de espaldas te gano una carrera de diez vueltas a la plaza.» (IA, 166)

46. —Al fin. Al fin. Qué suerte que se vayan temprano. Voy a cami-nar un rato solo, necesito respirar. Y menos mal que [ella] ha-blaba español. (MB, 1968: 69)

47. ... sus 2.404 habitantes llevan tres años disponiendo de agua sólo durante tres cuartos de hora al día. Y gracias a que la Diputación les envía diariamente dos [camiones] cisternas para paliar la sed. (Cambio 16, 23-11-81: 134)

48. —Mejor vámonos, muchachos. Hemos trafagueado mucho y ma-ñana hay que madrugar. (JR, 1970: 41)

49. ...Mira, creo que mejor lo dejas para mañana. Ya es un poco tarde... (GCI, 1971: 81)

50. —Pero, vamos a ver, hijo, ¿tú lamentas haber ofendido a Dios?
—Sí, señor.
—Mejor dices sí, padre. (JLMV, 1975: 160)

Exercise 3. Sections 4.20 - 4.26

1. —Verás qué pronto abrimos esto —dijo Fernando cogiendo la navaja. (RSF, 1965: 103)

2. —Hasta luego. Nos encontramos en el café —dijo Machado, ale-jándose. (GC, 265)

3. —¿Y de dónde quieres que las saque?
—¿Te lo digo? (LO, 1968: 28)

4. —Yo ya lo tengo pensado; si de aquí a mañana no me pongo mejor, aviso que venga el médico. (CJC, 1963: 126)

5. —¿Y qué es lo que tengo que hacer?
—Ahora mismo te lo explicamos; es muy fácil. (RSF, 1965: 72)

6. —Mañana sacamos la comida ahí fuera —dijo Mauricio—. Aquí se asa uno comiendo, con el calor de la lumbre. (RSF, 1965: 115)

7. —Ahora te acuestas, descansas y mañana te encuentras mucho mejor. (CM, 139)

8. —A mí esta cara me dice algo... Pero no sé qué —añadió segun-dos después mientras se la devolvía a Carvalho. [la = la foto-grafía]

—Quédesela y la va mirando de vez en cuando, por favor. Mañana volveré.   (MVM, 150)

9. —Apenas regreses, me despiertas —ordenó el Jaguar.
(MVL, 1968: 11)

10. —¡Tienen que hablar!
—¿Y si ni así quieren?
—Los fusila usted con la primera luz del alba.   (WC, 52)

11. —Apunta eso... y lo que te tiene que contestar y te lo vas aprendiendo por el camino. Ella entonces, después de leer la carta, te dirá una hora, las siete, las seis, o la que sea; tú la recuerdas bien y vienes corriendo a decírmelo. ¿Entiendes?
(CJC, 1963: 126-127)

12. —... y va y me dice Pablo: «Pero, bueno, no desquicies las cosas...»   (CMG, 1974: 93)

13. El que llevaba tres meses sin trabajar, va y me dice al oído:
—A ese ladrón, le parto yo la cara.   (AB, 218)

14. —Conque a la mañana siguiente viene el cabo y me dice: «Hay ahí una señora con sus dos hijas.»   (RC, 1974: 149)

15. —Tiene razón Amadeo... Es un tío enfermizo. Fijaos que va y me suelta que esa manera de educar a los niños es de comunistas.   (JGH, 42)

16. —Llega la madre desalada, pensando sin duda que al fin iba a pedir algo de comer. Y ella [la hija] va y se lo suelta: «Voy a tener un niño»...   (JLMV, 1975: 113)

17. —Llevo un buen rato pensando que me martirizo sin motivo.   (RRB, 48)

18. —¿Entonces les basta verte en cueros para sentir tanto gusto?
—Le doy mi palabra, guardia, que no lo sé. Llevo veinte años, que se dice pronto, intentando averiguar por qué se lo pasan tan bien conmigo...   (FGP, 1981: 159)

19. —Yo llevo dos años con él y todavía no sé lo que piensa.
(JMG, 1961 a: 137)

20. —Ahora lleva varios días sin venir, ¿qué le pasa?
—Estará mala.   (JLCP, 304)

21. —A mi marido lo ha detenido la S. P. [= Sección Política]... Lleva detenido cuarenta y dos días y aún no han pasado su caso al juez.   (ABV, 1976: 73)

22. —¿Qué querrá este muchacho? Tiene un mes de venir todas las tardes. ¿Estudian juntos? (JI, 393)

23. —Tenemos una cantidad de años sin vernos. Figúrate que [*él*] ni sabía que me había casado. (SG, 35)

24. —Esta cabaña ha sido reconstruida tres veces en los últimos cincuenta años que tengo de estar aquí... (FS, 249)

25. Los bocinazos llenaron toda la calle y asustaron a un perro, que casi se mete debajo de las ruedas del coche.
    —Por poco me lo cargo —murmuró el chófer, con la colilla entre los dientes.
    —Haberle dado —rió uno, *el Canario*. (DS, 1965: 9)

26. —Hola, Pablo. Aquí estoy. Vengo a charlar contigo.
    (AS, 1967 *a*: 96)

27. —Ya te he dicho: Vengo a ofrecerte mi amistad. A ponerme a tus órdenes para lo que pueda serte útil. He venido a encargarme de Altamira. (RG, 57)

28. —Si me llego a casar en Madrid, la cosa hubiera sido peor.
    (CJC, 1971: 845)

29. —El día anterior estuvimos en alta mar. ¡Calcule! Si me da allí la trombosis, termina conmigo. (*Ya*, 18-7-73)

30. En perfecta formación de tres en fondo, las colas ... miden varios kilómetros.
    —¡Qué lástima no saber esto! —comenta humorísticamente un empleado...—. Si llego a darme cuenta antes hubiera montado un puesto de pipas [*sunflower seeds*] en las inmediaciones. ¡Le aseguro que me forro! (*ABC semanal*, 10-4-75)

31. Un conejo se atravesó en la carretera y quedó aplastado. Tomás rió y dijo:
    —Si llega a ser un toro, volcamos. (JLCP, 213)

32. El don Moisés Borrego estuvo en la guerra de Melilla, en la que llegó a cabo debido a su buen comportamiento. El coronel, que le había tomado mucho cariño, le dijo:
    —Ha sido una pena que esto acabase tan pronto; si dura un poco más, llegas a sargento.
    —Bueno, ¡qué le vamos a hacer! (CJC, 1971: 741)

33. ... volvieron a casa para encontrar en el buzón del portal un papel en el que se le citaba para el día siguiente.
    —Lo trajo uno de uniforme, no hace ni un cuarto de hora —explicó el portero—. Si llega usted un poco antes, se tropieza con él.
    —¿Qué querrán esta vez? (JFS, 1982: 38)

34. Milagrosamente, a Plinio le dio tiempo a correr hasta otro callejón; si no, lo ven a las luces del auto. (FGP, 1968 *a*: 80)

35. —¡Bájate de ahí inmediatamente! ¡Y ya estáis volviendo ahora mismo los tres para acá! (RSF, 1965: 211)

36. Lucas cogió por el brazo al hombre del lobanillo.
—Venga, tú, ¿qué te pasa? Yo no sé qué te pasa. Vámonos ya.
—A mí ya me estás soltando, ¿te enteras? Ahora nos vamos a tomar dos vasitos y una taza de caracoles. (JMCB, 41)

37. Sofi: —Tengo un compromiso.
Santana: —Pues deja el compromiso.
Sofi: —Dejadme telefonear al menos.
Paco Ruiz: —Pues ya estás telefoneando, que son más de las diez y media. *(Sale Sofi.)* (JMRM, 162)

38. —Estamos a sus órdenes, señor Zamorano.
—Entonces, ya están avisando a ese que estudia para policía y que nos informe. (MBU, 123)

39. —Vamos a las oficinas a ver a don Florentino. Don Florentino es el ayudante del jefe de personal... Si don Florentino quiere, mañana ya estás trabajando —aseguró. (ALS, 73)

40. Iba el buen señor destinado a representarnos en una corte, y antes del año ya estaba la reina o la emperatriz de aquella tierra escribiendo a España para que relevasen al embajador con su terrible cónyuge, a la cual llamaban los periódicos la irresistible española. (VBI, 1958 *b*: 90)

41. —Tú lo has querido. Señor Dolz, usted lo está viendo. No quiere ser razonable. (AS, 1976 *a*: 87)

42. —¡Jesús, qué sorpresa! ¡Tú aquí! ¡Si lo estoy viendo y no lo creo! (JB, 398)

43. —¿Lo ves? No querías bañarte [*en el río*]. Me está sabiendo más rico que el de esta mañana. (RSF, 1965: 271)

44. —A mí me revienta esa gente que habla de trilito. Estoy viendo que esos empleados son una pandilla de cretinos.
(JMG, 1961 *a*: 59)

45. —... yo sé que es importante para vos y te aseguro que está siendo importante para mí; estás enamorado y sufrís; yo no estoy enamorada, pero también sufro. (MB, 1968: 237)

46. El hombrecillo estaba teniendo la extraña virtud [= *quality*] de inquietarme. Empecé a sentir remordimientos por haberlo dejado plantado. (EV, 72)

47. Ya Sebas tenía las manos ocupadas con cinco helados; dijo:
—Yo me voy yendo ya con esto, no se deshaga.   (RSF, 1965: 106)

48. —Ahora te darán dos o tres libros en francés para traducir...,
pero vete aprendiendo el inglés, porque dentro de unos meses te
encargarán alguna traducción de este idioma...   (PB, 1947: 563)

49. —¿Pero qué bicho le picó?
—Se va yendo o, si no, a quien le va a picar un bicho es a usted.
—¡Pero fíjese un poco! ¡Claro que me voy!   (CG, Arg., 1971: 182)

50. Era la policía. Un coche patrulla. Pararon a nuestro lado...
—Suban.
El inspector que iba delante, junto al chófer, dijo:
—¡Vamos! Obedeciendo. Lo hicisteis.   (JLMV, 1975: 299-300)

51. —Si me cogieran en cualquier oficina, aceptaba.   (CJC, 1963: 290)

52. Les advertí que si seguían riñendo les abandonaba y me iba solo.
Se calmaron un tanto...   (PB, 1954: 251)

53. —Mire, si nos prestara el dinero, nos marchábamos de aquí, y en
Barcelona ya nos arreglábamos mejor.   (JFS, 1957: 180)

54. —Si yo estuviera en edad de parir... ¡Que no, vamos! ¡Que yo no
traía un hijo a este barrio!   (LO, 1968: 92)

55. —Si nos hubiéramos casado al final de la guerra del catorce,
Aurorita, cuando nos conocimos, ¿te acuerdas?, a estas horas a
lo mejor teníamos ya nietos.   (CJC, 1971: 701)

56. —¡Mi cuñada es una bestia! ¡Si no fuera por las niñas, ya le había
puesto yo las peras a cuarto hace una temporada! Pero, en fin,
¡paciencia y barajar!   (CJC, 1963: 120)

57. —¿Se puede saber a qué has venido? Te dije que si te casabas
con otra habíamos terminado, y no tengo más que una palabra.
De modo que vete y déjame en paz.   (JAZ, 1967: 617)

58. —Pero ¿no ves, hija, que soy un empedernido burgués? Y de los
que no tienen remedio; de los que no dan golpe.
—Pues ya podías hacer algo.   (AML, 1965: 993)

59. —... yo les hago bromas, por jugar, como un pretexto para que
hablen conmigo.
—Podías encontrar otros pretextos menos agradables.
(CG, Mex., 45)

60. ¡Hay exceso de burocracia! Un rey debía ser un padre solemne
y amistoso... ¡Los reyes no debíamos saber leer ni escribir!
(ACU, 53)

61. —Algunas personas debían vivir en el desierto, no conocen lo que es educación. (RRB, 22)

62. —Y mañana, lo que tenías que hacer, ¿sabes lo que es? Estarte todo el día en la cama. (JMRM, 143)

63. ... llevaba bebiendo desde media tarde porque había terminado con Ester. (CMG, 1974: 59)

64. —... le digo a Pablo, después de un rato que llevábamos sin hablar: «Oye, ¿no estás cansado?» (CMG, 1974: 93)

65. —¡Oscar! Venía a buscarte. Tu teléfono estaba comunicando todo el tiempo. He llamado no sé cuántas veces. (AS 1967 a: 81)

66. —Suéltenme, qué significa esto; oiga, se va a arrepentir, señor Pantoja, yo venía a ayudarlo. (MVL, 1973: 138)

67. —Perdone usted..., arman tanto ruido. ¿Decía...?
En realidad, se había enterado de todo. Procuraba alargar el asunto para darse tiempo a sí misma y meditar una respuesta acertada. (MS, 1968: 181)

68. —Voy a decirle a Paula que vaya preparando la mesa. ¡Paula!...
—¿Llamaba usted?
—Ve preparando la mesa, Paula. (AS, 1967 a: 77)

69. —¿Deseaba usted ver a mi padre? Avisaré.
—No, señorita. Vuelvo a pedir perdón. (JB, 123)

70. —¿Por qué no fuistes [sic] al entierro?
—Yo ya no era novio de ella. (FGP, 1971 b: 170)

71. ... Te tendió una manaza...
—Modesto Infante, mucho gusto.
—¿No nos habíamos visto antes, amigo?
—Puede ser... (SG, 52)

72. Lucho sacó del bolsillo una carta cerrada y: —¿Qué dirá esto? —preguntó, más bien al sello hermético que a los oficiales.
(EB, 364)

73. Sé que es una barbaridad pensar que Dios me abandona. No sé si será un período de prueba el que Él me quiere poner; pero, en todo caso, es durísimo. (JLMV, 1971: 104)

74. —No oigo bien. Mírame dentro de las orejas, tengo algo que me zumba. No sé si será una abeja. (AMM, 1960: 23)

75. —Yo no sé qué la [sic] daría Paco, pero siempre le prefería.
(MD, 1967: 118-119)

76. —¡Qué disparate! ¡Pero si yo calzo el treinta y cinco!
—¡Caramba, es verdad! ¿En qué estaría pensando yo? —dijo don Ramón dándose una palmada en la frente.   (AL, 1966: 203)

77. —¿No le habrá ocurrido algo?
—¿Qué le va a ocurrir?   (AS, 1967 *a*: 634)

78. —¡No hables más, te lo ruego! ¿Por qué te habré dejado hablar? ¡Me has hecho mucho daño!   (AS, 1967 *a*: 275)

79. —Hoy vamos a tener que ir con tiento, con mucho tiento. Como éstos saquen a relucir su mal café [= *euphemism*], se va a armar la de San Quintín. ¿Quién les habrá metido en la cabeza la idea de venir a incordiar?   (IA, 168)

80. ... de pronto Micaela se echó a mí y me abrazó. Yo me puse a pensar si le habrían entrado amores, y si, dado el caso de ofrecérseme, si debía aprovecharme...   (ACU, 30)

81. —¡Si tendrá la desfachatez de presentarse aquí!   (Moliner, II: 1159)

82. —Dígale al niño, que estará por la calle, que vuelva.   (JHG, 8)

83. —Tiene un nombre muy feo, ya ve usted...
—... Pero se podrá decir, digo yo.   (Sara Suárez Solís, 139)

84. La muchacha recordaba bien aquella tarde.
—Serían dos o tres. Puede que más. Llevaba mucho tiempo rondando la casa. Cuando los vi venir me eché a temblar.
(JFS, 1982: 235)

85. —¿Ha muerto anciano?
—Sí; Atilano andaría ya por los ochenta y pico...   (JAZ, 1972: 60)

86. —... yo conocí a Federico en la escuela de derecho, cuando los dos tendríamos unos veinticinco años.   (CF, 1958: 171)

87. —Te repito que no tenía ninguna señal de violencia.
—Pues la envenenarían. ¡Yo qué sé!   (JGH, 8)

88. —Escuche esto, Romero. Alguien, no sé quién, probablemente la dueña, le diría ayer que Tesa no disponía de habitación y usted, muy «caballero», le ofrecería la suya esperando que Tesa, «en agradecimiento», bajaría a hacerle a usted una visita...
(JMB, 375-376)

89. —Pues no lo has hecho, que yo sepa. Y tiempo y ocasiones no te habrán faltado. Vamos, digo yo.   (AML, 1965: 93)

90. —No creo que ya tarde mucho. Habrá tenido algo que hacer.
(AS, 1967 *a*: 289)

91. —O ella entró en la oficina para hacer una gestión, o trabajaba allí. Desde luego, esta última era la hipótesis más favorable. En este caso, al separarse de mí, se habría sentido trastornada y decidiría volver a su casa. (ES, 1965 a: 28)

92. —Paraísos no tendremos, pero, mira, tenemos un infierno para nosotros solos. (AG, 1970: 251)

93. —Doctor —le dijo Pérez del Corral, que presenció la escena—: ese pobre hombre no tendrá pelagra, pero tiene un hambre atrasada de muchos días, que es peor. (PB, 1954: 157)

94. «La utopía y el romanticismo serán todo lo bello que se quiera, pero no tienen nada que ver con la política.» (Ya, 21-7-73)

95. —... que el pobre Constantino será todo lo infeliz que quieras, pero es un chico bien raro, que creo que hace yoga.
(MD, 1967: 211)

96. —Mire usted, doña Margarita, nada más verles entrar por esa puerta, me dije: son unos señores. Y otra cosa no sabré, pero eso lo aprecio a la legua, hija mía. (RRB, 51)

97. —No irás a desbaratar el matrimonio de ese muchacho. José habrá hecho lo que haya hecho, pero tiene derecho a fundar una familia como Dios manda. (MS, 1968: 122)

98. —No pensarás que haga yo todo el gasto. (AML, 1965: 996)

99. —No me encuentro bien aquí y quisiera marcharme.
—Pero, ¿por qué, Andrea? ... ¿No estarás ofendida conmigo?
(CL, 226)

100. Se diría que desde que subimos a bordo estaban preguntándose cómo debían manejarnos... (JC, 1968 a: 152)

101. —En fin —dijo Medrano—, parecería como si hubiera acuerdo de mayoría. (JC, 1968 a: 155)

102. —Cierra la puerta, que juraría que vienen siguiéndome.
(JMRM, 126)

103. —¿Cómo quieres que te llame entonces?
—Por mi nombre.
—Es raro, pero lo olvidé.
—Juraría que termina en o. (JD, 117)

104. —¿Sabrías tú decirme, chaval, la casa de Louredo por dónde cae? (CMG, 1974: 13)

Exercise 4. Sections 4.27 - 4.37

1. —... ¿Eres tú?
   —¿Quién voy a ser?   (RG, 95)

2. —Sin pensar si vale la pena o no.
   —¿Por qué no va a valer la pena?   (CG, Arg., 1971: 139)

3. —Cierre usted la terraza.
   —¿La terraza? ¿Por qué la vamos a cerrar?
   —Porque a lo mejor se enfría el enfermo.   (MM, 1967: 212)

4. «¿Y si fuera a esperarla a la salida de su colegio?»
   Pero no me animaba. ¿Qué le iba a decir? ¿Y de dónde sacaría
   dinero?   (MVL, 1968: 101)

5. —Pobrecito Chris, ¿quién iba a cuidar de ti, si no fuera por tu
   madre?   (RRB, 30)

6. —¿Le gustaría a usted verse retratado en una novela norteamerica-
   na? No, claro. ¿Cómo iba a gustarle?   (MS, 1968: 58)

7. —¿Imposible? ¿Por qué? ¿Por qué ha de ser imposible que me
   quiera a mí, a mí nada más?   (AGC, 108)

8. —... se fijo usted en que... el ingeniero ese nos amenazó...
   —¿Cómo no habría de fijarme, si fue más clarito que la luz del
   mediodía?   (AY, 70)

9. —¿Y si, según tú, resultara que no es feliz?
   —¿Por qué ibas a luchar entonces?   (JLR, 1969 b: 72)

10. —¿Quién iba a decirnos que por lo de los caballos se iba a poner
    el asunto tan feo?   (MS, 1968: 416)

11. —No sé dónde íbamos a vivir mejor que aquí.   (RRB, 18)

12. —Espero que no vuelva a ocurrir..., ibas a llevarte un disgusto.
    (AS, 1967 b: 22)

13. Al principio no pensaba más que en retirarme al asilo de los curas.
    Porque, ¿quién iba a cargar con mis costumbres de viejo desor-
    denado?   (RC, 1974: 83)

14. —Si alguien me viera salir de tu casa en zapatillas, ¿qué iba a
    pensar?   (JS, 1965: 358)

15. —¿Quién iba a creer que nos íbamos a encontrar aquí después de
    tanto tiempo, Modesto?
    —Así es la vida, ¿no?   (SG, 57)

16. —Ha de haber sido ese Mauricio el que te lo dijo.   (RU, 1964: 10)

17. —Usted, después de ver aquellos primores que hay en [*la ciudad de*] México, no le ha de gustar este pueblo tan feo.
—No me pareció feo; todo lo contrario.   (AGC, 87)

18. —Luego, el pabellón más bonito era el de la Santa Sede, del Vaticano...
—Ah, sí ha de haber sido.   (J. M. Lope Blanch, 1971: 200)

19. —Lo han de haber visto con una mujer.
—No seas tarugo; a ésos no les gustan las mujeres.   (CF, 1958: 132)

20. —Ese que está allí tirado parece estar muerto o algo por el estilo.
—No, nada más ha de estar dormido —me dijeron ellos—. Lo dejamos aquí..., pero se ha de haber cansado de esperar y se durmió.   (JR, 1967: 25)

21. «Se lo han de haber llevado —pensamos—. Se lo han de haber llevado para enseñárselo al gobierno.»   (JR, 1967: 71)

22. —Te invito —dijo Jenaro.
—Pero no irás a entrar allí —respondió, alarmado, Emiliano.
(JLCP, 32)

23. —Y ese fumadero de opio... y esos niños secuestrados... ¡No irá a decirme que todo esto es natural!   (ACS, 26)

24. —¿No se te ocurrió pensarlo dos veces antes de cometer esa imprudencia?
—¿Qué imprudencia?
—¿No me irás a decir que ni te diste cuenta?   (JLMD, 34)

25. —Sobre ese punto está todo el mundo conforme. ¿No irá usted a defenderlo?   (AMA, 26-27)

26. —Pero disimula, mujer, disimula; no te lo vayan ellos a notar.
(JAZ, 1973: 234)

27. —...¿Me despido de él?
—Déjalo, no vaya a querer irse otra vez.   (ABV, 1970: 36)

28. —Usted debe dar algún grito. No muy fuerte, no sea que acudan los sirvientes.   (RJS, 1973: 33)

29. —Cuidado... Siéntate con cuidado, no vayas a manchar el delantal.   (EQ, 46)

30. —Pero no me creas mejor de lo que soy, Andrea... No vayas a buscarme disculpas.   (CL, 273)

31. —Esto puede costarte caro. No vayas a arrepentirte de lo que estás haciendo.   (GC, 286)

32. —¡Vete preparando! Creo que vamos a tener una fiesta.
(DS, 1961: 45)

33. —Llegan con miedo. Probablemente les han dicho que aquí nos los vamos a comer crudos. (JLCP, 1973: 308)

34. —Así era vuestro abuelo, según os tengo dicho muchas veces. —¡Suerte que lo conociste! —exclamó doña Adosinda.
(RC, 1979: 179)

35. —Lo triste es que con las oposiciones ganadas os tendréis que largar fuera de Madrid. (JAZ, 1973: 227)

36. —Lo lamentable es que me ha creado un pequeño problema a mí. (MVL, 1972: 258)

37. —Lástima que no haya un centro de chequeo político.
(FU, 1975: 123)

38. —Y lo peor es que me has quitado el hilo y ya no sé por dónde iba. (JCS, 1962: 48)

39. —¿Te ha pasado algo? ¡Dime, habla! ¡Ay, Dios mío! ¡Parece como que se te ha ido el habla! (ICC, 71)

40. —Usted perdone si le he molestado, pero el caso era urgente.
(JB, 315)

41. —Perdonen que les haya molestado a estas horas. (JLR, 1969 a: 394)

42. —He recibido, sin yo pedirlo ni insinuarlo, una mención nacional por mis actividades al frente de la Delegación. (RC, 1974: 111)

43. No sabía qué clase de moneda fuese el ducado. (Keniston, 168)

44. —Y deje ese despacho sobre el escritorio...
—No sé; no sé si deba... Me lo entregaron en mis propias manos y firmé por él un recibo. (FS, 32)

45. —¿Tú no crees, Manuel, que la gente habla ahora más fuerte que en nuestros tiempos?
—No sé qué le diga, don Lotario, porque los españoles siempre creen que cuanto más vocean, más hombres y más graciosos o graciosas son. (FGP, 1981: 130)

46. —En vez de corbata, parece que llevaras envuelta al cuello una media vieja. (SSB, 257)

47. —Aquel día fue algo muy importante para mí... Y parece que me estuviera viendo aún salir aquella mañana de mi cuarto, feliz, sin sospechar que la tristeza estaba allí, esperándome. (JLMD, 14)

48. —Ha influido en contra mía de tal manera, que otro gallo me cantara si en el amor hubiera encontrado estímulo para luchar por algo o por alguien. (JRR, 89)

49. —Uno da consejos a voleo, pero si fuera uno el que tuviera que dar a luz, otro gallo le cantara. (MD, 1966: 274)

50. —Como digas otra insolencia, te meteré este puño dentro de la boca. (RA, 1968 *b*: 263)

51. —¡Como me volváis a despertar al niño, os mato! ¡Todas las mañanas me hacéis lo mismo! (LO, 1958: 29)

52. —No acepto nada como no sea el doble del sueldo. (CR, 52)

53. Le daba rabia llamarse Traveler, él que nunca se había movido de la Argentina como no fuera para cruzar a Montevideo...
(JC, 1970: 257)

54. —Ya estaría enamorado de Ilse Hoffman... simplemente con que tuviese tres años más. (Lidia Contreras, 73)

55. —¿Qué ganás [*vos*] con matar a Cáceres y que luego te metan en la cárcel por varios años? (GC, 251)

56. —Con mandarle a un buen colegio, completábamos su educación.
(JAZ, 1973: 171)

57. —¿Creen ustedes que de otro modo me hubiera metido en construir el aeropuerto con las dimensiones que le estoy dando?
(AY, 145)

58. —¿Y tú qué le dijiste?
—Que no viniera, porque, de lo contrario, todo acabaría entre nosotros. (XV, 30)

59. —Quizá la falda tabaco y el chaquetón gris.
—Te hace mayor.
—Pues yo me encuentro bien; con una blusita beis [= *beige*] hace un conjunto muy mono.
—Yo que tú me pondría el traje de chaquetón salmón. (RAY, 94)

60. Doña Patro, sin inmutarse, dijo:
—Yo que usted, no me metería en sus líos. ¿Usted no sabe, padre, que han quemado las iglesias en la ciudad? (IA, 165)

61. —Mirá, yo que vos, iba y me entregaba. No le des vueltas.
(JCO, 12)

62. —Pues yo no colaboraría ni aunque fuese a cambio de la libertad. (AML, 1976: 338)

63. —Y tú, ¿los vendiste?
    —No, chico; ¡ni loco! (SG, 140)

64. —De aquí no nos mueve ni el fin del mundo que se adelantase. Aquí nos quedamos hasta que San Juan baje el dedo. (IA, 266)

65. —Pero anda y descuídate tú, al andar por ahí, y ya verás cómo te marchas a pique en tres días. (RSF, 1965: 164)

66. —Y yo he comprendido que o me cuido o deberé atenerme a las consecuencias. (JCS, 1962: 13)

67. —Aquí no hay más que una verdad: o hacemos un país próspero, o nos morimos de hambre. No hay que escoger sino entre la riqueza y la miseria. (CF, 1958: 268)

68. —Por eso me gusta estar lejos de Montevideo..., porque entonces pierdo mis inhibiciones. Estoy segura de que usted, por ejemplo, que me cae tan simpático, me hace cualquier proposición, por más escandalosa que pueda parecerme en Montevideo, estoy segura de que usted me dice algo brutalmente comprometedor y no me escandalizo. (MB, 1968: 26)

69. —Se le ocurre eso a una hija mía y la mato. (AP, 1973: 81)

70. —Secreto total, o ésos nos soplan el plan. (ABE, 9)

71. —Una docena de chatos y te quedas sin el sueño de las cuatro ruedas [= el coche]. (LO, 1968: 44)

72. —No se preocupe. Aquí estoy yo. Una palabra suya y me tendrá a su lado, para protegerla. (JS, 1962: 9)

73. —Fue un alivio para ti salir de aquella casa. Un poco más y hubieras estallado. (JLMV, 1975: 276)

74. La herida presentaba un feo aspecto. El agua del mar contribuiría a cicatrizarla. Si no bastaba, un poco de sal y vinagre, y al día siguiente, como nuevo. (JG, 1964: 141)

75. La salud es el tabaco... Pitillo tras pitillo, chupados hasta la raíz, como si fuera regaliz, hasta los noventa años: Josep Pla. Le hubierais quitado esa colilla eterna, malditos médicos, y se hubiera muerto mucho antes. (Cambio 16, 3-8-81: 61)

76. —Mil años que vivas, ignorarás lo que ha pasado. (Spaulding, 65)

77. —Que hay sol, pues todos tan contentos. Que hay lluvia o frío, todos como perros y gatos, y en Andalucía más. (JGH, 32)

78. —Que nos cansamos..., nos quedamos a dormir en algún sitio del camino. (Moliner, II: 901)

79. —¿Que la mujer trabaja como una burra y no saca un minuto ni para respirar? ¡Allá se las componga! Es su obligación.

(MD, 1967: 43)

80. —¿Que vosotros tenéis ambiciones? Bueno. (DS, 1961: 35)

81. También creía que por su cargo tenía derecho a cobrar una especie de contribución por todas las enfermedades de Alcolea. Que el tío Fulano cogía un catarro fuerte, pues eran seis visitas para él; que padecía un reumatismo, pues podían ser hasta veinte visitas.

(PB, 1947: 526)

82. —¿Que han hecho un lago donde había un valle? Psé. Me es igual. ¿Que son buenos? ¿Que son malos? Nada me importa.

(PB, 1960: 159)

83. —Además, imagínate que esta pista es falsa, pues tú no comprometes tu fama. Vamos don Lotario y yo, que somos particulares, echamos un vistazo... y si es la clave te damos un telefonazo al «Nacional»... Que no lo es, pues todo queda en un paseíco por Madrid, que en el otoño es dulce como las pasas.

(FGP, 1971 a: 149)

5

OTHER STRUCTURAL VARIATIONS

5.0 As well as the variations in verb forms and usage described in Chapter 4, there are colloquial variations of other components of clause and sentence structure. As with verbal variations, there are three broad types: ellipsis, alternative forms and replacement forms. The components which show such variation are:

— subject and object pronouns;
— the negative particle *no*;
— interrogative sentence components;
— intensifiers *(muy, tan, bastante* and *mucho)*;
— some noun phrases and components;
— time and place expressions;
— certain minor postverbal elements;
— subordinating conjunctions;
— coordinating adjuncts.

VARIATION IN PRONOUN USAGE

5.1 Certain colloquial features of subject and object pronoun usage are different from those of standard Spanish. Most variation centres around ways of referring to the first person and to the general second or third person (e. g. *you*, one).

NOTE

A distinctive morphological feature of the speech of Argentina, Uruguay and some other areas of Latin America is the use of the pronoun *vos* instead of *tú*. In the present tense indicative, the present subjunctive and in the imperative, the accompanying verb forms (which vary slightly from area to area) are different from the *tú* forms in accentuation and/or form. A few examples of some common verbs:

Present indicative: *vos cantás, vos volvés, vos sos* [= *tú eres*].

Present subjunctive: *vos cantés, vos volvás.*

Imperative: *cantá, no cantés; volvé, no volvás; respondé, abrí, decí; callate, sentate, reíte, decime, demostrámelo, ponételo.*

5.1.1 In familiar or popular speech, both *uno* and *una* may be used to refer to the speaker or to a general subject *(you, one)*. *Uno* is sometimes used for *one* or *you* in standard Spanish, but usually with verbs which *require* the use of a reflexive pronoun and which do not therefore admit the *se* + verb construction for this meaning. (For example: *Se hace lo que se puede: One does what one can,* and *Uno se pregunta por qué lo hizo: One wonders why he did it.*)

> —Ni el día de su cumpleaños puede una disponer de su propio cuarto para recibir a las amistades como Dios manda.
> (JM, 1970 a: 23)
> *I can't have my own room even on my birthday to entertain my friends properly.*

> —¿Qué piensas tú de eso?
> —¡Señora! ¿Qué va a pensar una?   (VRI, 1970: 49)
> *What CAN I think? / What IS one to think?*

> —Aquí comemos mal, pero algo comemos. Y uno le tiene cariño a la tierra; no sé por qué, porque no vale nada, es la verdad.
> (RC, 1964: 135)

5.1.2 More widespread through social groups is the familiar use of the second person singular subject pronoun and/or its verb form to refer to a general or vague personal subject. In more formal or cultured speech and in writing, the change must be made to a standard form (e. g. the *se* + verb construction and *uno* + reflexive verb mentioned above in 5.1.1) since the use of *tú* for *one* is considered inappropriate in these contexts. The colloquial use of the pronoun *te* for similar purposes is also considered inappropriate in formal speech and writing.

> —Si te dejas pisar, estás perdido.   (Moliner, II: 1272)
> *If you let them take advantage of you, you're lost.*

> —En las Jurdes [= *Hurdes*] no se puede vivir de otra manera: o trabajas como una bestia o hay que salir a pedir limosna por Castilla.   (Coste, 213)

> —Cuando yo era joven... la merluza era cosa muy barata, y ahora te cuesta los ojos de la cara.
> —Y cada día te la suben cinco céntimos.   (M. Gorosch, 1967: 20)

5.1.3 Occasionally the pronoun *se* and the third person singular verb form are used in colloquial Spanish as variants for the first person singular (to express thanks and to ask for something, especially a bill) and for the second person forms (to express reprimands, indignation and congratulations). Often the *se* reference is to a real or imaginary norm of behaviour.

> —¿Quiere usté? —ofreció el manco.
> —Se agradece —contestó éste tomando el cigarrillo. Lo puso sobre su oreja.   (ALS, 77)

> —Tome usted un cigarro.
> —Se estima.   (Seco, 306)

> —Oiga, camarero, ¿qué se debe?
> —Dos mil pesetas, señor.
> *How much do I owe you, waiter?*

> —Eso no se dice/hace.
> *You shouldn't say/do that.*

> —Os he dicho más de veinte veces que en casa no se juega a la pelota.   (MD, 1975: 51-52)

> —¡Así se baila!
> *That's the way to dance!*

> —Ahora recuerdo que el lunes me dijo que había comprado una pistola...
> —Eso, se avisa.   (JLR, 1958: 26)
> *You should have told me.*

NOTES

1. *¿se puede saber?* and *¿puede saberse?* are often used sarcastically to introduce a question. Again, the reference is to the first person: *May I/we know/ask/enquire...?*

> —¿Puede saberse qué has hecho durante tanto rato?
> (JS, 1962: 18)

2. Particularly in a forceful reprimand, *se hace* may be equivalent to *se puede hacer*:

> —¡Si tuviéramos dinamita!
> —La dinamita se hace.
> —Pero ¿la podrá usted hacer aquí?   (PB, 1960: 143)

3. The form *se* may very occasionally be seen in print as a hispanification of French *c'est (it is; it has)* in dialogue where small amounts of French are introduced, usually jocularly. This occurs especially with *se fini (= c'est fini)*:

—O sea que *se fini*, señores, se acabó lo que se daba.

(JLMV, 1981: 12)

So that's it, then, friends, there's no more/that's the end of it.

5.1.4 Although perhaps more of a lexical matter, it may be of use to point out some of the jocular or humble popular third person replacements for *yo* (cf. *yours truly*, in English):

un cristiano	*un(a) servidor(a)*	*este cura*
este cristiano	*este servidor*	*mi menda*
	esta servidora	

—Si yo no me equivoco, usted es el caballero que va a Silván.
—Sí, señor.
—Pues un servidor es el voluntario que irá en su compañía.

(RC, 1964: 168)

—¿Quién lo comanda y quiénes lo integran...?
—Lo comanda este cristiano, y van conmigo Coca, Pichuza y Sandra.   (MVL, 1973: 127)

Notes

1. The deferential response *Servidor de usted* means *Yes, sir.*

2. Among the instances of colloquial pronoun replacements are the following

 for *nadie*: *ni Dios, ni Cristo, no hay Dios/cristiano que, ni el sursum corda, ni San Pedro* (etc.) *que* + subjunctive (see 4.34.4), *cualquiera* [see 2.15].

 for *nada*: *ni patata, ni papa, ni jota, ni tanto así, ni esto* [the last two accompanied by a gesture of joining the nails of the thumb and index finger in front of the speaker's face or pointing to the first phalange of a finger - see Beinhauer (1978), 360]; note also *sin decir esta boca es mía (= sin decir nada).*

 for *todo el mundo* or *cualquiera*: *cada quisque, todo Dios, todo/ cualquier hijo de vecino* [usually preceded by *como* in a comparison: *like the next man*], *el/la que más* [see 5.12.4], *hasta el último mono.* (Very often these replacements are used pejoratively, rather like: *like any Tom, Dick or Harry.*)

—No hay Dios que lo entienda.

—No hay cristiano que aguante eso.

—Ni Cristo lo sabe.

—Cualquiera lo sabe.

—Mire, yo no sé ni papa de francés.   (ALS, 46)

—Y ahí donde la ves —levantaba la mano con el dedo pulgar y el índice unidos—, no tiene ni esto de malicia.
—Se le nota.   (JMCB, 185)

—¿El jefe, el jefe? Todo dios a buscar al jefe...   (MD, 1978: 59)
The boss, the boss? And everyone starts looking for the boss...

5.1.5 In descriptions (particularly parenthetical ones), a subject pronoun may be added to an adjective or a noun phrase describing a noun phrase just mentioned (usually the subject):

Una señora..., rubia ella y de bastante buen ver, tomaba café...
(FGP, 1971 *a*: 74)

Yo encontré en cierta ocasión a un personaje, algo leidillo él, que estaba indignado...   (TS, 1969: 39)

—¿Y cómo es?
—Buen mozo él: moreno.   (JFS, 1967: 49)

5.1.6 A further colloquial characteristic associated with pronoun usage is the frequent use of additional reflexive pronouns with most common verbs, both transitive and intransitive, independently of any normal reflexive variant that may exist (e. g. *ir* and *irse*). The addition of these pronouns indicates some particular subjective involvement with the action which is often not translatable into English.

Although particularly frequent with verbs of movement (e. g. *bajarse, caerse, irse, llegarse, salirse, subirse, venirse, volverse,* etc.), the use of this additional pronoun is also found with most other common verbs (e. g. *aprenderse, beberse, buscarse, comerse, creerse, decirse, dejarse de, encontrarse, esperarse* — usually in the imperative — *estarse (= to stay), ganarse, gastarse, jugarse, inventarse, leerse, merecerse, morirse, olvidarse, pararse, pasarse, perderse, proponerse, quedarse, saberse, suponerse, temerse, tomarse, traerse, tragarse*).

A few examples will illustrate this very common colloquial usage. Both those that follow and those included at the end of the chapter are for study (to get the 'feel' of this use of reflexive pronouns) and for translation.

Se lo bebió todo.
He drank it all (up).

—¡Cuidado! Te vas a caer.

—Cómetelo.
Eat it all (up).

—Se cree que le van a ayudar.

—Les he visto crecer a los dos y sé lo que me digo.

(ABV, 1964: 94)

... so I know what I'm talking about.

—¡Déjate de tonterías!

Stop messing about!

—Fui por Las Vegas y me llegué al puesto de café y me encontré con Laserie. (GCI, 1969: 77)

Camila ... salió a la ventana a pedir auxilio:

—¡Se están entrando los ladrones! ¡Se están entrando los ladrones! (MAA, 1970: 74)

—Espérese. Voy a abrir el balcón. Así las verá usted mejor.

(MM, 1967: 10)

—¡Ya lo creo que viene! Todas las noches. Se está hasta las tantas.

(JFS, 1967: 89)

—¿Por qué no te vas de compras al pueblo? (JGH, 9)

—Me he gastado más de cien pesos.

—No tiene ninguna necesidad de inventarse una mentira que no le sirve para nada. (JM, 1970 *a*: 73)

—El año pasado se murió su padre.

—Ese hombre se pasa la vida trabajando.

—... no he salido ni un día de pesca. Tampoco creo que me haya perdido nada. (JGH, 53)

Se sabía todos los pueblos de León, Castilla la Vieja, Castilla la Nueva y parte de Valencia. (CJC, 1963: 25)

—Pero ¿por qué te subes a los árboles? (JGH, 108)

—Además, me temo que no hace tiempo de playa. (JGH, 39)

—Te lo tenías muy callado.

You kept it very quiet.

—¿Por qué no te tomas unas vacaciones?

—¿Te vienes en el Metro hasta Iglesias?

—Pues, claro. Te acompaño. (FU, 1966: 22)

—¿Le da miedo volverse sola? (JGH, 20)

Notes

1. Also colloquial and considered substandard by most educated speakers is the lack of plural agreement in sentences like *Se vende casas.*

270

2. It should also be noted that the appearance of *la* and *las* (and much less frequently *una* and *alguna*) in idioms is another (lexical) feature of Spanish which is most visible in colloquial usage. For example:

> No sé cómo se las arregló para venir.
>
> **Cogió las de Villadiego.**
>
> No me las das, Barrabás.
>
> Se las da de listo.
>
> ¡Buena la hemos hecho! [see 2.26]
>
> ¡Cuidado! Te la estás jugando.
>
> Me las pagarás.
>
> Por fin se salió con la suya.
>
> Hizo una de las suyas.
>
> No las tiene todas consigo.

5.1.7 The extreme flexibility of object pronouns in verb groups is another colloquial feature of pronoun usage, particularly the placing of object pronouns at the beginning of a verb group as well as at the end of it. This is particularly noticeable when the verbal periphrases *ir a, volver a, tener que* and *acabar de* are used.

> Se lo voy a decir. / Voy a decírselo.
>
> No le quiero volver a ver.   (Keniston, 71)
>
> Me iba a tener que cambiar.
>
> —¿Vive en otra parte?
> —¡Te acabo de decir que no vive acá!
>
> —... [ustedes] se van a tener que apurar.   (MP, 226)
> ... *you'll have to get a move on.*

A further colloquial choice is to put an object or reflexive pronoun after the infinitive part of a verbal periphrasis as well as at the end of the verb group:

> Se empeñó en irlo haciendo.
> *He insisted on getting on with it.*
>
> Va a volverse a casar.
>
> No quiero volverle a ver.
>
> —¿No le parece, Fernando, que este muchacho debería irse a acostar?   (RJP, 55)

5.2 In the following specific environments, colloquial sentences may show ellipsis (5.3) or redundant use (5.4) of the negative particle *no*.

NOTE

For the ironic use and omission of *no*, see 2.12-2.14.

5.3

5.3.1 When the verb is preceded by adverbial expressions beginning with *en* and denoting a length of time or, more rarely, a place, a negative meaning may be implied without the use of *no*. In such sentences, other positive elements, such as indefinite adjectives and pronouns *(alguno, algo)* are used rather than their counterparts *(ninguno, nada)*.

> —En toda la noche he podido dormir.   (Ramsey, 208)
> *I haven't been able to sleep all night.*

> —En toda la tarde agarró una rata...   (MD, 1969: 84)
> *He hasn't caught a single rat all afternoon...*

> —En mi vida había oído algo tan absurdo.   (JG, 1964: 46)

> —En parte alguna la pudimos encontrar.   (Ramsey, 208)

5.3.2 A negative meaning is also conveyed by certain colloquial idioms of indifference consisting of *importar* followed by metaphorical terms like *un bledo, un comino, un pimiento, un pito, tres pitos, un rábano*, etc. The equivalence is to a negative use of *importar* plus the pronoun *nada*. English idioms like *I don't give a damm/two hoots*, etc., *about that* are similar in meaning.

> —A mí me importa un pimiento que no estéis casados.
> (JGH, 36)
> *I couldn't care less whether you're married or not.*

> —A mí ese invento ya me importa un comino.   (MM, 1964: 81)

NOTE

Also used with negative (and expletive) force are the constructions *maldito* + article + noun phrase, *maldito lo que* + verb, and *maldito si* + verb:

—A mí me importa maldita la cosa.   (Beinhauer, 246)
I couldn't care less.

—Yo no le encuentro maldita la gracia.   (Beinhauer, 246)
I don't find it at all funny.

Pasó silbando una bala...
—Compañero, maldito lo que me simpatizan estos mosquitos zumbadores. ¿Quieres que nos alejemos un poco de aquí?
(MA, 135)
... I'm damned if I like all this buzzing...

—Pero maldito si a él le importaba eso.   (JC, 1968 a: 198)
But that damn well didn't matter to him.

5.4

5.4.1 Redundant uses of *no* may be found before the second of two terms in a comparison, in a preference or, occasionally as in English, in exclamatory sentences.

—Ella era más feliz entonces que no ahora.   (Ramsey, 144)

—Ella se lo sabrá decir a usted mejor que no yo.
(Ramsey, 215)

—Es mejor ir a pie que no esperar el autobús.   (Moliner, II: 513)

—Más bien parecía que le llevaban que no que él andaba.
(Ramsey, 215)

—Prefiero dar un paseo al aire libre que no meterme en un cine.
(Moliner, II: 513)

—¡Cuántas veces también su abuela no le habría hablado de personas de otras épocas!   (TLT, 53)
How often had his grandmother not talked to him about people from other times!

NOTE

In questions and statements where a negative is *implied*, a negative term may replace an expected positive indefinite one:

—¿Qué mal ha hecho esta mujer a nadie?
[= *Esta mujer no ha hecho mal a nadie.*]

—Es difícil que nadie lo crea.
[= *No es posible que nadie lo crea.*]

5.4.2 Also redundant, and potentially ambiguous, is the use of *no* after the conjunction *hasta que (until, unless)* and its synonym *hasta tanto*. (For the use of *mientras no* with a similar but unambiguous meaning, see 5.22 *h.*)

—No me marcharé hasta que no me echen.   (Moliner, II: 21)
I'm not leaving until they throw me out.

—Hasta que todo no esté arreglado quiero que ella lo ignore.
(Ramsey, 215)
I don't want her to know about it until it is all arranged.

—¡Hasta que no presente pruebas, eres inocente!   (CR, 82)

—Pues yo tampoco lío el primero, entonces, hasta tanto no fumes tú también.   (RSF, 1965: 19)
In that case, I'm not going to roll myself a cigarette until you have a smoke too.

NOTE

A redundant *no* may also follow *por poco (very nearly)*:
Por poco no me caigo.   (Alcina, 794)
I very nearly fell.   (See 4.21.4)

VARIATION IN INTERROGATIVE COMPONENTS AND SENTENCE TYPES

5.5 In previous chapters, the following variations affecting interrogative words and structures have been described:
a) the use of additional *¿qué?* and *¿y?* before a question (3.6);
b) subject pronoun precedes verb in a question (2.9.2);
c) expletive intensification of interrogative words (3.10.3);
d) interrogative words followed by *ir a* and *haber de* (2.22);
e) questions with no main finite verb (4.2 and 4.6).

There are two further sorts of variation which occur in colloquial Spanish: a special interrogative pattern (5.5.1) and the use of colloquial interrogative words and expressions in place of standard ones (5.5.2).

5.5.1 The colloquial pattern *¿qué?* + verb + *que* + verb may be considered, at least from a translation point of view, as an emotional version of *¿por qué?* + verb, denoting impatience or annoyance, and also as a variant for the use of interrogative expletive intensifiers described in 3.10.3. English equivalents are:

Why on earth...? and *What's preventing (him) from...?* Most frequently, the verb following *¿qué?* is *pasar* (or a synonym) or *hacer.*

—¡Bueno! Pero ¿qué pasa que no entra?
—No sé, papá. Le voy a ir a buscar.   (MM, 1964: 15)
Why on earth doesn't he come in?

—... ¿qué te detiene ahora que no escribes las tres líneas del adiós?   (LS, 1970: 132)

—¿Qué haces que no lo terminas?
What on earth is stopping you from finishing it?

5.5.2 The interrogatives *¿qué tal?* and *¿a qué?* are colloquial variants for *¿cómo?* (or *¿qué clase de?*) and *¿para qué?*, respectively. *¿Qué tal?* may also replace *¿cómo? +* verb (usually *estar, ser* and *ir*).

—¿Qué tal (estás)?

—Hola, ¿qué tal?

—¿Qué tal tu fin de semana?   (JHG, 120)
What was your weekend like?

—¿Qué tal día hace?
What's the weather like?

—¿A qué has venido?
—A aclarar las cosas.   (ABV, 1970: 93)

NOTES

1. *¿A qué?* forms a common idiom with *venir:*

—¡No quiero que le hables.
—Pero ¿a qué viene todo esto, Maribel?   (MM, 1967: 353)
Why do you bring that up, Maribel?

(See also 4.6.2).

2. When followed by *ir a* and *haber de, ¿qué?* may function as an alternative for *¿por qué?* (see 2.11.2).

VARIATION IN INTENSIFIERS

5.6 The number of colloquial variations for the standard intensifiers *muy, tan, bastante* and *mucho* is very high. In dealing with them, we once again straddle (as so often in dealing ith colloquial phenomena) the boundaries of syntax and lexicography. However, since intensifiers are parts of the basic structure of sentences, a fuller knowledge of the range of frequently used colloquial alternatives is essential for accurate comprehension and translation.

The reasons for the frequent use of intensifiers and for the existence of so many variations in colloquial Spanish as well as for the fact that some intensifiers fall out of fashion, giving way to new coinages (see, in particular, 5.12.2) are to be found in the individual's constant need in informal situations to express a vivid emotional opinion or judgement on the things and actions (s)he describes. This need is also expressed in many other features of colloquial language already illustrated in this textbook, but particularly relevant to the categories described in the following sections are the exclamatory sentence types dealt with in sections 2.1-2.4.

As with other colloquial variations, there are cases of ellipsis and alternative or replacement forms. In sections 5.7-5.16, the material is classified in the following way:

> Ellipsis of *tan* (or *muy*) + adjective: 5.7;
> Ellipsis of *tan* + adverb, and of *tanto:* 5.8;
> Ellipsis of *bastante* + adjective: 5.9;
> Replacement of *muy, tan* and *mucho:* 5.10-5.13;
> Replacement of *tan* + adjective: 5.14;
> Replacement of *muy* (or *tan*) + adjective or verb: 5.15;
> Replacement of intensifiers in reason clauses: 5.16.

5.7 Ellipsis of *tan* (or *muy*) may occur in the following circumstances:

5.7.1 In sentences where *estar que* + verb phrase indicates an implied degree *(so...)* and a resulting state *(that...)*. English translation is often by a stressed present participle (e. g. *I'm* **BUR***ning!*).

> —¡Yo estoy que ardo!

> —Estás que revientas de felicidad.   (MVL, 1972: 319)
> *You're* **BUR***sting with happiness!*

> —... yo, por la noche, a las once de la noche, estoy que me caigo.
> (M. Esgueva and M. Cantarero, 427)
> *... I'm exhausted/all in.*

> —Me voy al hotel, que mi Cuca debe estar que brama.   (JC, 1970: 259)
> *I'm going back to the hotel. Cuca must be* **HOP***ping mad!*

> —Esta casa está que da asco.
> *This house is in a dis***GUS***ting mess!*

5.7.2 In the patterns *ser/estar de (un)* + noun (or, occasionally + adjective), where the intensification and sometimes a result clause are left unstated but are implied by the intonation. Here the equivalence with *¡qué!* exclamations is often apparent.

276

—¡Está de un humor! [possible ellipsis of *tan malo que nadie le aguanta* or, simply, *tan malo*]
He's in SUCH a mood! / What a mood he's in!

—Es un chico muy bueno, pero es de un pesado.
(overheard in Madrid)
He's a very good lad but he's so BOring!

—¡Estás de un guapo!
You look really great!

—Es de un guapo que asusta.
She's stunningly pretty. / He's incredibly hand some.

5.7.3 In the pattern (transitive) verb + direct object (+ *que* result clause). Here again, when, as often happens, the result clause is left unstated, the direct object is given the rising intonation of an unfinished sentence. The implied meaning is usually of the exceptional size, quality or importance of the noun mentioned.

—¡Tiene un reloj...!   (overheard in Madrid)
What a watch he's got!

—¡Ay!, a mí me pasó una vez! ¡No veas, qué bochorno! ¡Me dio una vergüenza!   (M. Esgueva and M. Cantarero, 405)

—¡Tengo unas ganas de volver a casa!
I really want to go home.

—¿Cómo te acuerdas tú?
—¡Me haces unas preguntas!...   (FGL, 1966: 1182)

—Yo le tengo una manía a ese hombre que no le puedo ver.
(MD, 1967: 50)
I dislike that man so much that I can't bear the sight of him.

—Tengo un frío que me muero.
I'm FREEzing!

—Vete a la cama, que tienes un sueño que no ves.
(Moliner, II: 1462)
Go to bed. You're so tired you can't see straight.

—¡Me da una rabia que yo sea tan imbécil!   (JLMV, 1971: 103)
I'm so angry with myself for being such an idiot!
[Here, of course, the *que*-clause is not a result clause but a subject noun clause.]

This type of elliptical comparative clause has become extremely popular in colloquial Spanish. Sometimes the *que* is followed by an elliptical form of a clause or by an exclamatory element. Those given below, like those listed above, are typical coinages, all translatable by *tremendous, terrific, really*, etc.

que para qué *(te/le voy a contar)*
que ya ya

que da gusto .
que bueno   [see 1.26]
que no vea(s)   [see 1.25.1]
que no se lo/la salta un torero
que ríase de...
que me río yo

—Tengo un hambre que para qué.   (Moliner, II: 633)
I'm terribly hungry. / I'm starving.

—Su hijo es un gandul que para qué.   (Moliner, II: 633)
Her son is a terrific rogue.

—Le aseguro que le pregunté lo de las llaves con unos modos que
ya ya. De lo más suaves, vamos.   (A. M. Vigara Tauste, 97)
I assure you that I asked him about the keys absolutely bluntly.

—Tiene un hijo que bueno: es guapo, listo, todo, lo tiene todo.
(A. M. Vigara Tauste, 97)

NOTES

1. Restricted to verbs like *venir* meaning *to suit* are the stereotyped
    elliptical clauses *que ni pintado sería/estaría mejor, que ni pintados
    serían/estarían mejor* and *que ni pintiparado(s)*:

    —Te vienen que ni pintiparados/pintados.
    They [e.g. trousers, earrings, etc.] *look great on you.*

2. The noun *borrachera (drunkenness)* and its many familiar and
    popular synonyms are frequently omitted in speech, which produces
    a variant of the above pattern like the following:

    —Ha cogido una que no se tiene.   (J. Polo, 1969: 46)

5.8 Ellipsis of *tan* + adverb or of *tanto* may occur between a main verb
and a result clause.

    —Llueve que es una bendición.   (Seco, 286)
    It's raining so much that it's a delight.

    —Huele a cebolla que apesta.   (CJC, 1963: 243)
    There's a terrible smell of onions.

    —Corre que se las pela.   (J. Polo, 1969: 46)
    He's really racing along. / He can run like the wind.

5.9 Ellipsis of *bastante* or of *bastante* + adjective may occur between
ser/estar and *para* + infinitive, *para* + noun (or *tanto*), and *para
que* + subjunctive. Sentences with *(no) ser para* can often be translated

as *It's enough to...* of *There's no need to...;* those with *(no) estar para* are equivalent to *I'm not in the mood for...* or *He's fit to...* (For the ironic use of *estar para*, see 2.13.2).

> —No es para ponerte así, mujer... Que a tu viejo amor le hicieron justicia y lo mataron.   (JAZ, 1972: 540)
> *There's no need to get so upset... They tried your former boyfriend and put him to death.*

> —No llores. No es para tanto.
> *Don't cry. It's not that serious.*

> —Pero ¿qué le ha pasao [= *pasado*] a esta camisa? ¡Vaya un desgarrón!
> —¡Qué barbaridad! ¡Condenados críos! ¡Es para matarlos!
> (LO. 1968: 92)
> *'What have they done to this shirt? What a tear!'*
> *'Good God! Damn kids! It makes you feel like strangling them!'*

> —Yo no estoy para hablar de tonterías.   (ABV, 1970: 76)
> *I'm not in the mood for talking about such stupidities.*

> —¡Lorenzo, que no estamos para bromas!   (ABV, 1969: 27)

> —No está el horno para bollos.   (idiomatic saying)
> *It's not the right moment for that.*

> —Está para que la aten.   (VRI, 1970: 29)
> *She's fit to be locked up. / She's raving mad.*

NOTES

1. The similarly derived sequence *es* + noun + *como para* + infinitive needs to be translated as *It's enough to make (you/me)...*

   > —Déjame que te cuente una cosa ... que es como para morirse de risa...   (CJC, 1969: 379)

2. Related is the pattern where the complement, *tan/muy digno(s)*, is omitted after *ser* when this verb is followed by *de* + infinitive:

   > —Eran de ver y oír las discusiones y las peleas entre los aspirantes a ocupar el coche.   (AML, 1973: 195)
   > *You should have heard the... / The arguments ... were worth witnessing.*

5.10 The simplest (but not the most frequent) form of replacement of the intensifiers *muy* and *tan* is by the repetition of an adjective or adverb. (For the general use of repetition for colloquial emphasis, see 3.9)

> —Estaba rojo, rojo, rojo.
> *He was very very red.*

—En los días largos, largos, que pasé viéndole morir.
(Keniston, 145)
On the long, long days that I spent watching him dying.

—Cantaba mal, muy mal.
He sang very badly.

5.11 Another common colloquial form of intensification is the use of suffixes and prefixes, especially to convey an idea of size or quality, replacing the standard intensifier *muy* (and occasionally *mucho*) and often adjectives like *bueno, malo, grande, pequeño,* and adverbs like *bien* and *mal.* Particularly used with these values (in addition to their other uses) are the suffixes *-ito, -azo* (in Spain, with nouns; in American Spanish, with nouns and adjectives), and *-ísimo,* and the prefixes *re-, rete-* [*esp. Am. Sp.*], *requete-* and *recontra* [*esp. Am. Sp.*]. These prefixes may also be used with a similar intensifying function with verbs. Other suffixes may be similarly used (e. g. *-ón, -ote*).

—¡Qué añito!   (A. Gooch, 7)
What a year! / What a terrible year!

—Bueno, ya tenía sus añitos.   (FA, 1971: 209)
*Well, he **WAS** very old.*

—Lo mejorcito; lo peorcito.   (Beinhauer, 287 and 293)
The very best; the very worst.

—Está cerquita.
It's quite close.

—¿Cuál es tu problema?
—Todavía no lo sé. Pero, desde luego, algo fuertecito.
(VRI, 1970: 44)
I don't know yet, but obviously something rather serious.

—Es un latazo. No sabe uno qué pasa ni por dónde ir.
(JAP, 17)
It's a damn nuisance. You don't know what's going on or where to go.

—Oye, he pensado un bromazo bueno para la próxima verbena.
(ABV, 1964: 86)
—Hace friazo.   (CAL, 1945: 129)

—Pero es un valientazo y siempre anda armado.
(MAA, 1968: 428)
But he's very brave and he's always armed.

—Es guapísima.

—Era un buen muchacho, grandullón, con los ojos azules.
(A. Gooch, 172)
... rather tall...

—Dígale que viene de parte del Sanlúcar. Se llevará un alegrón.
(A. Gooch, 179)
... he'll be really pleased.

—¡Qué reguapo estás hoy!   (Keniston, 145)

—Se murió rejoven, ¿verdad?   (J. M. Lope Blanch, 1971: 429)

—¡Jesús, y que no está Elena satisfecha viendo a la niña requete-
guapísima!   (Ramsey, 162)
My word! Elena isn't half pleased that the girl is so very pretty.

—Y todas las alhajas que lleva son requetebuenas. Nada de frus-
lerías.   (Coste, 81)
And all the jewellery she wears is very expensive. No cheap stuff.

—¿Estás seguro de la gente del Mercado?
—Recontraseguro... yo tengo experiencia...   (MVL, 1972: 490)

NOTES

1. In general, of course, the frequency of the affective use of diminu-
    tive, augmentative and pejorative suffixes is a mark of familiar
    language, especially *-ito*, *-illo*, and *-ón*.

2. Notice also the following version of an absolute superlative:

    Los loros viven mucho, pero éste era el no va más de viejo.
    (FGP, 1969: 139)
    ... as (absolutely) old as they can get.

5.12 To convey an impression of size or quality, a large number of
vivid or metaphorical replacements are frequently used for not only
the intensifiers *muy*, *tan* and *mucho*, but also for the basic adjectives
and adverbs denoting size and quality (i. e. *grande*, *bueno*, *malo*, *bien*
mal, etc.).

Since these colloquial replacements may vary according to the region,
social class, and generation of the speaker, or according to the level
of informality of the dialogue, care should be exercised in observing
(directly from speech or reading, or from the more detailed reference
works available) the contexts in which these replacements are used.

Whereas English counterparts tend to be single words (e. g. *terrific*,
terrifically, *awful(ly)*, *tremendous(ly)*, *terrible*, *terribly*, *great*, *fantastic*,
fabulous, etc.), Spanish colloquial intensifiers are of several types, as
illustrated by the examples given in 5.12.1-5.12.4.

NOTES

1. More restricted to particular verbs and therefore more a matter of
    lexical interest are:

a) idioms like *salir a pedir de boca (to turn out just right)* and *venirle a uno al pelo (to suit someone down to the ground);*

b) *a* + certain infinitives following another verb form: verb + *a rabiar (a lot), reírse a morir (to split one's sides laughing):*

> Sus compañeros de cátedra le aplaudieron a rabiar. (Alcina, 997)

> Todos aquellos idiotas se rieron a morir con la palabreja.
> (Alcina, 997)

2. In Spain, *a base de bien,* meaning *very good, very well* or *really well,* may follow a noun or a verb:

> Hicieron una boda a base de bien. (Moliner, I: 354)

> Habían llorado a base de bien, no sólo ellas, también alguno de los tíos. (RSF, 1965: 357)

Another phrase headed by *a, a las mil maravillas,* also means *very well,* etc.:

> —... Y no soy ese detective famoso que usted se figura...
> —No exagere... Estoy segura de que detiene usted a las mil maravillas. (JS, 1962: 45)

5.12.1 Single words (adjectives and nouns):

bárbaro	*bomba* [as in *pasarlo bomba*]
bestial	*cañón* [especially *una mujer cañón*]
brutal	*fenómeno*
estupendo	*horrores*
fatal	*padre*
	pipa (especially in *pasarlo pipa*]

> —Esa chica canta bárbaro. (Beinhauer, 278)
> *That girl is a fantastic singer.*

> —Tuvimos un éxito bárbaro. (R. Oroz, 288)
> *We had a terrific success.*

> —Pronunció un discurso brutal. (R. Oroz, 288)
> *He made a great speech.*

> —Allí olía fatal por haber en las inmediaciones un estercolero.
> (Seco, 168)

> El tío se lo pasa bomba, había dicho Sarnita, y Java: no creas.
> (JM, 1977: 198)

> —Lo pasamos cañón.
> *We had a great time.*

> —Una mujer cañón.
> *A terrific-looking woman.*

—Con esta pluma se escribe fenómeno.   (Seco, 169)

—¿Cómo te va? ... A mí, estupendamente. Me divierto horrores.
How are **YOU** *getting on?* **I'M** *having a ball.*

Un lío padre.
A terrific mess. / A helluva mess.

—Nos lo pasamos pipa.
We had a great time.

Un periódico que estaba pipa.   (E. Lorenzo, 72)

NOTE

See also 5.19.2.

5.12.2   Prepositional phrases beginning with *de*:

de aúpa
de bandera
de bigote
de campeonato
de (mucho) cuidado
  [= *very difficult/dangerous*]
de espanto
de la gran flauta
de la gran siete [*Am. Sp.*]
de la hostia

de miedo
de (tres) mil demonios
de órdago
de padre y (muy) señor mío
de película
de perlas
de tomo y lomo

—... el susto va a ser de bigote.   (LO, 1968: 40)
They are going to get a tremendous shock.

—¡De campeonato ha sido la [*borrachera*] de hoy! (LO, 1968: 80)
We had a monumental booze-up today!

—La madre de él creo que no estaba muy satisfecha con el casa-
miento.
—Y quizá tenga razón. Ella es de cuidado.   (FGL, 1966: 1190)
Maybe she's right. The daughter is very flighty.

Por la noche tuve un insomnio de la hostia.   (JLMV, 1981: 18)
I just couldn't damn well get to sleep that night.

... vendió el campo, se quedó con casi todo y... está ahora por
Tandil con una estancia de la gran flauta.   (MP, 107)

—Vamos a hacer una protesta oficial, de padre y muy señor mío.
   (JCS, 1962: 65)
We'll make a tremendous official complaint.

—Me parece de perlas el proyecto.   (Moliner, II: 710)

—Somos un par de burócratas de tomo y lomo.   (AMA, 34)
We're a real old pair of bureaucrats.

5.12.3 Expressions consisting of *de* followed by a noun phrase, a finite verb or an infinitive phrase:

de lo lindo [*esp. Am. Sp.*]   *de chuparse los dedos* [see 5.8 Note
de (los de) aquí te espero   and 5.19]
de no te menees   *de caerse de espaldas*
de no te muevas   *de morirse*
                                  de quedarse loco
                                  de quitar el hipo
                                  de toma pan y moja

—Me comía ahora un bocadillo de lomo de esos de aquí te espero.
                                                    (RSF, 1965: 178)
I could just eat one of those terrific steak sandwiches now.

—Tienen un aguardiente que es de chuparse los dedos.   (EL, 55)
They have a really delicious brandy.

—...¿Cómo va el negocio?
—Mal. Hay una competencia de no te menees.   (MVM, 30)

—Tiene unas salidas ... de caerse pa [= *para*] atrás.
                                          (A. M. Vigara Tauste, 100)
He makes some really amazing remarks.

—Y he visto un chevrolet de quitar el hipo.
                                          (A. M. Viagar Tauste, 100)

5.12.4 Prepositional phrases, similes and other expressions beginning with *como*, particularly the following:

como él solo/como ella sola   *como una casa*
como el/la que más   *como un castillo*
como nadie   *como (para parar) un tren*
                                 como para + infinitive [see 5.9]

—Es listo como él solo.
He's extremely clever.

—Es asombroso lo que saben de París; Paquita ... conoce tiendas
y modistos como la que más.   (AP, 1972 *b*: 46)
...Paquita knows an awful lot of shops and dressmakers.

—He encontrado una mujer muy buena y servicial. Se llama Dolo-
res. Me lava la ropa, cocina... y prepara el café como nadie.
... and she makes fabulous coffee.

Una mentira como una casa.
A tremendous great lie.

—El hijo de la finada es marica.
—Sí, señor juez, un marica como una catedral.   (CJC, 1963: 117)
'The deceased's son is a queer?'
'Yes, Your Honour, as queer as a brush.'

284

—Usted conoce a la señorita Tesa, ¿no?... ¿Y qué opina de ella?
—Que está como un tren... (JMB, 386)
She's terrific! / She's well stacked!

—Tengo un catarro como para meterme en la cama.
(Moliner, I: 684)

NOTES

1. In the following example, *para parar un tren* is a reference to a large quantity (and possibly shows ellipsis of *tantos ... como*):

Todo el mundo tiene coches, neveras, televisores, lavadoras, etc., para parar un tren... (MBA, 29)
Everyone has more than enough cars, fridges...

2. The idiom *poner a alguien como (no) digan dueñas* means *to speak very badly of someone*.

5.13 The following miscellaneous variants for the intensifiers *muy, tan* and *mucho* are also found:

más + adjective, adverb or noun *de lo más* + adjective or adverb ⎱	*so; very; really*
la mar de + adjective, adverb or noun	*lots of; loads of*
un rato + adjective or adverb	*very*
un rato de + noun	*a lot of*
una burrada *una barbaridad* ⎱ *(de* + noun) *la tira*	*lots of; loads of*
a manta(s) [following a verb or noun]	*lots of; loads of; a lot*
a más no poder [following a verb or adjective]	*terribly; terrifically; very much*

—¡Es más bueno!
He's so good!

—¡Habla más bien! (Moliner, II: 358)
He speaks so well! / How well he speaks!

—¡Me da más rabia!
I'm so annoyed!/It annoys me so much!

—Me miró de arriba abajo, de lo más asombrado.
(MVL, 1973: 78)

—... me fui a casa de una amiga a ver... qué vestido se iba a poner para mi boda. O sea, como puedes observar, estaba de lo más tranquila que te puedes imaginar...
(M. Esgueva and M. Cantarero, 112)

285

En seguida me curó en su cuarto con aquel agua verde, que me escocía a más no poder.   (S. Skydsgaard, I: 575)
... which was extremely painful.

—Un chico de nuestra edad, la mar de divertido.
(JG, 1961: 107)
A guy our age, very amusing.

—Va a venir la mar de gente.
Lots of people are going to come.

—... es hombre que ha leído la mar de libros.   (CJC, 1963: 177)

—Está un rato cansado.   (E. Lorenzo, 187)
—¿Han bebido bastante?

—¡Un rato!   (E. Lorenzo, 187)

—Costó una burrada (de dinero).
It cost a fortune.

—¿Tienes mucho trabajo esta semana?
—La tira.   (Beinhauer, 240)
Loads.

—Ese tío sabe la tira.   (Beinhauer, 240)

—En la plaza de Quintanabad tenéis gente a manta.
(MD, 1978: 149)
You'll get lots of people in Quintanabad.

NOTES

1. For expletive intensifiers, see 3.10.

2. For the use of *mucho* as a variant for *muy* + adjective in responses, see 4.4.2 Note 1.

3. Following a verb, *lo suyo* may also be equivalent to *mucho*. After the verb *costar*, both *lo mío* and *Dios y ayuda* (as well as *lo suyo*) may replace *mucho (trabajo)*, with the meaning *to be very difficult:*

   Aunque es pequeño, pesa lo suyo.   (JFS, 1967: 21)
   ... it weighs a ton.

   —Así has triunfado.
   —Al principio me costó lo mío.   (AS, 1967 a: 545)

   —Me ha costado Dios y ayuda terminarlo a tiempo.
   It has been very tough for me to finish it on time.

Note, however, that in colloquial Spanish, *muy suyo* may mean *very difficult, very strange* or *very special:*

Los vecinos son muy suyos.

286

5.14 A common variant for *tan* is *así de* (which may also occur as *así* + verb + *de* ...).

Así de tacaño es.   (Moliner, II: 800)
That's how mean/stingy he is.

—Lo que pasa es que como no son creyentes, resultan así de raros.
(MM, 1967: 274)

—Así estarán de secas, con tanto calor, que no eres capaz ni de pasarlas.   (RSF, 1965: 178)
They must be so dry in this heat that you won't be able to swallow them.

NOTE

así de is also used with a gesture of the hands or arms to indicate size (like English *It was* **THIS** *big*, said by a fisherman):

—Me puse tan azorada que se me fueron dos pañuelos preciosos, así de pequeñitos, en la corriente.   (FGL, 1962: 67)
I was so flustered that I dropped two pretty little handkerchiefs — this small — into the water.

5.15 The uso of *lo* + adjective or adverb as a variant for *qué* in exclamatory colloquial sentences and reported versions of them has been described separately in 2.3 and 2.4. Such usage is related to, and often difficult to distinguish from, the use of *lo* + adjective or adverb as a replacement for *muy* or *tan* in otherwise standard sentences after prepositions or prepositional expressions.

In this section, general examples of the fairly restricted use of preposition + *lo* + adjective or adverb are offered, leaving the more specialized and more frequent cases involving *con* and *por* (and other constructions) for 5.16.

—Se echó [*la*] siesta a pesar de lo mal que le sentaba.
(Coste, 179)
She had a siesta in spite of the fact that this (usually) put her in a bad mood.

—Se alegra de lo bien que salió.
He is pleased that it turned out so well.

—Ahora la carretera está peor, por culpa de los carros y a causa también de lo dejada que la tienen, de lo poco cuidada.
(JFS, 1971: 17)

NOTE

The construction *todo lo* + adjective/adverb + *que* + verb ‘in sentence patterns equivalent to English *He may (be) very... but...*, is described *in* 4.25.3 Note. For *con* preceding this structure, see 2.16 Note 1.

5.16 Worthy of separate treatment are the uses of the prepositions *por* and *con* with *lo* + adjective or adverb, and special uses of *tan, tanto(s)* and *puro* in equivalent or alternative versions of finite clauses of reason consisting of *porque* + verb + *muy/tan* + adjective or adverb. The following patterns are found:

> *por (lo) (muy)* + adjective or adverb (+ *que* + verb): 5.16.1.
> *con lo* + adjective or adverb + *que* + verb: 5.16.2.
> *de (puro)* + adjective *(como/que* + verb): 5.16.3.
> *(de) tan* + adjective *(+ que/como* + verb): 5.16.3.
> *de tanto(s)* + noun + *como* + verb: 5.16.3.

English translation will normally be by a reason clause containing a standard intensifier (e. g. *because... so...*) or by *because of* followed by a noun phrase.

NOTE

For sentence patterns containing *con lo* + adjective, with emotional meaning, see 2.16.

5.16.1

—La quiero por lo buena que es.   (N. D. Arutiunova, 1965: 87)
I love her because she is so good.

Era lo de siempre desde su llegada allí, pero no por conocido le molestó menos.   (JFS, 1967: 22)
It was the same treatment ha had received since his arrival but his annoyance was not lessened because he was familiar with it.

... a veces pasaba una semana sin verlo, no por falta de afecto, sino por lo muy atareada que andaba siempre.   (Seco, 216)
... sometimes a week would go by without her seeing him, not because she didn't like him but because she was always so very busy.

288

—¿O vamos a creer que Dios hizo un milagro en Alemania para premiarla por lo bien que perdió la guerra? (CMA, 1968: 122)
Or are we to believe that God performed a miracle in Germany to reward her for making such a good job of losing the war?

—Yo confieso ... que el golpe me gusta, por lo bien dado, y me declaro vencido por el viejo... (ABG, 356)
I admit... that I like the move because it was so cleverly made, and I declare myself outwitted by the old man.

5.16.2   *con lo* + adjective or adverb + *que* + verb

—¿Luego qué tal se apañó?
—Pues ya con lo corrido que estaba de la guerra y la edad que tenía, no me podía asustar el mundo. (RSF, 1965: 109)
Well, with all that I'd been through in the war and at my age, I wasn't easily put off.

5.16.3   *de (puro)* + adjective *(como/que* + verb)
(de) tan + adjective *(que/como* + verb)
de tanto(s) (+ noun) + *como* + verb

—Se caían de borrachos. (MVL, 1973: 16)
They were so drunk they were falling all over the place.

Tiene unas manos perfectas, increíbles de largas y de finas.
(JMLV, 1975: 108)
—De amables que son, llegan a resultar pesados. Me hacen comer a la fuerza. (AL, 1966: 106)
They're so kind to me that they get on my nerves. They force me to eat.

Por el sendero ... cruzaban unas personas. Probablemente no pensaban que yo les miraba, de naturales como iban.
(CJC, 1962: 98)
—No se sabe de qué color es, de puro sucio. (Moliner, II: 895)
You can't tell what colour it is, because it's so dirty.

—Chico, ya casi no te veo, de puro mareada.
—Pues no te muevas tanto, si estás mareada. (RSF, 1965: 226)

—... [*el inmigrante*] debe adquirir rápidamente los modos usuales que los demás tienen como olvidados de tan sabidos.
(CMA, 1968: 68)
The immigrant ... must quickly pick up the normal behaviour that the natives know so well that they have almost forgotten it.

—Los perros tuvieron suerte, casi ni los tocamos esa vez, tan ocupados que estábamos con los de quinto [*año*]. (MVL, 1968: 59)
The recruits were lucky. We hardly touched them that time because we were so busy with the fifth year cadets.

Parecía que había dormido, de tan arrugado como estaba su traje.
(F. Krüger, 75)

—Mi madre, que no se puede mover de tantos padecimientos que tiene, todavía anda lavando ropa por las casas.
(AML, 1965: 395)

The variant *de* + definite article + *puro* + noun (*que* + verb) is equivalent to a reason clause containing *mucho* or *tanto* + noun:

—Ni a salir a la calle me atrevía; ni a alternar por el pueblo, fíjese usted, de la pura vergüenza que me daba. (RSF, 1965: 109)
Just imagine. I didn't even dare to go out into the streets or visit anyone in the village, (because) I was so ashamed.

VARIATION IN NOUN PHRASE STRUCTURE

5.17 The following sections (5.18 - 5.22) illustrate those variations in noun phrase structure which have not already been dealt with in previous chapters and sections.

NOTES

1. For other special uses of noun phrases and adjectives, see 2.1-2.4, 5.1.4, 5.1.5, 5.12 and 5.13.

2. The omission of *de* from a noun phrase of the pattern noun + *de* + noun (especially with *un poco de* + noun) is considered substandard by educated speakers:

Un cacho pan.

—Ahora nos traen un poco vino. (RSF, 1965: 209)

5.18 Variation affecting the predetermining elements of noun phrases are as follows:

5.18.1 The singular forms of the adjectives *tanto, cuanto, mucho* and *demasiado* accompanied by a singular noun may be used in place of the plural forms. *cada* + singular noun may also imply a plural and is usually close in meaning to *¡qué!* + noun. (English: *what a lot of...!* or a value adjective.)

—Siéntese un rato, mujer.
—Un ratito nada más... Con tanta visita, se cansa una.
(ABV, 1964: 105)
'Sit down for a while, dear.'
'Just for a little, then... You get so tired with so many visitors.' /
/ One gets...

—... pero mire cuánta chica guapa hay empleada en este banco.
(JAZ, 1972: 892)
... what a lot of pretty girls work in this bank!

—Había mucho niño.   (E. Lorenzo, 63)
There were a lot of children there.

—Hoy en día, los jóvenes... Demasiado coche, demasiada moto...
Me gustaría veros a mi edad.   (JS, 1965: 370)
You young people today, you've got your cars, your motorbikes...
...I'd like to see what you're like when you're my age.

—Tienes cada idea.   (ES, 1965 *a*: 55)
You get some funny ideas.

—Oye una cada historia.   (Ramsey, 170)
What (terrible) stories one hears!

—Claro que usted y yo conocemos a cada uruguayita, ¿eh?
(MB, 1968: 225)
Of course, you and I know a lot of pretty Uruguayan girls,
don't we?

5.18.2 Another characteristic colloquial noun phrase is the use of a
noun with no preceding determiner but with a following relative clause
to make a general reference (English: *any* + noun). The clause form
is noun + *que* + verb. This noun phrase occurs either as subject or
object of a following verb or with the following parallel clause suggesting
that the action is, was or should be habitual or inevitable. In English
translation, one of the following will be necessary: *any, every, when
(ever), if.*

—A un hombre soy capaz de perdonarle lo que sea; ¡pero mujer
que me la hace, me la paga.   (Keniston, 58)
... but if a / any woman does it to me, she pays for it.

Vecino que entraba y salía y gentes que pasaban... fueron interrogados.   (FGP, 1969: 115)
Any locals who...

—Carta que llegue a nombre mío, no se la dé usted a nadie más
que a mí.   (Keniston, 177)
*If any letters arrive addressed to me, don't give them to anyone
else.*

Aquí, político que se precia, político que suelta sus memorias. Que
serán para justificarse, claro.   (*Cambio 16*, 17-8-80: 7)
*In this country, any self-respecting politician trots out his me-
moirs. To justify his actions, of course.*

—Paso que daba, paso que me parecía inspirado por él.
(Beinhauer, 356)

Every step I took seemed inspired by him.

—Casa que vaya comprando, casa que iré arreglando y vendiendo
a un precio más elevado.   (overheard in Madrid)

—Persona que yo tolere en el local, esa persona tiene ... la certeza absoluta de que... (RSF, 1965: 319)
Any person I allow in this bar can be absolutely certain that...

—Ése es el problema de mi vida. Mujer que me ve, ya está [*se enamora de mí*]. (Argentinian TV serial: *Rosa de lejos*)
That's my problem. As soon as a woman claps eyes on me, that does it! [she falls in love with me]

5.19 The following colloquial uses of adjectives in structural patterns are additional to other colloquial adjectival usage already described in this book.

5.19.1 The structures consisting of an adjective or noun epithet (particularly a pejorative one), followed either by a possessive adjective and a noun or by a name are used as emotional noun phrases. (See also 3.10.2.)

—El tonto de mi hermano. (N. D. Arutiunova, 1965: 91)
My stupid brother.

—El cerdo de nuestro padre es muy listo.
(N. D. Arutiunova, 1965: 93)
Our pig/swine of a father is very clever./ Our lousy father...

—Es un hombre ejemplar —decían—, un hombre en cuyo espejo deberían compararse los zánganos de nuestros maridos.
(CJC, 1971: 339)
'He's a wonderful man', they said, 'a man our lazy husbands should compare with themselves.'

—Y a la pobrecita de mi mamá no la he conocido: ésa sí que es tristeza. (SJAQ, 36)
And I never knew my poor dear mother. That is really sad.

—El imbécil de Juan se lo creyó.
That fool Juan believed it.

Al bueno de Raúl no parecía importarle demasiado que su amiga se fuera sola con otro. (JC, 1968 *a*: 221)

5.19.2 The use of a detached adjective to describe the subject of a clause (whether expressed or implied) is common in standard Spanish. For example:

Se acostaron cansados.

Me escuchó pálido.

Mi padre se levantó de la mesa, furioso.

A similar use in restricted idioms is also common, for example:

trabajar duro (to work hard), llover fuerte (to rain hard), hablar claro (to speak clearly), respirar hondo (to breathe deeply).

Other similar uses of adjectives and of verb + adjective (usually to be translated by an English adverb) are more limited to colloquial language, and in some cases to colloquial American Spanish. For example:

Canta bárbaro.   *She sings very well.*   [See 5.12.1]

Canta fatal.   *She sings terribly.*

Canta lindo. [*esp. Am. Sp.*]   *She sings beautifully.*

Tres mil pesetas te las presta fácil.   (Beinhauer, 278)

Anda rápido.   (R. Oroz, 372)

Que te vaya bonito.   (R. Oroz, 372)

5.19.3 In popular narrative, parenthetical explanatory descriptive clauses may take the forms

adjective + *que* + *ser* (+ subject pronoun - especially *uno/una*) or noun complement + *que* + verb + subject.

—Entonces, impulsiva que es una, yo voy y le di un beso.
    (JLMV, 1975: 42)
Then, 'cos I'm impulsive, I went and gave him a kiss.

—Talento que tiene este cura.   (Moliner, II: 900)
(Because) I'm really talented.

5.19.4 The emphatic possessive adjectives (*mío, tuyo,* etc.) are sometimes used as variants of *de* + disjunctive emphatic pronoun after spatial relators and one or two other prepositional phrases. The resulting phrases are adverbial.

> *encima*
> *detrás*
> *delante*
> *alrededor*
> *en torno*   } + *mío, tuyo,* etc.
> *en frente*
> *en contra*
> *a pesar*
> *cerca*

In very familiar speech, the possessive adjective may agree with a feminine subject (e. g. *en contra mía*).

Miró alrededor suyo.   (Ramsey, 538)

Estaba justamente detrás tuyo.   (Alcina, 620)

Si yo quiero estar cerca suyo, no es pa [= *para*] darle gusto a usted, sino pa dármelo a mí.   (SE, 57)

El callejón, delante mío, se tendía obscuro.   (C. E. Kany, 4)

Lisa tuvo que explicar después aún a pesar suyo la conducta del jefe para con ella.   (Coste, 370)

NOTE

The archaic *en derredor* may also sometimes still be met.

5.20   The pronouns *lo, eso, esto,* and *aquello* are used in the following noun phrases or clauses:

$$
\left.
\begin{array}{l}
lo\ de \\
eso\ de \\
esto\ de \\
aquello\ de
\end{array}
\right\}
\text{ + noun or infinitive: 5.20.1}
$$

$$
\left.
\begin{array}{l}
eso \\
esto \\
aquello
\end{array}
\right\}
\text{ + }de\ que\text{ + clause: 5.20.2}
$$

5.20.1   As a reference to something already known by both speaker and listener or previously mentioned, *lo de, eso de* and, less frequently, *esto de* and *aquello de,* are used before nouns, names and infinitives. English translation will be by a similar general or vague reference (e. g. *This ... thing/business; The business of...; The idea of...*), a more explicit reference appropriate to the context, **OR** by taking the reference for granted. All three translation possibilities are illustrated in the first example below.

> —¿Es verdad lo de Guillermo?
> —Parece.   (ABE, 113)
> *Is this business about Guillermo true? / Is it true Guillermo has been arrested? / Is it true about Guillermo?*

> —Aunque lo de las cinco mil no haya dado resultado.
>   (Keniston, 78)
> *Even if (paying) the five thousand hasn't had any effect.*

> —Creo que desde el lunes próximo comienzo a trabajar en lo de los americanos.   (JLCP, 134)
> *... for the Americans. / ... at the American base.*

> —¿Y qué te parece eso de no dejarme ver a mi propia hermana?
>   (CL, 133)
> *And what do you think of (the business of) my not being allowed to see my own sister?*

294

—Eso del Servicio de Fronteras es más complicado de lo que parece, ¿sabes?   (JMG, 1966: 109)

—Aunque siempre fui muy poquita cosa, soñé con llegar a mucho en esto de la música.   (Keniston, 78)

NOTES

1. In American Spanish, *lo de* + name or noun may refer to someone's house, shop or office:

—Hay que llevarlo a lo del doctor.   (C. E. Kany, 130)

2. *lo de menos* occurs as part of the idiom *eso es lo de menos (That's the least of it./That's the least of our worries*, etc.):

5.20.2 Also used as introductions to clauses containing references to something known by speaker and listener, to something rumoured to be true or to something just mentioned, particularly when the speaker wishes to suggest some sort of criticism of, or reservation about, whatever is referred to, are *eso de que* and less frequently *esto de que, aquello de que* and *lo de que* as variants for standard *el que* introducing a rumour. In English: *This (business of) -ing*, etc. Note the use of both indicative and subjunctive in the following examples.

Eso de que hombres de esa madera sean tratados como chicos de escuela no puede aguantarse más.   (Alcina, 1001)

—Bueno, en primer lugar, eso de que yo sea el inventor del *boom* es sólo relativamente cierto.   (*La Vanguardia Española*, 6-9-73) *Well, in the first place, this allegation that I am the creator of the boom is only partially true.*

—Eso de que las puertas se abren de un empujón, no ocurre más que en películas.   (FGP, 1973: 205)

NOTE

With *aquello de (que)* preceded by *por* another possible meaning is *as the saying goes*:

Por aquello de que cree el ladrón que todos son de su condición, el franquismo ... pensó que ...   (VÀ, 38)

Horrillo es un buen hombre en quien se encadenan las calamidades, por aquello de que a perro flaco todo son pulgas.
(MGS, 94)

5.21 The demonstrative pronouns and definite articles may be used in the plural preceded by *de* and followed either by a *que*-clause or, less frequently, by a prepositional phrase headed by *de*, as a generic descriptive complement of *ser* or as generic qualifiers of a noun. Schematically, the constructions are:

$$De \begin{Bmatrix} \text{los} \\ \text{esos} \\ \text{estos} \\ \text{aquellos} \end{Bmatrix} que/de$$

—Ese es de lo que se pegan un tiro. (CMA, 1969: 33-34)
He's the sort of person who is likely to blow his brains out.

Era una polacra vieja de las que transportan el petróleo.
(Keniston, 94)
It was one of those old sailing ships that carry oil.

—Escogimos un buen sillón, de esos que tienen en la sala.
(RRB, 53)

... en un rincón, aburrido, liando un cigarro de esos que apestan.
(MD, 1967: 238)

—... pero a nadie he matado ni he cometido crímenes de esos que honran a los ricos y hunden a los pobres en largos años de condena. (JRR, 118)

NOTES

1. Note the following similar construction: *de estos* + adjective:

—... ¿tú has visto, por ejemplo, algún programa que ha habido en televisión de estos informativos?
(M. Esgueva and M. Cantarero, 380)

2. The phrases *y tal*, *y esos* and *y cosas de ésas*, following nouns and verbs, mean: *things like that, and such like,* etc.:

—¿Qué te parece nuestra televisión?
—¿Perdón?
—Los medios de comunicación nuestros... ¿la televisión y eso?
(A. Rosenblat, 275)
Gasta su dinero en juergas y cosas de ésas.

5.22 Other colloquial uses and replacements of demonstrative pronouns are as follows.

The spoken use of the pronouns *éste, éstos, ése, ésos*, etc., to refer to other people (whether present or not) is usually considered impolite or clumsy (rather like the use of *he* or *she* in English to refer to someone present, i. e. minus that person's name or relationship label - cf. the indignant objection to such use: *Who's 'she', the cat's mother?*). An even more impersonal and uneducated substitute for *éste, ésta,* etc., to refer to someone present is *aquí* (less frequently *acá,* or *ahí*), which may also be followed by an explanatory noun referring to the person (e. g. *aquí, mi señora; aquí, el amigo*).

—¿Quién es ése?
Who's that guy?

—Ésta no quiere venir.
She doesn't want to come.

—Y aquí, mi cuñado, le dirá a usted que no exagero.   (Alcina, 634)
My brother-in-law (here) will tell you I'm not exaggerating.

—Éste [= *el 'paleto': bumpkin*] dice para presentar a su esposa con envarada solemnidad: «Aquí, mi señora»; cuando el listillo residente urbano dice ya con donaire: «Esta es mi mujer.»
(ADM, 28)

—Porque aquí (y señaló a Lulú con el garrote) ha llamado a mi señora zorra...   (Beinhauer, 360-361)
Because she (pointing the club at Lulú) has called my wife a tart...

—Oye, ven, os voy a presentar.
Martín se acercó.
—Aquí, un buen amigo; aquí, Martín, que es escritor.
(CJC, 1963: 182)

—Es que el discurso de aquí el amigo ha estado muy bueno.
(TS, 1975: 69)

—Aquí, el guardia, es buena gente. No hay que preocuparse...
(JAM, 11)

—Acá le contará lo sucedido.   (C. E. Kany, 269)

NOTES

1. The placing of demonstrative adjectives after nouns referring to people is also pejorative:

   —No hables con el chico ese.
   —¡Vaya con el problemita este!   (Moliner, II: 170)

2. The demonstrative pronoun *aquel* also has a lexicalized use as a noun meaning any of the following: *a characteristic look, special nature, impact, attraction* or *status:*

   Tener uno mucho aquel.   (Beinhauer, 178)
   To have a lot of personality.

   —¡Ay, Manuel, que cada trabajo tiene su aquel!   (FGP, 1968 c: 209)

   Y ese signo de riqueza le dio mucho aquel en los cafés y bares.
   (JAZ, 1967: 44)

3. For an idiomatic use of *ésas,* see 3.26 Note 1; for the idiomatic use of *como aquel que dice,* see 3.34.

TIME AND PLACE EXPRESSIONS

5.23 Particularly colloquial are the uses of the following standard conjunctions in a prepositional role:

> *cuando* + noun or demonstrative pronoun (English: *during, at the time of,* or a time clause).
> *donde* + noun or adverb.

> —Tú estabas en el mercado esta mañana cuando la descarga, ¿eh?
> (AML, 1965: 9)
> *You were in the market this morning during the unloading weren't you?*

> —Sí, estaba apenas en la Universidad cuando eso.　(WC, 76)
> *Yes, I had only just gone to college when that happened.*

> —Los tres se pararon donde Daniel.　(N. D. Arutiunova, 1965: 111)
> *The three of them stopped where Daniel was standing./... in front of Daniel.*

> —¿Dónde has estado?
> —Donde siempre, tomando café con mis amigos.　(CJC, 1963: 133)
> *In the usual place, having coffee with my friends.*

NOTE

> Especially in American Spanish, *donde* may refer to a person's residence, office or shop *(at the house of...; at the doctor's,* etc.). See also 5.20.1 Note 1.

> > —Discúlpeme, tengo que irme. Mi señora está donde el ginecólogo y quiero saber cómo la encuentra.　(MVL, 1973: 125)

ELLIPSIS OF MINOR POSTVERBAL ELEMENTS

5.24 The following colloquial variants exhibit the common feature of ellipsis of a standard element *(desde* and *bien,* respectively):

a) *hace/hacía* + time expression;
b) *parecerle a uno,* in a suggestion or question.

—Lo estás pensando tú hace días.   (Keniston, 180)
You've been thinking about it for days.

—El teléfono está intervenido hace dos semanas.
(MVL, 1972: 435)
The telephone has been tapped for two weeks.

No había comido hacía ya más de un día.   (EL, 56)

Plinio fue hacia la Cueva, que no visitaba hacía muchísimos años...
(FGP, 1973: 115)
—¿Te parece que vayamos andando?
What about walking? / Do you think it's a good idea to walk?

—Hace un rato estaba por aquí don Antonio...
—Si os parece, le busco y me lo traigo a charlar un rato.
(JGH, 18)
If you like, I'll go and bring him back for a little chat.

—Mañana iremos al liceo a fin de que no pierdas tu curso interrumpido. ¿No te parece?
—Sí, papá.   (EB, 272)

NOTE

When the time expression precedes the verb, omission of *desde* seems less frequent but is found:

—Hace años me detestan.   (FB, 95)

SUBORDINATING CONJUNCTIONS

5.25 The following are colloquial variants for standard subordinating conjunctions:

a) *que* for *para que* (following an imperative or a suggestion);
b) *a que* for *para que;*
c) *pues* for *porque;*
d) *como que* for *como,* etc. [see also 4.9.1.];
e) *en cuanto que* for *en cuanto;*
f) *igual que si* and *lo mismo que si* for *como si;*
g) *así* (followed by a subjunctive verb) for *aunque (even if);*
h) *mientras no* for *hasta que* or *a menos que;*
i) *a la que* for *cuando* or *en cuanto.*

299

Examples:

a) —Ven que te diga una cosa.   (Seco, 285)
Come here so I can tell you something.
—Trae, que te ayude, hombre.   (AG, 1970: 237)
Give it to me so that I can help you. / Here, let me help you.

b) —He venido a que me pagues.

c) —No pude decirlo yo, pues yo mismo no lo sabía.   (Moliner, II: 881)

d) —Como que no lo vas a creer, no te lo cuento.   (Moliner, II: 684)

e) —Tú verás, en cuanto que entren carpinteros y pintores dejan esto
como un sarao...   (JAZ, 1967: 15)

f) —... es lo mismo que si hablase con las paredes.   (MD, 1967: 87)

—Corre igual que si estuviera cojo.   (Moliner, II: 86)

g) —Así me lo juren, no lo creeré.   (S. Gili Gaya, 1969: 322)

—... el oficial... y todos los soldados del pelotón, uno por uno,
serán asesinados, sin remedio, tarde o temprano, así se escondan
en el fin del mundo.   (GGM, 1970: 114)

h) —No tengo cigarrillos, no señor. No tengo nada para ti mientras
no me digas cuándo será.   (JM, 1970 a: 29)

i) —A la que subimos, traeremos las sillas para luego.   (Seco, 24)

—¡Qué vida! —exclamó—. Uno no puede confiar ni un segundo.
A la que te descuidas, cuerno.   (JG, 1962: 174)
*What a life! You can't relax for a moment! If you lower your guard,
you're done for.*

NOTES

1. For different functions of *que* and *así*, see 3.4.1 and 2.25 respectively.

2. After *esperar* and *aguardar*, *que* and *a que* are often used as variants
for *hasta que* and *para que:*

—Espera que termine.
Wait until I finish.

COORDINATING ADJUNCTS

5.26 In 3.31 - 3.33, a series of colloquial connecting adjuncts were
described. These function as links between sentences or sentence components and *also* convey other emotional information. There are, how-

ever, other sentence links which do not have this emotional content or whose main function is to coordinate. These are listed and described below.

5.26.1 A result may be indicated by the following coordinating adjuncts, which are equivalent to English *And so...* or *So...* For their use as dialogue stimulants, see 3.26.

Así que	*De manera que*
Como que	*O sea que*
Conque	*... pues*
De modo que	*Total, que*

—No tenía dinero, así que se quedó en casa.
He had no money, so he stayed home.

—Mi hermano dictaba a Galán no sé qué trabajo... Conque yo no quise esperarlos.   (JB, 425)

—Estoy cansadísimo... Como que me voy a acostar.
(Moliner, I: 684)

—Has venido porque has querido, de modo que no tienes derecho a quejarte.   (Moliner, II: 432)

Entré tranquilamente al ascensor, pues, y las cosas ocurrieron como había previsto.   (ES, 1965 a: 26)

—Total —dijo alzando el porrón—, que mi hermano se fue a vivir con ella.   (JG, 1964: 63)

—El Soso no va a venir hoy. Se ha ido a la Sierra... a pasar el fin de semana. O sea que vamos a cerrar esto en seguida y nos vamos, ¿de acuerdo?   (DS, 1961: 109)

5.26.2 Other coordinating adjuncts are *y no digamos* and the American Spanish variants *ya no digamos y/ya no se diga* and *ni se diga*. These are used to add or insinuate an important addition (in the form of a noun phrase or an adverbial expression) to what has been said By using these adjuncts, the speaker implies that the additional information is so obvious and plainly relevant to his point or argument that it is almost superfluous or embarrassing to mention it, since the listener's agreement is assumed to be a foregone conclusion. English versions of *y no digamos*, etc., are:

> *not to mention...; and especially...; and of course...; and what about...?*

> Eso desilusionó mucho a sus amigos, y no digamos a sus padres.
> *This was a big disappointment for his friends, not to mention his parents.*

—... que te metías conmigo cada vez que iba a los suburbios a re-
partir naranjas y chocolate..., y no digamos la tarde que se me
ocurrió ir con Valen al Ropero.   (MD, 1967: 82)
... *you always criticized me when I went out to the poor districts*
to distribute oranges and chocolate... and what about that
afternoon I decided to go to the second-hand clothes depot with
Valen?

—... cuando consideramos que su importancia es capital para todo
extranjero que intente hablar nuestra lengua a un nivel de cultura aceptable, y no digamos para aquellos que pretenden llegar
a ser especialistas en español.   (R. Fente Gómez *et al.*, 1972 *a*: 5-6)

—... creo que hay langosta y langostinos, pescado frito y al horno,
pollo ... y todo lo demás; frutas, ya no se diga: ... [followed by
a list of fruits]   (AY, 41)

5.26.3 Although close in contrastive function to *Y mira/mire que* and
Y cuidado que which were described in 2.7.1, the very common colloquial
coordinating adjunct *Y eso que (And yet...)* lacks their exclamatory
force and their implied intensification, The emotional content of sentences containing *Y eso que* is one of regret, surprise and the like.

—¿Cuánta luz ha pagado este mes?
—Dos sesenta. ¡Un disparate! y eso que procuro encender lo menos posible... Pero nunca consigo quedarme en las dos pesetas.   (ABV, 1963: 37)
'How much was your light bill this month?'
'Two sixty. An awful lot. And yet I do try to use as little electricity
as possible. But I never seem to keep it under two pesetas.'

—Ahí viene, y eso que le dije bien claro que esperara.
(Ramsey, 121)
There he comes, and yet I told him quite plainly to wait.

NOTE

Sólo que is an occasional colloquial variant of *pero* or *excepto que*:

—Lo esperaré. Sólo que él puede que tarde.   (AS, 1967 *a*: 899)
I'll wait for him, but he may be late.

SUPPLEMENTARY EXAMPLES FOR STUDY AND TRANSLATION

Exercise 1. Sections 5.0 - 5.5

1. —¿Qué más averiguó?...
   —Dice que a vos te siguen buscando por el monte.   (ARB, 137)

2. —Yo también voy a venir aquí a pasarme las tardes enteras haciendo labor... Y es que se encuentra una tan a gusto, ¿verdad? ¡Como si de repente entrase en el cielo!   (MM, 1967: 345)

3. —Porque lo que le pasa a una, ¿sabe usted?, es que una será lo que sea, y a nadie le importa, pero una tampoco es una del montón: una tiene alma de artista.   (CJC, 1971: 446)

4. —¡Si yo tuviera unos años menos!... Pero ¿dónde va una a mi edad?   (LO, 1968: 34)

5. —Está una harta de aguantar, oye.
   —A ver si nos sale algo y nos casamos.   (FU, 1966: 96)

6. —Todo esto es muy penoso para mí. Uno ha visto ya mucho y está cansado. Muchas veces, uno desearía haber elegido otro oficio.   (AS, 1967 a: 86)

7. —Yo apenas salgo... Pero casi creo que es preferible no salir, pues a veces te deja hecho polvo. Vas, por ejemplo, una noche por la Gran Vía, y no haces más que ver y ver, y, al menos en las condiciones en las que yo estoy ahora, te deja baldado.
   (JLMV, 1971: 104)

8. —Hay que casarse para que la mujer le ayude a uno. Los hombres no nos bastamos. El estar soltero, para quien le gust Está bien mientras se es joven, pero luego, ¿qué? Si no hay hijos te mueres de asco.   (JFS, 1967: 79)

9. —Los hijos —reflexionaba— nos devuelven a nuestra niñez . Un hijo pequeño te rejuvenece, y cuando ves lo lentamente que crece, te ayuda a frenar un poco el tiempo de tu vida.   (RT, 55)

10. —¡Que tengan mucha suerte esta tarde! —les grité.
    —Se agradece, morena...   (AML, 1965: 367)

11. —¿Qué has dicho? —dijo—; ¿no sabes que eso no se dice, que es un pecado muy gordo?   (MD, 1975: 39)

12. —¡Ayer me diste plantón!
    —Fui con mi madre a lavar.
    —Pues se avisa, que uno no es un poste.   (LO, 1968: 39)

13. La tenías abrazada cuando se abrió la puerta.
    —¡Os cacé!
    Era Félix quien os había dado el susto. Entró y cerró tras sí.
    —¡Se llama, hijo! —protestó Paloma.   (JLMV, 1975: 158)

14. —¡Sube a tu cuarto inmediatamente! ¡A tu madre no se le contesta!   (JLMV, 1976: 37)

15. —Aquí, en mi casa..., mi mujer y este servidor de usted hemos desaprobado con verdadera indignación la conducta de mi hermano...   (MAA, 1970: 102)

16. —Si dices que la muerta estaba aquí, ¿quién la llevó hasta ahí?
    —Un servidor. Como estaba un poco cubierta de tierra y no veía bien lo que era, la arrastré hasta aquí.   (FGP, 1969: 67)

17. —En sesión extraordinaria, ayer mismo, se votó que fueras expulsada del pueblo.
    —¿Yo? ¿Una servidora? ¿Una pobre mujer que jamás hizo daño a nadie?   (JMRM, 124)

18. —Ahora, la gente que se cree bien —y ya lo cree hasta el último mono— no va a las tascas y a los bares con luces y voces. Prefieren unos sitios elegantes de poca luz.   (FGP, 1971 a: 87)

19. —Vaya un escondrijo más cojonudo, oiga. Aquí no hay dios que le encuentre a uno.   (MD, 1978: 114)

20. —No hay dios que te entienda, Marcos...   (JM, 1977: 161)

21. —A mí no me queman [= *quemarán*] la iglesia, señora, ni los de Madrid que caigan por aquí.   (IA, 166)

22. —Y ahí donde la ves —levantaba la mano con el dedo pulgar y el índice unidos—, no tiene ni esto de malicia.
    —Se le nota.   (JMCB, 185)

23. «Con ser cochero no sabe usté de caballos de silla ni tanto así. (Señala la punta del dedo.)»   (M. Seco, 1970: 512)

24. En un país donde cada quisque se da el lujo de convocar una conferencia de prensa, Suárez no adoptó el hábito democrático de reunir periódicamente a los periodistas para explicar su política al país a través de la prensa y someterse a sus preguntas.
    (VA, 127)

25. Y no he de bailar al son que me toquen, lo que no significa que me niegue a seguir detrás de la banda y a marcar el paso como cualquier hijo de vecino.   (RJP, 112)

26. Este mentado Amarillo, espigado él, trigueño, dientes de oro... anda de aquí para allá. (AY, 43)

27. Una señora, ya en la cochera de los cincuenta, rubia ella y de bastante buen ver..., tomaba café en la barra. (FGP, 1971 *a*: 74)

28. Yo encontré en cierta ocasión a un personaje, algo leidillo él, que estaba indignado porque no encontraba una palabra: BIRBILO-QUE, decía él. Me costó Dios y ayuda hacerle ver que la palabra exacta era BIRLIBIRLOQUE. (TS, 1969: 39)

29. —[*Usted*] Me está buscando las cosquillas y se la va a jugar.
    —Ande y vaya al siquiatra, tiene ideas fijas y manía persecutoria... (RAY, 69)

30. —Sé lo que me digo.
    —Él sabe lo que se dice —añade Tina con sorna. (JM, 1970 *a*: 26)

31. —Usted sí sabe, don Guillermo. Déjese de disimulaciones conmigo. (RG, 180)

32. —Menos mal que me he encontrado una amiga en Iquitos.
    (MVL, 1973: 72)

33. Por las tardes se iba al café de doña Rosa, se sentaba y allí se estaba las horas muertas, cogiendo calor. (CJC, 1963: 25)

34. Si hacía calor los dos amigos se bajaban a la cueva y allí se bebían un par de vasos de vino con sifón. A lo mejor Lillo se traía en el bolsillo, ... algo de queso o una loncha de jamón.
    (FGP, 1968 *b*: 18)

35. —¿Os subís?
    —No. ¿Tienes frío tú? Cuando tengas frío, me avisas y nos subimos. (JGH, 19)

36. La decisión francesa de desmantelar por fin el santuario de ETA al norte de los Pirineos se merece un sincero aplauso.
    (*Cambio 16*, 11-2-79: 3)

37. —No; no te vayas si no quieres. Yo me salgo al pasillo.
    (JMRM, 145)

38. —Si desean ustedes utilizar los servicios del Botiquín.
    —¡No hace falta! ¡Para curar a mi hijo me basto y me sobro yo! (JFDS, 41)

39. —Vente a jugar una partida. (JGH, 44)

40. —¿Han traído las medicinas que encargó don Vicente?
    —Sí. Las acabo yo de ir a buscar. (MM, 1967: 204)

41. ... creyendo entonces que me iba a tener que cambiar el nombre.   (GCI, 1969: 94)

42. —... me parece que seguimos viaje a La Falda, hoy mismo, ¿hay micro? [= *microbús*]
—Sí, pero se van a tener que apurar. Es dentro de media hora.
(MP, 226)

43. —Tengo entendido que ahora va a volverse a casar.
(MM, 1967: 348)

44. —Harto lamentable es tenernos que desprender de ese chico; no nos lo pongas más difícil con tu dimisión.   (AP, 1972 b: 347)

45. —Yo no sé cómo se quedan los drogados. En mi vida he visto a uno.
—Yo tampoco...   (FGP, 1981: 17)

46. —Muchachos, Pedro se refiere a mi «turbio pasado». Si es que queréis saberlo, yo...
—Tu turbio pasado me importa un bledo. Déjanos en paz.
(AS, 1967 a: 194)

47. —... si te oye, se ofende.
—Que se ofenda o no, me importa un comino.   (JGO, 15)

48. —¡Cada uno tiene su punto de vista y le importa un pito el punto de vista de los demás!   (CG, Arg., 1971: 276-277)

49. —Maldita la falta que nos hacen tres dormitorios —comentó Emilio—. Podríamos dormir en el mismo cuarto, como siempre, o en el establo.   (JLP, 89)

50. —Deben traerles medicinas y dinero, pero eso aquí lo sabemos de oídos, porque no nos preocupamos de preguntarlo y ellos maldito lo que cuentan.   (JFS, 1971: 16)

51. —Maldito si te entiendo una palabra.   (DM, 1967: 16)

52. —Si usted les da dinero...
—Mejor dárselo a ellos que no a otros.   (JG, 1964: 142)

53. —Diga usted: ¿qué diría el Conill si nos viera, eh? ¡A mí de rey, y a usted de ministro! ¿Qué asombro no sería el suyo?
(PB, 1960: 173)

54. ¿Ya dije que mi padre se llama don José? Parecerá una tontería que yo le ponga el don, pero así le llaman sus enfermos y no lo habré yo oído miles de veces por el teléfono. «¿Está don José?» Sus amigos le llaman Pepe...   (JLMV, 1976: 59)

55. ... no hacía más que llorar. Aquello era una crisis. Sólo Dios sabe a qué presión no habría estado sometido.   (JLMV, 1975: 387)

56. —¡Qué horror, Manuel, qué horror!... Esto es tan monstruoso como incomprensible... ¿Qué mal ha hecho esta mujer a nadie?
(FGP, 1968 a: 30)

57. —Es muy difícil que nadie lo crea totalmente ignorante.
(FGP, 1968 a: 98)

58. —¡A cuántas no se lo habré dicho!   (JB, 45)

59. —Hasta que no me devuelvas el libro no te daré el tuyo.
(J. D. Luque Durán, I: 85)

60. —Hay que tomarlo con calma —repuso el otro—. Hasta no ver lo que ocurre de verdad, no puedes pensar esas cosas.
(JT, 1968: 77)

61. —Bueno, ¿Qué hacéis que no continuáis hablando? ¿Qué importa que esté yo aquí?   (CL, 135)

62. —¿Qué te sucede que así bufas?
—¿No lo ves? ¡Que estoy contento!   (SJAQ, 57)

63. —¿Sabes que Lorencito termina el Bachillerato este año?
—Hombre, ¿y qué tal?, ¿es buen estudiante?   (JAZ, 1972: 1021)

64. —¿Qué tal la nueva criada? —preguntó.
—Muy bien, aunque no sé todavía si sabe hacer las cosas —dijo ella.   (JLP, 153)

65. —Pero, Amadeo, ¿a qué viene negar que formaste parte del gobierno rojo? ¿Que eras un mandamás?   (JGH, 140)

66. La puerta se abrió lenta y escasamente y en la rendija apareció el doctor...
—¿Qué pasa? ¿A qué vienen tantas prisas?   (JBE, 179)

67. —Ahora, encima, la defiendes. Pero ¿a qué estás aquí, en mi presencia, un minuto más? Vete ahora mismo con ella y no aparezcas más por aquí.   (JAZ, 1972: 731)

Exercise 2.   Sections 5.6 - 5.16

1. —¿No veis que el tal Kennedy es un flojo y los americanos están que se mueren de miedo?   (JLCP, 354)

2. —Son cerca de las diez y la pobre 'Linda' estará que se muere de hambre.   (JAZ, 1973: 384)

3. —¿No tienen ustedes calor?... Yo estoy que ardo —se quejó Leandro. (AML, 1965: 901)

4. —¿Y no es problema para ti que tus padres se separen? ... Me levanté casi de un salto. Estaba que trinaba.
—Eso no es asunto mío y, en cualquier caso, no voy a tratarlo con extraños. (JLMV, 1981: 58)

5. Al final de la película estaba yo de un vinagre. [= euphemism for *mala leche*] (JLMV, 1971: 68)

6. —¡Están riquísimas! [*las tortas*]
—Ah! ¡Doña Celia tiene una mano! (SE, 30)

7. Se levanta y levanta su vaso:
—Un brindis por nuestra anfitriona, la señora Bibiana, que tiene unas manos para cocinar... (DM, 1967: 142)

8. —Mire, tenía un hambre que no podía aguantarme...
(JLMV, 1975: 112)

9. —Por la noche hacía un frío que te helabas. (JFS, 1957: 196)

10. —Siempre viene con excusas, pero te habla con una educación y unas buenas maneras, que es imposible contestarle. (RRB, 9)

11. «¿Le importa volver un poco la ventana? ... Así, gracias. Me he agarrado un catarro que para qué.» (MD, 1967: 32)

12. —Aún no sé quién me empujó en el agua, pero tengo un moratón en una cadera que para qué. (MD, 1966: 193)

13. —¿Dónde se habrá metío [= *metido*] ese Calixto? Estoy temblando... Porque la verdad es que se encarga de unas comisiones que ya, ya. (M. Seco, 1970: 536)

14. —El otro día bajaba yo por el barrio de la Estación y me vi a una muchacha con unos pechos que ya, ya, se movían como campanas en día de fiesta. (ALS, 229)

15. Con frases como ésta se han hecho reputaciones literarias que no se las salta un chistulari. (MBA, 63)

16. —La primera vez que os peguéis, os voy a sacudir un azotazo a cada uno que vais a andar cojos una semana. (AB, 56)

17. —Yo podría retirarme, y ese lugar es que ni pintado. (JCE, 119)

18. —Si es para un regalo, te viene que ni pintiparado.
—Sí, es para dársela a una chica. (CJC, 1963: 262)

19. —Cocina que es de chuparse los dedos —dijo Valentina—. Es una lástima que quiera ser costurera. (GC, 192)

20. —... mira, fíjate, por favor, la muy cochina. Era para haberle dado una patada en el trasero.   (FA, 1971: 207)

21. —... éste ya está para que lo encierren.   (FGP, 1973: 85)

22. —¿Termina bien esta novela?
—¡Cállate la boca! No estoy para novelas.   (RM, 1971 b: 29)

23. —Déjame que te cuente una cosa..., una cosa que es como para morirse de risa o como para herniarse, cuando menos.
(CJC, 1969: 379)

24. ... Andrés empezó a tener miedo de salir mal en los exámenes. Las asignaturas eran para marear a cualquiera...   (PB, 1947: 455)

25. —¡Dios mío! ¡Es para volverse loca! —murmuró mi tía.   (CL, 97)

26. —... te juro que anduve hasta tentado de coger la bici y largar-me... y volverme a Madrid. Como lo oyes.
...   .
—Hubieras hecho una tontería muy grande. No es para tanto la cosa.   (RSF, 1965: 76)

27. —No seas quejica, mamá, que no es para tanto.   (IA, 306)

28. Eran de oír las habladurías, chismes, críticas, difamaciones y ca-lumnias que formaban el fondo de aquellas amenas charlas...
(RJP, 62)

29. —Cállese y escuche... Es de dar náuseas.   (MVL, 1973: 234)

30. —¿Cómo estás?
—Malísima..., muriéndome, cada vez peor...   (JB, 426)

31. —Vaya calorcito. No es normal, ¿eh?   (CF, 1980: 212)

32. —Él tiene una [*pluma*] Parker nuevecita. Enséñasela, Güero, ¡anda!
(SG, 181)

33. —¡Cualquiera sabe lo que quiere decir! Es retorcidita esa señora.
(AP, 1972 b: 129)

34. Habló después Castelar. ¡Qué discursazo!   (A. Gooch, 202)

35. —Allí no hace este calorazo.   (AG, 1974: 32)

36. —¡Qué requeterrico vino!   (FGL, 1962: 74)

37. —¿Qué tal, amiga?
—Ai [*sic*]. ¿Y tú?
—Pues re mal. Anoche no hice nada.   (LGB, 288)

38. —¡Nana Lola, ya te la tomaste toda!
    —¡Oh, pues yo no sé de estas cosas! Además sabe rete feo.
    (AGC, 97)

39. ... su otro hijo, Fidencio Gómez, tenía dos hijas muy juguetonas: una prieta y chaparrita, ... y la otra que era rete alta.
    (JR, 1967: 110)

40. —Bueno, ¿qué te trae por aquí, requetepreciosa? —le preguntó, disimulando.
    —¿No se lo figura?   (JAZ, 1967: 150)

41. —Me joroba, me joroba y me requetejoroba que la vea usted, ¡ea!
    (JMB, 383)

42. La *progre* va de pana o de saco, hace la guerra y el amor, alternativamente, y fuma... La moderna lee *Telva* [= *una revista*], va mucho por las *boutiques* mañaneras, habla idiomas, viaja y lo pasa bárbaro, pero nada más. La moderna va [*vestida*] siempre muy moderna, no tiene ideas políticas...   (FU, 1974: 273)

43. —¿Le llevaron mi regalo a tu hermana?...
    —Una pulsera bestial... A la flaca le encantó.   (MVL, 1977: 33)

44. —Lo siento por los aguafiestas, por los amargados..., por los que, al ver al prójimo pasándolo bomba, en lugar de sentirse invitados, se consideran excluidos...   (AP, 1972 c: 9)

45. Alguien se acercó al autor, sentándose a su mesa:
    —¿Qué tal, José Luis, cómo va esa taquilla? Por cierto, chico, la obra es brutal; me gustó muchísimo. Y la crítica, fenomenal.
    (ET, 41)

46. —El otro día vi un chico que estaba...
    —Cañón.
    —Cañón.   (R. Sala, 85)

47. —Pues un día saqué a bailar a la de la falda de cuero y se me dio fenómeno.   (FU, 1966: 41)

48. —Pues menos mal que vinieron, cuates. Tengo un negocio padre para ustedes.   (SG, 109)

49. Mientras su progenitor se deleita en el Festival de Mozart, en Salzburgo, Austria, con otros melómanos socialistas, Pablo se lo pasa pipa en un campamento para niños y jóvenes en la villa santanderina de Laredo.   (*Cambio 16*, 7-9-81: 46)

50. Encarnación Morales tenía, y tiene, un cuerpo de bandera, ojos caprichosos y labios glotones...   (*Cambio 16*, 26-10-80: 83)

51. El pueblo más civilizado, sufrido y amable de la península, le ha dado un disgusto de campeonato al presidente Suárez y a su táctica irritante de gobierno en solitario, en silencio y en alas siempre de la improvisación rampante. (*Cambio 16*, 16-3-80: 3)

52. Así pues, Santiago Carrillo goza de buena salud y se mete, por lo visto, unas cenas entre pecho y espalda de aupa.
(*Cambio 16*, 18-5-80: 10)

53. ... le dijo con aire grave que doña Virginia era una mujer de cuidado; había echado al otro mundo dos maridos con dos jicarazos. (PB, 1947: 480)

54. —¿A qué hora te fuiste ayer?
—Hice dos horas extra. Se armó un pastel de la gran siete.
(MB, 1970 *a*: 228)

55. El doctor ... atendió a don Leoncito Maestre, que el pobre estaba con un ataque de nervios...
...   .
—No se preocupe, señora, éste no tiene nada importante, un susto de órdago y nada más. (CJC, 1963: 113)

56. —Antonio es un poco especial. Cuando le conocí en Granada teníamos unas broncas de padre y señor mío si alguien me miraba; era muy celoso. No me dejaba cambiar de peinao [= *peinado*] si no se lo decía antes a él. (ALS, 79-80)

57. La segunda consecuencia de la lluvia (que acompaña tradicionalmente a la celebración de la Feria [*del Libro*] es la formación de un barrizal de padre y muy señor mío.
(*Cambio 16*, 13-6-77: 100)

58. —La música de violín, para las bodas, va de perlas. (MBU, 96)

59. —¿Quién te ha dicho que saber quién fue Noab signifique cultura? Se puede ser un memorión y ser un ignorante de tomo y lomo. (JMG, 1966: 485)

60. Son unos profesionales de tomo y lomo, y aunque en su carné de identidad ponga «artista», saben muy bien lo que es levantarse a las cinco de la mañana para tomar un avión.
(*Cambio 16*, 3-7-81: 36)

61. —Como es para subrayar las palabras «paz» y «sosiego» [*el político*] da unos puñetazos en la tarima de no te menees.
(*Cambio 16*, 15-6-80: 162)

62. —... ¿Cómo va el negocio? [*to a prostitute*]
—Mal. Hay una competencia de no te menees. (MVM, 30)

311

63. (PABLO y ANTONIO *contemplan un cuadro que representa a una chica desnuda de espaldas.*)
Antonio: —Lo curioso del caso es que se me hace cara conocida.
Pablo: —Está de toma pan y moja. Oiga: ¿y le parece normal una foto así en una pensión?   (JMB, 348-349)

64. —¿Es cierto que representas la nueva ola del PCE? [=*Partido Comunista Español*]
—Es una tontería como una casa, y perdona.
(Cambio 16, 6-1-80: 32)

65. —Él tiene un cáncer como una casa, el médico me dijo que no puede salir adelante.   (CJC, 1963: 158)

66. —... Si la Nena Castro llorara, tardaría una semana en quitarse de los ojos todo lo que lleva pegado a las pestañas...
—Sí, pero no dejarás de reconocer que la tía está como un tren —replicó la amiga—. Treinta y ocho años son treinta y ocho años...   (ET, 34)

67. [*El pescado*] Es un bicho hermoso, asalmonado, que cocido y con mayonesa estará como para chuparse los dedos.   (MD, 1972: 19)

68. —¡Y si vierais lo bueno que es! ¡Un bendito! Callado, humilde y trabajador como nadie.   (MM, 1967: 340)

69. —Ese Cristóbal Jara era un buen muchacho, sabe usted. Trabajador como él solo.   (ARB, 142)

70. —Pero acabe usted de contarme, que de mis cosas no quisiera ni hablar... ¡Estoy más harta!   (JB, 973)

71. —Ha venido Angélica esta tarde y he vuelto a perder tontamente más de media hora de estar con ella... ¡Me da más rabia! ¿Por qué seré tan nervioso?   (EB, 146)

72. —¿A que no sabes lo que ahora me viene a la memoria?
—No.
—La primera caja de bombones que le enviaste a Pilar. Era de lo más cursi. En la tapa había una orquídea en forma de corazón.
(JMG, 1966: 63)

73. —Contra esa proyectada manifestación, me avisa el general Salido, se proyecta ... una carga de caballería. Algo de lo más desagradable...   (FSI, 36)

74. —Bien, es elegante, luce, lleva las cosas con estilo; es la mujer que necesita un hombre importante como él. Socialmente de lo más decorativo, créalo.   (JLMV, 1975: 108)

75. —Es un agua cristalina, ¿verdad?
    —Sí, hija, la mar de cristalina.   (CJC, 1961: 51)

76. Por otra parte, estos hombres, que se pasaban la semana entera
    en el campo, tenían una idea la mar de confusa de los problemas
    domésticos de la casa del amo.   (FGP, 1968 a: 49)

77. —Este Celestino es el mismo diablo... Pero no tiene un pelo de
    tonto, es hombre que ha leído la mar de libros.   (CJC, 1963: 77)

78. —No es mal chico. ¡Eso sí, presumido, un rato!   (JAP, 68)

79. —El que cuenta tus hechos, mejor dicho, los nuestros, es Paquito
    García Pavón... Y ése sí que te conoce, nos conoce un rato bien.
                                                   (FGP, 1971 b: 172)

80. —¿Los [niños] pequeños?, pero ¿hay más?
    —Hay la tira, usted no los conoce. Son muy carcas, ¿sabe?
                                                   (JLMV, 1975: 111)

81. ... y sitios donde largarme para no aguantar a papá y a Colette
    los encuentro a manta.   (CMG, 1974: 91)

82. El papeleo [de la inmigración] iba a durar lo suyo. El interroga-
    torio era minucioso, personal, lo cual provocaba entre los inmi-
    grantes visible malestar.   (JMG, 1968: 266)

83.' —No hay quien los destruya. Cuesta Dios y ayuda volarlos, aun-
    que los cargues de dinamita.   (TS, 1975: 93)

84. —Es usted encantador. Me gusta, Flavio. Me gusta que sea así de
    franco.   (LS, 1970: 46)

85. —Se lo dije yo, don Pedro, yo se lo dije. Me sacó una navaja así
    de grande. Se me heló la sangre.   (LMS, 213)

86. —¿De qué se ríe?
    —De lo bellaco que eres.   (RG, 158)

87. —Por lo franca, no sabía ocultar las impresiones.
                                                   (Keniston, 117)
88. —¿Y cómo está Isabel...?
    —Figúrese usted; el golpe ha sido terrible, por lo inesperado y
    por lo inexplicable; por todo.   (JB, 69)

89. —Lego las seis cajas de puros ... a mi fiel servidor Romualdo
    González, en prueba de agradecimiento, por lo bien que me sir-
    vió en vida y para librarle de la tentación de fumarse alguno a
    mis espaldas.   (JCS, 1968: 7-8)

90. ... me acerqué con ellos hasta un cafetín donde pagué a cada uno
    un café con leche que sirvió para atraérmelos del todo de agra-
    decidos como quedaron.   (CJC, 1962: 149)

91. —¿Tú sabes lo que es ser una buenaza como tú, de puro buena eres tonta, con treinta mil duros, en una familia de hambrientos? (AB, 138)

92. En el suelo, al fondo del patio, yacía el loro insepulto. ... De puro tieso y sólido, parecía loro de madera. (FGP, 1969: 140)

93. —¡Miren sus vestidos! Se caen de viejos. (RRB, 25)

94. —Temo que nuestra felicidad, de tan pura y hermosa, se nos pueda romper y apagar. (JAZ, 1973: 90)

95. La vereda subía, entre yerbas, llena de espinas... Parecía un camino de hormigas de tan angosto. (JR, 1967: 37)

96. ... como todos los intrigantes, de tan sagaz que eres, a veces te pasas de ingenua. (CP, 142)

97. —... los poetas... nos comunican las más irrazonables cosas..., y resultan las más profundas.
—¿Y las dicen de puro inocentes? ¡Caramba, mi señor don Juan, no se envuelva! (EB, 247)

98. Se rió, más para enseñar sus grandes, redondos dientes blancos, que parecían postizos encima de la encía rosada, de tan parejos que eran. (GCI, 1969: 104)

99. —Mi madre, que no se puede mover de tantos padecimientos como tiene, todavía anda lavando ropa por las casas. (AML, 1965: 395)

Exercise 3. Sections 5.17 - 5.26

1. —Pues yo me alegro, mozo. Más vale así. Tener uno un poquito picardía, para saberle [sic] hacer frente a los trances escabrosos del trato con los demás. (RSF, 1965: 159)

2. —Ahora nos traen un poco vino. (RSF, 1965: 209)

3. Se saca un pañuelo pringoso y se seca los ojos, que le lloran.
—No es un pañuelo. Es un cacho trapo. (FC, 121)

4. —¡Ay, ay!, o sea, ya te digo; yo esta mañana ..., se me iba el santo al cielo con tanto nombre y tanta ..., tanta provincia...
(M. Esgueva and M. Cantarero, 444)

5. Le resultaba difícil a Mosén Roque entender a tanta mujer junta. (JM, 1968: 87)

6. —Es usted demasiado confiado y por esos mundos hay tanto ladrón. (JS, 1962: 62)

7. Estaba suscrita a cuanta revista de modas, información artística y música popular se publicaba en Europa. (GGM, 1970: 319)

8. Antes daba gusto ir a la «clínica» de don Lotario [*el veterinario*]. Cuánta entrada y salida de animales y hombres. Cuánta mula coja o mal calzada. (FGP, 1971 *a*: 18)

9. —Hay mucho español por esas tierras, unos de cuando la guerra, otros de después. (ALS, 46)

10. —Bueno, amigo don Lucas, hay cada chavala que viene al concurso que quita la cabeza. ¡Verá usted; la número trece es algo despampanante! (JAZ, 1972: 29)

11. A él le parecía una cosa del otro mundo. De ese en que vive la gente que sale en las revistas. Que se casa y descasa como si tal cosa. Y que tiene cada ligue de miedo. (IP, 18)

12. —¿Y [*a usted*] le va bien con ese sistema [*de 'ligar' a las mujeres*]?
—¡Fatal! Y, además, ¡me arrean cada tortazo! (JMB, 353)

13. —Es que tienen las manos de trapo. Cigüeñal que cogen, cigüeñal que parten en mil pedazos. (AL, 1966: 270)

14. Plinio no perdonó a nadie. Vecino que entraba y salía y gentes que pasaban y se sabía que trabajaban por allí, fueron interrogados. (FGP, 1969: 115)

15. —... aquí todo el mundo es intachable. Persona que yo tolere en el local, esa persona tiene, a partir del momento que viene admitida, la certeza absoluta de que su nombre va a ser respetado, lo mismo estando él presente que ausente. (RSF, 1965: 319)

16. —Si ese loco de Martín pudiera, haría todo cuanto dice. (N. D. Arutiunova, 1965: 93)

17. Para vengarse, se está haciendo cortejar por el imbécil de García. (Keniston, 139)

18. —Y dile a la cabeza hueca de tu hermana que tiene veinticuatro horas para integrarse a nuestro movimiento. (EW, 174)

19. En seguida me soltó... Entonces, impulsiva que es una, yo voy y le di un beso en la mejilla. (JLMV, 1975: 42)

20. —¿Por qué me prefiere? Yo no lo sé, lista que es una. (JM, 1977: 198)

21. —Sí, pero de pronto, oigo una voz casi ya encima mío: «Paloma, vamos a casa» ... (JLMV, 1976: 96)

22. ... «cuando el humo de los botes [*de gas*] lanzados por la policía era tan denso que no se podía ver más allá de los diez metros» según sus compañeros [= *unos estudiantes universitarios*], «le oímos que gritaban detrás nuestro. Al volvernos estaba tendido en el suelo en un charco de sangre». (*Cambio 16*, 30-12-79: 25)

23. —Insistía en lo de Montevideo.
     —Es idiota, no tiene un centavo.   (JC, 1970: 210)

24. —Han cerrado todas las facultades por lo de ayer.   (ABE, 186)

25. —... quiero dormir con la seguridad de que él también esté dormido y no volverá a intentar lo de esta mañana.   (FS, 273)

26. Con lo que le dieron por el seguro de su marido pensó comprarse un taxi, pero después prevaleció el sentido común y se compró un arpa...
     —Lo del taxi no me hubiera traído más que complicaciones, ¿verdad, usted? Esto de los taxis es un negocio muy complicado.
     (CJC: 1971: 752)

27. —Oye, y el niño, ¿dónde se ha metido?
     —Fue a lo de las garrafas —dijo Consuelo—, ahora viene.
     (JMCB, 66)

28. —Y les he pedido la dirección para escribir.
     —¿Y qué te han dicho a eso de escribir a la niña?
     —Les ha parecido muy bien.   (JLCP, 342)

29. —Creo que eso de las castas es malo, entre otras razones, porque siempre tropieza uno con una casta superior, lo que le obliga, un día u otro, a arrodillarse ante alguien.   (JMG, 1966: 495)

30. —No fuman, no beben y hacen su propaganda como todos.
     —Bueno, eso de la propaganda lo hacen muchos.
     (JFS, 1971: 121)

31. —Pero eso de llamar perro a nuestro querido general es un insulto para los perros.   (GC, 59)

32. —Porque esto de su hijo de usted, lo que piensa hacer..., es una locura.   (JB, 429)

33. Se acercaba para mí el día de la marcha; el tiempo de licencia concluía; de Cádiz me mandaban recados urgentes. Aquello de pasarme cuatro o cinco años seguidos en el mar me parecía muy duro.   (PB, 1958: 131)

34. Egisto se armaba, y esperaba. Egisto ya sabía que lo de armarse era superfluo, porque estaba escrito que si Orestes llegaba a encontrarse frente a él, Egisto sería hombre muerto.   (ACU, 85)

35. —A ver si ese gitano va a amargarnos las fiestas. Hay que esperar que no pase nada, aunque eso de que vaya armado da mala espina. Armado y bebido puede dar un disgusto grave. (IA, 337)

36. —¿Cómo andan las cosas en provincias?
—Todo tranquilo; eso de que el Apra [=*A.P.R.A.*] controlaba el Perú era un gran cuento. (MVL, 1972: 63)

37. —Ya habrá visto usted, don Félix, la rara costumbre de estos lugares cuando hay entierro en la familia. Eso de que al retorno del cementerio reúnan a los asistentes en el patio interior... y les den lo que llaman compango, pan y queso, mientras circula sin cesar el jarro de vino. (RC, 1979: 55)

38. Lo de que la ira es mala consejera es tan cierto, que obedecer a sus presiones puede llevar a la enfermedad cardiaca...
(FDP, 1975: 180)

39. —¿Tú no has visto ninguna [*película*]? De esas que te dan gafas al entrar. (MM, 1967: 297)

40. Hemos tomado una [*casa*] en la calle Sargento Lores, de esas que construyeron a principios de siglo, cuando lo del caucho, que son las más pintorescas... (MVL, 1973: 65)

41. —¡Veo en su cara que usted es de esos que requieren amenazas para ceder! (Coste, 57)

42. Yo le aconsejé varias veces que se fuera a un buen sanatorio, de esos que hay junto al mar, en Levante. (JLR, 1969 *a*: 373-374)

43. —Si yo fuese hombre, puede que te creyera. Pero a una mujer no la puedes engañar en cosas de ésas. (IA, 75)

44. Se fijó en Laly que tiritaba: —Pero vamos arriba —dijo—. Aquí tiene frío. (MD, 1978: 116)

45. —Aquí, la señora, y doña Teresa merendarán con nosotros.
—De mil amores, hija mía. (RRB, 59)

46. —¿Matrimonio?
—No, compañeros.
—¿Novios?
—No, sólo compañeros. Yo soy casada y aquí es soltero.
(AP, 1975: 57)

47. Plinio, así, de paisano, parecía un poco más bajo y tenía el aquel de una fotografía antigua. (FGP, 1971 *a*: 26)

48. —No, no lo eches a broma, que allí había su aquel.
—Si había o no había hay que olvidarlo...
—Bueno, bueno, eso lo dices tú para contentarte y contentarme, pero allí había su poco [de] misterio. (FGP, 1968 c: 104)

49. —A mí, como no me den una copa, no bebo —dijo la catalana.
—Escuchen la finolis esta —dijo la rubia—, que no le gusta la baba. (JMCB, 51)

50. Cuando la retirada, todo lo que quedaba inútil lo iban dejando en la cuneta: camiones, coches pequeños, bicicletas, todo.
(JFS, 1967: 155)

51. —¿Cuándo lo viste por última vez?
—Cuando la despedida de Mateo. (ABV, 1969: 15)

52. —Cuando la huelga de hambre [yo] hacía trampa.
—¿Cómo trampa?
—Por la noche, pero a altas horas, venía mi hermano Félix y me traía chocolatinas o fruta. (JLMV, 1975: 125)

53. —A las cuatro, donde siempre, te parece? (LO, 1958: 87)

54. —Si no lloras al lavarte la cara, te bajo conmigo a por la leche donde el señor Avelino. (MD, 1975: 13)

55. —¿Piensas hacer algo?
—¡Sí! ¡Iré donde un funcionario público! ¡Pondré mi denuncia; estoy seguro que hará algo! (CR, 64)

56. —Lo tiene hace dos semanas. (JC, 1973: 90)

57. —También dice que se va... Está diciendo que se va hace cinco años. (AGR, 182)

58. —Porque si yo no he salido a la calle hace sesenta años, desde que me quedé viuda, no ha sido por capricho, sino porque me daba vergüenza. (MM, 1967: 286)

59. No veía a Hortensia hacía tres días. (MVL, 1972: 394)

60. —Es temprano para ir a ningún sitio. Si te parece, nos meteremos en cualquier cine, a hacer tiempo. (CJC, 1963: 98)

61. —¿Te parece que empecemos a rezar ahora mismo el rosario en acción de gracias...? (MBU, 95)

62. —Trae, que te lleve esa bolsa.
—No, de ninguna manera. (JGH, 33)

63. —No, no puedo tenerme en pie, ¿lo ves?
—Es verdad.
—Ven que me apoye en ti. (MU, 1956: 157)

64. —Vamos a subirlo que esté más cómodo.
Lo tomaron de un brazo y de una solapa cada uno y en dos tirones lo dejaron sobre la senda del río.   (FGP, 1981: 17)

65. —Bueno; yo ya estoy arreglada. Un segundo, que coja el abrigo y la maleta.   (JCS, 1962: 73)

66. —Aguarde usted que le ajuste la cuenta.   (Seco, 285)

67. —Más que profesionalmente, pudiéramos decir que vengo en visita de cortesía, pues doña Paula se encuentra en perfecto estado de salud.   (MM, 1967: 310)

68. —Tú verás, en cuanto que entren carpinteros y pintores dejan esto como un sarao...   (JAZ, 1967: 153)

69. —Vas a hablar de dinero. Aparentemente es tu fuerte.
—Es lo mismo que si te dijera que ésa es tu debilidad.
(LJH, 577)

70. —Y así me lo jures en cruz, nunca me llegaré a creer que... se conformase con una cerveza y unas gambas.   (MD, 1967: 43)

71. Según informes periódicos del Ministerio del Interior, Leal Garnica había tenido suerte en sus negocios, y su fortuna, así no presumiese de ella, era inmensa.   (LS, 1977: 210).

72. —Bueno, bueno, ¡no se ponga usted así! Por mí, que no se prive y que toque lo que le dé la gana. ¡Mientras los vecinos no protesten!   (CJC, 1971: 751)

73 —Digo yo que, a la que vuelvo con el parte, podría llevar al crío al primer puesto de sanidad.   (ABV, 1966: 141)

74. —De estudiante eras menos tímido, caray. A la que me descuidaba, ya estabas tú metiéndome mano... ¡Qué lucha!
(JS, 1973: 190)

75. —En su casa, por tanto, no se empezará a alarmar hasta eso de las once. Total, que hasta esa hora no descubrirán nada.
(MM, 1967: 188)

76. —Mira, hija, aquí nos sobran heroínas. Para eso están los hombres; de modo que no te hagas la valiente ahora.   (JFS, 1982: 54)

77. —Como verá usted —dijo el doctor...—, aquí carecemos de todo. ¡Y en el manicomio, no digamos!   (JGF, 1966: 86)

78. —Oiga, don Pánfilo, y qué me dice de la inseguridad para las familias, en los pueblos mismos, ya no digamos en los ranchos.
(AY, 11)

79. —Mi esposa es muy sensible y en su estado actual, si descubre esto, le haría una impresión tremenda. Y no se diga a mi madre
(MVL, 1973: 139)

80. —Nunca he podido acostumbrarme a esta clase de viajes... Y eso que ya hubiera podido acostumbrarme, pues estos últimos meses he estado viajando casi diariamente a Aregúa.   (GC, 107)

81. —Hace pocas tardes, en una reunión de amigas, todas reconocieron que, para los años que tengo, conservo mi cutis estupendo, y eso que no me doy más que una crema limpiadora al ir a la cama.   (JAZ, 1973: 342)

82. —A mí me mandaron a Levante. Cuando me enteré de para dónde íbamos, me entró una congoja que, fíjate, soy hombre y no me avergüenzo, me pasé lo menos dos noches llorando. Y eso que me había salvado de ir a África... Si me dicen que me llevan a África, pues no lo hubiera pasado peor.   (IA, 302)

83. —¿Cómo va su consulta, doctor Camino? Debe de ir muy bien. Cada día hay más locos —dijo Baroja.
—Sólo que nadie tiene dinero para pagar —dijo el médico.
(JT, 1976: 56)

84. —¡Ay! Me asustó.
—¿Tengo aspecto de bruja?
—No; está usted preciosa. Sólo que no esperaba verla por aquí a estas horas.   (FS, 259)

6

SUPPLEMENTARY EXAMPLES FOR STUDY AND TRANSLATION

NOTE

This final chapter consists of four exercises. The first two of these are made up of shorter or simpler examples; the third exercise contains longer and more complex examples and the fourth exercise consists entirely of examples taken from Latin American sources.

Exercise 1

1. —No diga usted esas cosas, don Augusto.
   —¡Cómo que no las diga! (MU, 1956: 68-69)

2. La señora del Alfa [=car] tenía una sobrina llamada Bruna, a quien me presentaron un día en Puerta de Hierro.
   —De modo que eres amigo de tía Victoria. (FU, 1966: 248)

3. —O sea, ¿cada día, sistemáticamente, estudias?
   —Hombre..., menos los sábados...
   —Y los domingos.
   —Es que los sábados es cuando hay más animación en el pueblo.
   (R. Sala, 2)

4. —Esto es lo que quiero que comprendas.
   —Si ya te entiendo, hombre. (RRB, 35)

5. —Conque, ¿qué ha sido hoy de su vida de usted?
   —Primeramente, me levanté muy temprano, serían las siete; por cierto, que estaba muy nublado; yo creí que llovería todo el día...
   (JB, 432)

6. —Pedro, ¿quieres callarte?
    —¿Qué te pasa? ¿Es que no puede uno cantar?
    —No. Canta lo que quieras... Pero es que ésa ... es la canción que cantaba a veces el cabo Goban. Y no me gusta escucharla.
    (AS, 1967 a: 203)

7. —Lo que quiero decir es que estos americanos aborrecíos [= *aborrecidos*] parece que no comen más que de latas y bolsas de plástico.   (JLCP, 307)

8. —¿Es que tienes algo contra mí?
    —No es eso. Es que quiero consultarte algo muy serio...
    —Vaya, no será tanto.
    —Sí lo es.   (JLCP, 211)

9. —¿Quiere usted acompañar a la hermanita? Yo me encuentro tan fatigada...
    —Pues no faltaba más... Para eso estoy aquí.   (MM, 1967: 212)

10. —Pero ¿qué te pasa? ¿Será verdad que has venido a detenerme?
    —Nada de eso, Canela. He venido a saber qué tal estás.
    (JMG, 1966: 123)

11. —¡Y las revistas, lo que se gasta, Dios mío, en revistas!
    (JM, 1970 a: 72)

12. —¡Si yo tuviera tiempo para hacer tapetitos! Con la falta que nos están haciendo en el convento!   (MM, 1967: 208)

13. —¡Menuda envidia les dará a mis amigas cuando sepan que vamos a la capital!   (AL, 1966: 108)

14. —Yo ya sabía que la abuela se moría, cómo no lo iba a saber...
    (CMG, 1974: 22)

15. —Buenas tardes... Usted no será Juan, ¿verdad?
    —No, señor... ¿Por qué iba a ser yo Juan?
    —Porque estamos esperando a Juan.   (MM, 1964: 16)

16. —Y no te enfades. Nada de ponerse así, como si te propusiese un atraco en el Banco de España.   (JCS, 1962: 17)

17. —Pero si estás llorando, Arturo...
    —¿Y qué?
    —No te enfades.
    —Si no me enfado.   (AS, 1967 a: 546)

18. —¿Y mi tío?
    —Ha entrado en la alcoba.
    —¿A qué?   (MM, 1967: 221)

19. —Vamos, Teresita, hija mía. No es para tanto. Ven aquí. Vamos.
     —¿Qué sucede?
     —¡Qué ha de suceder! Lo de siempre. Que, al pasar por su cuarto, sus hermanos la vieron rezando y se burlaron de ella.   (JB, 901)

20. —Oiga, ¿y si me sale a abrir la puerta alguien que no sea la señorita?
     —¡Ah, es verdad! Si te sale a abrir otra persona, pues nada, dices que te has equivocado.   (CJC, 1963: 127)

21. —De regreso a casa me llegué donde el Efrén y le dije que a ver si puede estar a las nueve en el salón para abrir, y que avise al Gallito y a los otros dos.   (MD, 1966: 284)

22. —... ¿Quién será? A ver si va a ser...
     —No creo. ¡Qué pesimista estás hoy! Te has puesto pálido.
     (JMRM, 143)

23. —Bien, ya lo sabes... Como sepa estás en su casa, voy y te traigo por una oreja.
     —Soy mayor de edad y libre de hacer lo que me dé la gana.
     (JAZ, 1972: 1045)

24. —No es nada de importancia.
     —Me habrá llamado por algo.   (RRB, 19)

25. —Entonces ¿por qué se le ha escapado la palabra?
     —¡Qué sé yo! Habré querido decir otra cosa, estaría distraído.
     (AMA, 28)

26. —Ya veo que es imposible... En mi vida habré hecho un sacrificio más inútil... Sólo quiero advertirte que te vas a meter en un lío tontamente.   (RRB, 35)

27. —Es horrible. Y doña Rosalía está que echa chispas. Qué mujer más odiosa.   (JMRM, 169)

28. —¡Bravo! Entonces, sigue estudiando. No importa. De todos modos, ya sabes que nunca te faltará mi apoyo.   (VRI, 1970: 22)

29. —... haces un examen, parece que lo tienes bien, y te pone hasta un cinco, o un cuatro.
     —Puntuar, puntúa lo exacto [*el profesor*].   (R. Sala, 52)

30. El chino es la lengua viva más vieja del mundo. Hace tres mil quinientos años se escribía ya. Hablarse, naturalmente, se hablaría desde siempre.   (*Ya*, 15-3-73)

31. —Y, además, como yo sé que me quieres tanto, con tal fidelidad. Como yo a ti, no creas.   (CL, 268)

32. —También yo espero cosas, no creas. Dentro de poco... han prometido regalarme ¡una colección completa de *La Esfera!*

(ABV, 1964: 99)

33. —Tampoco debe ser muy agradable, que digamos, plantarse en una esquina a las tres de la mañana y [*estar*] así toda la noche.

(MD, 1967: 166)

34. —De modo que usted no sabía de quién se trataba...
—¡Y yo qué iba a sabé! [= *saber*]   (JCE, 120)

35. —¿Hace mucho que no ves a ... Ferrer Díaz?
—Anoche. Va a menudo al café. Por cierto, que estaba contento el bueno de Carlitos Ferrer.   (ABV, 1967: 33)

36. —Me duelen tus recelos, Lola, para que lo sepas.

(MD, 1961: 61)

37. —¿Y si me multan?
—Pues se paga y en paz.   (JLCP, 455)

38. —¿Qué? ¿Nos animamos?   (JCS, 1962: 6)

39. —¿Quieres tomar algo? Leche no queda, pero te puedo dar una copita de anís.   (ABV, 1970: 70).

40. —Si es que este balance no hay dios que lo cuadre.

(FU, 1966: 103)

41. Galli llegaba a casa como a terreno conquistado, sonriendo, muy tostado, con su bigotito como un hilo y los ojos tan claros... Como guapo, era muy guapo.   (MD, 1967: 104)

42. —Es que quiero que vengas tú, también.
—¿Yo a un cocktail? ¿A santo de qué?   (MM, 1964: 67)

43. —¡Anda, qué tío, pues esto sí que tiene gracia! ¡Con esa cara! Oye, ¿y por qué regla de tres no quiere pagar?

(Sara Suárez Solís, 181)

44. —Burgos, para nosotros, debe ser como si no existiera. ¡Borrado del mapa! ¿Entendido?
—¡Me lo vas a decir a mí!   (MM, 1967: 190)

45. —La verdad es que no creo sea por mí por lo que ha dejado de visitarles a ustedes.
—Ni mucho menos.   (JAZ, 1973: 265)

46. —Arréglate. Va a venir Santana y estamos invitados a cenar con él.
—Ni hablar. Pero que ni pensarlo.   (JMRM, 150)

47. —¿Y usted qué haría si le tocase [*la lotería*], doña Balbina?
—¡Si no me va a tocar!
—¡Y dale! ¡No nos amargue la existencia! Suponga que le toca.
(ABV, 1964: 107)

48. —¿Estás bien seguro de lo que tú quieres, hijo?
—Hacer el amor contigo, eso quiero, ya está.
—¡Mira por dónde! ¡Qué simpática manera...!   (JM, 1970 *a*: 80)

49. —Le pregunté si quería decir que yo debía ponerme a lustrar personalmente, y él, que eso, no más. ¡Hasta ahí podíamos llegar! Uno no será un señorito de cuna, pero tiene su orgullo.
(MD, 1967: 299)

50. —Quiero concretar lo de las habitaciones, doña Teresa...
—Pues usted dirá.
—Verá, he decidido alquilarle las dos.   (RRB, 55)

51. —La vieja se morirá esta madrugada...
—¡Vaya, hombre!, ¿cómo sabes tú tan seguro cuándo va a morirse la vieja?   (CMG, 1974: 16)

52. —La de plata que hubieses ganado haciendo esa imitación.
(OD, 123)

53. —Y fijaros la vista que tiene el mirador. Se ve toda la calle de Hortaleza.   (MM, 1967: 329)

54. Con lo ameno que resulta siempre este hombre cuando explica algo... ¡A ver si por el hecho de ser académico se nos va a poner tan pesado como la mayoría de los eruditos!   (*Ya*, 26-6-73).

55. —He perdido una cita con un señor que me iba a llevar a pasar dos días a un parador de la Sierra...
—¡Hijas! Que no presumís poco con vuestros señores!
(MM, 1967: 363)

56. —Pues están listos como no cuenten con la iniciativa privada.
(AP, 1972 *c*: 199)

57. —De niño yo vivía en una casa más grande que ésta. Mire usted que haber sido niño y no haberme dado cuenta...
(AG, 1964: 61)

58. —¡Cuidado que le tenéis miedo los hombres al ridículo, hay que ver!   (RSF, 1965: 278)

59. Sin embargo, lo que son las cosas, al caminar canturreaba.
(AZV: 1973: 31)

60. —A mí no me manches, ¿eh? —le advertía Mely—. Ojito con salpicarme de aceite.   (RSF, 1965: 103)

61. —¡Repórtese, doña Chelo, que hay clientes!
—¡Anda, pues que se vayan! ¡Como si no hubiera en el pueblo más bares que éste!   (CJC, 1971: 442)

62. —¡Cuidado que es atento este señor! —decía Lucio, señalando con la sien al pasillo.   (RSF, 1965: 147)

63. —¿Qué? ¿Viste a Norberto?
—Como que aquí está. Ha venido conmigo.   (JB, 754)

64. —Encontraron todo, todo... Y yo, con diecisiete años, viendo cómo testigos y abogados pintaban de ti una imagen que nada tenía que ver con tu persona.   (JLMD, 19)

65. —Seguro que andará [*en este momento*] en el coche de tu hermano, hablando de política... Que si Ciano, que si Roosevelt, que si el Chamberlain ese del paraguas...   (JMG, 1966: 199)

66. El Responsable tiró al aire un cigarrillo que el Grandullón recogió.
—Nada de incendios, idiota. A ver si vas a quemar el edificio.
(JMG, 1961 *a*: 213)

67. —Vosotros tres, a llevar eso al señor Enrique, pero al contado, ¿eh?   (AML, 1965: 5)

68. —Pero ¡cuidado que sois tontos! —doña Paula se estaba riendo con todas sus ganas—. ¡Mira que asustarse por eso!
(MM, 1967: 345)

69. —Ojo con el turismo; se está confiando mucho en esa bobada; como un día nos falle, el país se encontrará desvalido, asolado, en quiebra.   (AP, 1972 *c*: 15)

70. —Vengo a buscarte por si quieres venir a mi casa y ver si entre las dos convencemos a Juana para salir a dar un paseo.
(AS, 1967 *a*: 563)

71. —Lo malo es el alojamiento, porque... si no me hubieran llegado a botar de la oficina, igual acabo por marcharme solita cualquier día de éstos. Como lo oyes.   (AGR, 41)

72. ¡Qué pesado es este trayecto! Una paradita cada dos manzanas. Venga a recoger gente y venga a soltarla.   (AGR, 202)

73. —A estas horas podría yo seguir [*trabajando*] en el Centro, bien considerado, y malo sería que no tuviera ahorros para una motocicleta...   (MD, 1966: 180)

74. —Mira: yo cruzo pasao [= *pasado*] mañana la frontera. En cuanto llegue, echo un vistazo y, rápido, te escribo.
(LO, 1968: 46)

75. —Y entonces el delgado va y le dice al gordo: «¡Usted es un cochino!», y el gordo se vuelve y le contesta: «Oiga, oiga, ¡a ver si se cree que huelo siempre así!» (CJC, 1963: 243)

76. —Bien. Te dejas caer por el almacén en el momento en que vaya a cerrar: a eso de las nueve y media. Luego le entretienes... El caso es que no salgas hasta las once o así, ¿estamos?
(AML, 1965: 267)

77. —Oye, tú, so pasmao [= *pasmado*], ya estás yendo por el médico. Está aquí la medicina y tú ahí tan tranquilo. Si el niño se muere ahora... (JLCP, 204)

78. —Está visto que en esta casa no se puede hablar de nada —se resigna doña Luisa—. Como una, por lo visto, es tonta.
(AL, 1966: 191)

79. —No viene Adolfo. ¿Qué pasará? ¿Le habrá pasado algo? Puede que los hayan sorprendido en la casa. (AS, 1967 a: 190)

80. —Y ya están todos [*ustedes*] largándose de la azotea, que ahora mismo voy a cerrar la puerta... (ABV, 1964: 139)

81. —Vamos a suponer ... que a mí no se me nota lo que soy. Bueno, lo que he sido. Pero que no se os note a vosotras ya es difícil, porque, hijas, hay que ver cómo vais [*vestidas*].
(MM, 1967: 332)

82. —Si llega a pasar esto veinticuatro horas más tarde, no nos enteramos hasta octubre. Nosotros nos íbamos mañana.
(JFS, 1957: 161)

83. —Saturnina me contó que, el último jueves, tuviste una mala racha [= *a bad run of luck/a bad day*].
—También la tal Saturnina podía meterse en sus asuntos y dejarnos en paz. (JCS, 1962: 18)

84. —¿Y Julio?
—Habrá tenido que ir a algún sitio. (AS, 1967 a: 77)

85. —Olvídate de esa chica.
—Poco significarías para ella, cuando se ha ido, sin más ni más.
(RRB, 65)

86. —... porque tú serás muy minucioso y todo lo que quieras, pero nunca hubieras hecho un trabajo tan bonito como el de papá.
(MD, 1967: 181)

87. —¿No te habrás enfadado por lo que te he dicho?
—¿Por qué me iba a enfadar?
—¡Yo qué sé! Por lo de Gracita. A lo mejor te has enfadado.
(JLCP, 222)

88. —¿Te divierte mucho llevar una mujer secuestrada en tu coche?
—«¡Secuestrada»! ¡Qué palabra más dura!
—No irás a decirme que me llevas por mi gusto.   (TLT, 63)

89. Y Marina seguía:
—Porque una tendrás sus defectos, pero una es honrada.
(MS, 1968: 86)

90. —¡Pero qué ganas tienen estos curitas de complicarse la vida y de complicárnosla a todos! ¿Por qué no han de hablar del Evangelio y dejar en paz los problemas sociales?   (JLMD, 27)

91. —Anda, vete a arreglar, no vaya a venir mi padre.   (RRB, 15)

92. —El libro dice de tres a cuatro cucharadas... De modo que, si la quiere, vamos a dársela también.
—No la vayas a indigestar el primer día que la [sic] das de comer.   (JAZ, 1973: 379)

93. —Y lo peor es que no queda un alma en todo el contorno que pueda darnos nada.   (ABV, 1966: 62)

94. —No es lo malo que hayáis robado. Lo insoportable es que me habéis puesto en evidencia.   (RRB, 17)

95. —Como fuera hija mía... —clavó la mirada en la casa del gitano y comenzó a maldecirlo, en tanto alzaban con cuidado el cuerpo de la muchacha.   (JFS, 1957: 230)

96. —Con la recomendación todo se arreglaba. Ganaba: no era por mis méritos. Perdía a pesar de ella: tendría que reconocer mi absoluta mediocridad.   (ABV, 1967: 136)

97. —Me interesa que me des tu opinión de los... ovnis. [= OVNIS]
—¡Uy! yo estoy convencida de que existen los extraterrestres..., pero convencidísima...   (M. Esgueva and M. Cantarero, 47)

98. —Yo voy a intentar: que fracaso, pues regreso; que lo consigo..., pues me quedo.   (J. Polo, 1971: 155)

99. —... nos hemos llevado un desengaño de órdago. ¿Que ahora toca tragar? Pues se traga, que uno sabe hacer de todo.
(MD, 1966: 327)

100. —Pues lo mismo se me da a mí que estés colmado como que no estés, porque tú me importas tres pitos, ¡ya lo sabes!
(FGL, 1962: 48)

Exercise 2

1. —¿Qué pasa que no hay ratas este año?
   —¿Qué sé yo?   (MD, 1969: 82)

2. —¡Vaya sed que tienen en la acera! El botijo circula que es un primor.   (ABV, 1964: 113)

3. —Yo no lo veo hace la mar de tiempo. Lo menos siete días.
   (MM, 1967: 324)

4. —Lo que me causó su muerte fue mucha alegría y envidia. Alegría, por lo santa que fue. Envidia, por lo mismo, porque su muerte fue envidiable.   (JLMV, 1971: 141)

5. —No me aprietes la mano, mi negro, que de lo agradecida que te estoy me pongo la mar de excitada.   (AGR, 232)

6. —Por fin, ¿vienes? ¿O vas a estudiar?
   —Pues mira, es que debiera estudiar, ¿sabes?
   —¡Toma, y yo! ¡Tienes cada idea luminosa!   (JAP, 59)

7. —No me mire usted así, mi amo, que no estoy bebío. Lo de esta mañana fue que salimos sin almorzar y me convidaron, y un traguete que bebió uno, pues le cayó mal y eso fue todo...
   (JB, 751-752)

8. —... a mí esto de que las mujeres fumen me parece muy bien...
   (CJC, 1963: 50)

9. —Me apuesto lo que quieras a que cuando lo de Elviro no llegó a esos extremos.   (MD, 1967: 41)

10. —No sé; usted tendrá sus razones, pero lo que es yo, como pudiera, poco tiempo iba a parar aquí.   (JFS, 1967: 29)

11. —Porque hay que ver lo que llevamos sufrido. Diez años dando tumbos por ahí. Con treinta años encima y sin vender una escoba, como aquel que dice. Sin saber lo que es el mundo.
    (JMRM, 141)

12. —... pobre barco, que no ha hecho agua ni nada desde entonces acá por cientos de agujeros, y tan invulnerable como nos parecía.
    (CMG, 1974: 19)

13. —Anda, largo de aquí, chiquito —le dijo—. Nuestro niño está con sarampión y no sea que te contagies en vísperas de comulgar... ¡Vete, chico!   (AMM, 1971: 92)

14. —¿Por qué dices tanta tontería? Me estás cansando. No irás a esperar que te suplique... ¡Si tú me quieres, mujer! Mira, vamos a terminar de discutir todo esto en mi cuarto. ¡Hala! ¡Vamos!
    (CL, 212)

15. —Una limosna, señoritos, que mi padre está parao [= *parado*] y no tenemos qué comer.
Armando entrega al chico una peseta... después de acariciarle la cara.
—Se agradece —contesta el chico.   (AGR/ALS, 193)

16. —Que no se te ocurra abandonar el puesto, ¿lo oyes? ... Por desgracia, uno ya tiene las manos manchadas de sangre, y lo más fácil es que un muerto más no se me note en estas manos ni que me vayan a temblar por eso.   (AS, 1967 a: 201)

17. —Mira que si las sacaras [= *las oposiciones*], qué borrachera...
—... Anda, y que no me iba a reír de todos. En un mes no me conocía nadie.   (JMRM, 140-141)

18. —Y yo no soy como esas otras que enseguida avasallan... ¡Hala! ¡A lo bruto! Yo seré todo lo que quieras, pero sé quedarme en mi sitio. Y eso que me caes bien. Pareces un buen chico.
(MM, 1967: 296)

19. —Pero con ésta no me atrevo. Es una mula poco legítima, una mula griega. Como se harte y le dé la vena, empieza a tirar coces y no hay quién la sujete. Mira que le llevo dando palos, ¡pues como si nada!   (CJC, 1961: 64)

20. —¡Pero tú siempre pareces amargado!...
—¡Amargado...! Qué va. ¿Yo? ¿Por qué había de estarlo? Mi vida es una «delicia»... ¿Por qué iba a estar amargado?   (JAP, 46)

21. —De esto, nada, ¿oyes? Hay petróleo aquí abajo. Voy a avisar al jefe. Esto es más importante que las cuevas. Pero mientras no venga el jefe, ni una palabra, ¿oyes?   (MD, 1969: 95)

22. —¿Usted ha sido náufrago en alguna ocasión?...
—¿Y para qué iba a ser yo un náufrago? ¿A qué viene esa tontería?   (MM, 1964: 22)

23. —Comer, no comeremos, ¡pero nos reímos un rato largo y lo pasamos la mar de bien! ¡Vaya si lo pasamos bien!
(CJC, 1971: 374)

24. —Y tú, a ver, cuéntame qué demonios haces por aquí. Porque ¿no me irás a decir que vienes de turista?   (JFS, 1971: 67)

25. —Quietecitas. Nada de ruidos ni nervios. Paciencia. Vamos a buscar los papeles. No habléis, no hagáis ruido. A dormir; es lo mejor.   (AP, 1973: 201)

26. —Ya ve, yo he dicho lantejas [*instead of 'lentejas'*] hasta que fui a la mili... Cuidado que estábamos salvajes, ¿eh?
(AZV, 1973: 27)

27. —Anda, que tampoco has tardado tú.
—Y no veas lo pesado que estaba el viejales. (FU, 1966: 209)

28. —Pablito desearía que la vida fuera una multiplicación: dos por dos, cuatro, y ya está....
—Pues menudos chascos se va a llevar el hombrecito.
(JMG, 1966: 488)

29. —... y si nos largáramos de una vez, malo sería que no alcanzara [yo] el último cacerío. (MD, 1966: 335)

30. —Ya me lo figuro. Como que la muy sinvergüenza alguna de las cosas que le he llevado supe que las había vendido después a muy buen precio. (JLCP, 191)

31. —Y por si fuera poco (Le muestra sus brazos), éstos en el aire, sin un puñetero ladrillo que agarrar. (LO, 1968: 32)

32. —Por lo menos vete a un pueblo rico, un pueblo grande donde haya dinero... Te casas y en paz, a descansar. Que si un poquito de brisca por las tardes, que si las fiestas, que si la matanza.
(JFS, 1967: 165)

33. —Mucho convidar al secretario y a los mandamás del Ayuntamiento cada vez que aparecen, y ¿para qué? [Son] Ganas de llenarles la barriga; para el caso que hacen... (JFS, 1967: 85)

34. —Bueno, hombre, no se incomode, ¡caray con la gente! ¡A ver si se ha creído que por darme un poco de tabaco se va a poder poner así! (CJC, 1961: 107)

35. —No le compadezcas..., ¿dejará de ser un sucio...?; porque, vamos, intentar casarse con una de veintiocho, rozando él los sesenta..., valiente guarro.
—Igual le resulta bien. (JAZ, 1973: 113)

36. —¡Pobres hijas, qué ajenas están al peligro que corrieron! Menos mal que nacieron en España, ¡pero mire usted que si llegan a nacer en China! Igual les pudo pasar, ¿verdad, usted?
(CJC, 1963: 137)

37. —¿Decíamos? Perdone. Bueno, así que mejor me trae un guión con dos o tres temas, se los paso al director y que él decida.
(ABE, 40)

38. —Esa moza es de cuidado. Parece que... sabe dar puñetazos como un marinero inglés, y, además, conoce ese modo de reñir de los japoneses que llaman jitsu. Total, que se atreve un cristiano a darle un pellizco, y ella... te agarra y te deja hecho un guiñapo. (VBI, 1958 b: 91)

39. —Oiga, el sol se pone por allí, ¿verdad?
—¿Y por dónde carape quiere usté que se ponga, hombre?
—No, no; si se lo preguntaba sólo por confirmarlo. Claro, el poniente está allí.   (JCE, 122)

40. —Le he hecho unas empanadillas... ¿Cree usté que le gustarán?
—Como gustarle, sí. Lo que pasa es que la [sic] van a pillar el estómago desacostumbrado.   (LO, 1968: 93)

41. —... me fui hacia él, lo cogí de las solapas, lo zarandeé... Si no me lo quitan, no sé. Menos mal que intervinieron los compañeros.
(RRB, 61)

42. —Y te pones a ver, y papá no tenía ninguna obligación, que al fin y al cabo, fue un despiste tuyo, como de costumbre, que parece que vives en la luna.   (MD, 1967: 179)

43. —Y mamá, casi peor; con lo golosa que era, dejó de comer dulces, fíjate, pero para siempre, que menudo sacrificio.   (MD, 1967: 183)

44. —Yo te digo que todo eso son mentiras para sacarte los cuartos.
—¿Pero qué cuartos ni qué narices? Si no piden nada, so animal, si vienen a dártelo.
—¡Qué han de dar!   (EQ, 317)

45. —Bueno, lo que te decía, que entonces fue Grajales y le dijo: ¿a mí con ésas?, tú te has equivocado de número...   (JMCB, 235)

46. —Allí engordé mis, mis dos kilitos, porque se come muy bien, muy sano, una vida muy tranquila, muy sedentaria, y luego, ya me vine a Madrid, me reincorporé a mi trabajo y aquí me tienes, dale que te pego al trabajo...   (M. Esgueva and M. Cantarero, 118)

47. —Bueno, bueno, vamos a dejarlo, yo no voy a misa, porque no me da la gana de ir, y se acabó.
—Allá tú con tu alma..., pero te advierto que das muy mal ejemplo...   (JAZ, 1972: 64)

48. —Me vestiré yo también, entonces. Aún pega el sol lo suyo, para andar con la espalda descubierta.   (RSF, 1965: 131)

49. —Bueno, chico... ¡Quién pudiera hacer otro tanto...! Nada... lo dicho.   (MD, 1963: 205)

50. —Y a mí, que soy vieja, ¡menuda me ha caído con esta criatura!... ¡Esta carga encima! Como si una no hubiera pasado lo suyo.
(CA, 79)

51. —... en ese caso, terminas tu cerveza y te vas a pensarlo a tu casita, sin decir nada a nadie, eh. Bueno, a tu mujer puedes pedirle consejo...   (JT, 1968: 388)

52. —O sea, que no sabían a qué carta quedarse.
    —¡A ver! De forma que una tarde, don Mauro nos juntó a todos
    en la iglesia y nos lo dijo... (MD, 1978: 114)

53. —Que lo averigüen ellos; están para eso, ¿no?
    —Vale, vale. Retiro lo dicho. (JLMV, 1975: 299)

54. —Y Adelaidita es la mar de guapa y de simpática, lo que se dice
    un pimpollo. (JG, 1966: 38)

55. —Pues no se va a aburrir ni nada... Con lo acostumbrada que
    estará al trajín..., ahora, una semana quieta... (DS, 1965: 87)

56. —¡Lo ves! No me hacéis caso. Os vengo diciendo hace mucho:
    plantar cerezos, plantar cerezos. Y nada. Allá vosotros.
    (RC, 1979: 295)

57. Divorcio en este país, ni hablar; escándalos y tapujos, chapuzas
    protagonizadas por gente de bien, eso sí. (Cambio 16, 11-2-79: 4)

58. —¿Y para Lebrija cuánto queda?
    —Puede que tres leguas, puede que cuatro. Con la bicicleta tar-
    daré lo menos dos horas en llegar. (AGR/ALS, 168)

59. —Mire, amigo, aquí estamos hablando en serio, y un servidor
    prefiere los pagos por adelantado. (FGP, 1971 b: 72)

60. —Informaciones se acabó, señorita, le traigo Madrid.
    —Es igual. ¡Para lo que se saca en limpio! (CJC, 1963: 66)

61. —Presos, los metía [= metería] presos a todos...
    —Carajo, Diego..., que tampoco es para tanto. (JMCB, 162)

62. —La gente está fuera de sus casillas. Con tanta lluvia y no haber
    feria, se aburren y venga de darle a la fantasía.
    (FGP, 1971 b: 125)

63. Pero, por lo demás... ¡valiente vida! Hubiera arrojado todo por
    la ventana, hubiera dejado todo. (IA, 318)

64. —Manuel, usted es una persona buena, sensata.
    —Por Dios, don Marcelino.
    —Lo dicho, y no me apeo. (RAY, 69)

65. —El tigre se acercó a él, cautelosamente... Levantó una de sus
    patas y..., ¡zas!, ..., le seccionó la yugular...
    —¡Dios lo tenga en su santa gloria! (JFDS, 17)

66. —Vaya, se ha reventado una rueda —dijo Enrique deteniendo la
    camioneta.
    —¿No habrá sido un globo? —insinuó Juanito...
    —Pues sí, ha sido un globo. (MBU, 578-579)

67. —Y ahora que empiezan las complicaciones, zas, adiós muy buenas, como la primera noche, ¿recuerdas?, te vas y me dejas sola...
(MD, 1967: 39)

68. —¡Vaya vida! —comentó el herido—. ¡Como salga de ésta [*guerra*]...!
—¿Qué harás?   (TS, 1962: 192)

69. —Se va haciendo tarde.
—¡Ostras! Y yo sin comprar los periódicos.   (TS, 1975: 72)

70. —Dios lo maldiga. Mucha misa y mucho andar con los curas, pero es un canalla, un asesino. Dios lo maldiga.   (IA, 287)

71. —Es muy cómoda tu postura. Tú, a salvar tu almita, y a los demás que nos parta un rayo.   (JCS, 1962: 56)

72. Difícilmente se encontrará en el mundo nada más horroroso que el Ayuntamiento ... de mi pueblo.   (GTB, 69)

73. —Si hay joyas allí, no las tocáis. Luego se deja todo como estaba. El joyero cerrado. El armario, ídem de lienzo. Y a esperar.
(JLMV, 1975: 239)

74. —Abuela, ¿y usté qué hará? —preguntó alguien.
—Ya me las apañaré, no se tienen que preocupar por mí. Una ya es vieja y la [*sic*] queda poco por vivir.   (ALS, 41)

75. —Pues el pobre papá te sacó del apuro, pero una vez que pasó, si te he visto no me acuerdo, una carta de cumplido y para de contar.   (MD, 1967: 180)

76. —¿Pero quién va a ir por allí, tal y como está el tiempo?
—Pues no sé qué le diga. El personal tiene ganas de feria y como no hay otra cosa a lo mejor se arriesgan.   (FGP, 1971 *b*: 144)

77. —Un servidor, que ha tenido estudios y educación, no puede menos que reaccionar ante la brutalidad de esos tiranos, y... sólo desea salvarte.   (JMRM, 125)

78. —No me lo puedo creer...
—La vida —dijo el *Troncho*—. La puñetera vida. Está uno tan fresco y cuando menos se piensa, zas, se acabó.   (JMCB, 295)

79. —Déjelas [= *las abejas*] quietas, no las hostigue.
—¡Joder, no las hostigue! Y ¿si me pican?
—Qué han de picar, la abeja enjambrada no pica.   (MD, 1978: 91)

80. —¿Quiere usted un café, Manuel?
—Muchas gracias.
—Pues usted dirá... a estas horas.

—Siéntate aquí, a mi lado.
—No faltaba más.
—Y perdona si te he despertado.   (FGP, 1981: 149)

81. —No estaría mal poderse fumar un pito, el último cuarto de hora, en espera de la muerte.
—Yo, desde luego, como tenga aliento, me lo fumo.
—Y yo... A ver si nos entierran con la colilla en la boca.
(FGP, 1981: 17)

82. —Pues al mameluco de mi sobrino le estoy sirviendo en bandeja no sólo el inglés, sino también el francés...
—Vamos, ¡que vas a hacer de él un políglota!   (LO, 1981: 148-149)

83. —La baronesa sería un asco... pero las esmeraldas, no.
—Psé.
—Cómo que psé... ¡sin apenas tara!   (JS, 1962: 22)

84. ... el dueño del bar El Rata... comentaba días después del descubrimiento: «Hombre, igual esto se pone de moda y empiezan a venir turistas por aquí».   (*Cambio* 16, 22-7-79: 66)

85. —¿Y él, está casao?
—Es viudo. Pero para mí, y que Dios me perdone, que siempre estuvo liao con la Palmira, que lleva en la oficina tanto tiempo como él.   (FGP, 1971 a: 106)

86. —Niño —gritó la mujer—, como te coja otra vez haciendo gracias te pongo el culo como un tomate. Venga, al patio y que no te vuelva a ver por aquí.   (JMCB, 252)

87. Iban furiosos por la muerte de la pobre, que lo mismo se habría muerto por otro berrinche. Pero, en fin, las cosas como son. Yo era el que estaba más a mano...   (FGP, 1968 c: 249-250)

88. —Yo creo que me hubiera muerto del susto... ¿Y tú, Piluca?
—Con lo miedosa que soy... De sólo pensarlo, se me pone la carne de gallina.   (JG, 1964: 93)

89. —¿Y... y tu prima?
—En la cama.
—¿Qué dices? ¿Qué tiene?
—¿Qué ha de tener? Nada, que aún no se ha levantado.
(VS, 184)

90. —¿Tenía mucha relación con su padre?
—Antes de morir, ninguna. Cuando él se fue de casa, yo estaba estudiando en Inglaterra hacía dos años.   (MVM, 58)

91. —Bueno, pues habla de él si quieres.
    —No, yo maldita la gana que tengo ni tan sólo de mentarle.
    (JLMV, 1975: 75)

92. —Ahora la censura es más dura que nunca. Y por si fuera poco, tenemos lo de los alemanes, que están en todas partes.
    (JFS, 1982: 125)

93. Toribio, a su lado, le sacó de abstracciones metiéndole un codo en el costado.
    —¡Ya está bien, hombre!
    —¿El qué?
    —De mujeres y todo eso...   (TS, 1962: 33)

94. Luciano se encogió de hombros.
    —¡Qué se le va a hacer! —dijo—. Si hay que coger el toro por los cuernos, se le coge y en paz.
    —¿Y las consecuencias...?   (AML, 1965: 570)

95. De muy jóvenes no nos gustaban las precoces, las ninfas, sino las amigas de mamá, que solían ser unas señoras de bandera, con todo su golpe de sombrero de plumas y zapatos de cuña.
    (FU, 1974: 30)

96. —¿A ustedes no les gusta salir al campo?... Ahora, mi Vicente quiere comprarse un coche de esos utilitarios...
    ...   .
    —Y dale con el campo y dale con el coche. Y venga a restregarnos por la cara el coche...   (DM, 1967: 70)

97. —Pues yo quiero una explicación.
    —Una explicación, ¿de qué?
    —De las palabras que ha dicho aquí (y volvió a señalar a Lulú) contra mi señora y contra este servidor.   (PB, 1947: 486)

98. El profesor era contrario y nosotros ... nos declaramos todos favorables; pero supongo que se trataba simplemente de llevarle la contraria, de hacerle rabiar. Y, en efecto, hay que ver cómo se puso.   (JLMV, 1981: 21)

99. El muy bestia [de mi amigo] me dijo un día...: «Tu madre todavía está muy buena.» Yo así, al pronto, no supe cómo reaccionar, porque es que dudas si sonreír o partirle la cara...
    (JLMV, 1981: 14)

100. —No puede haber madrileño bueno.
    —Hombre, no hay que exagerar. También es madrileño el yerno de la Mendía y bien que ayudó cuando lo del fuego... No podemos quejarnos.   (MS, 1968: 372)

Exercise 3

1. —¿Te gusta La Fontaine?
   —¡Uf!
   —Me alegro. Bueno, pues ahora lo lees tú en francés y luego lo
   traduces al castellano...
   —¿Quién? ¿Yo?
   —¡A ver!
   —¡Quia!
   —¡Mónica! ¡No seas rebelde!   (VRI, 1970: 14)

2. —La señora de la mesa de al lado se llama Serafina, pero desde
   que se quedó viuda se firma Olga.
   —¿Y qué firma?
   —No, como firmar, no firma nada; es sólo una manera de decir
   las cosas.   (CJC, 1971: 485)

3. —Bueno, señor... Pues usted me dirá...
   —Que yo le diga, ¿qué?
   —¿Cómo que qué? Lo que me tenga que decir...
   —¡Pero si yo no tengo nada que decirle!
   —¿Para qué ha venido entonces?   (MM, 1964: 18)

4. —Crea usted que en algunos sitios la reciben a una con unas ca-
   ras... [*spoken with rising intonation*] ¿Usted no se sienta?
   —No.
   —Pero lo que es aquí, es una bendición del cielo. Su papá de usted
   es tan amable.   (SJAQ, 36)

5. ... ¿es que alguien puede dudar que si no nos lanzamos a la guerra
   o la hubiéramos perdido, España no sería desde entonces un país
   comunista? ¿Y acaso los países comunistas tienen independencia
   política?   (*Informaciones*, 8-6-73)

6. —¿Conque era verdad lo que nos habían dicho, que pensabas mar-
   charte desde aquí, sin volver a Madrid siquiera por unos días, sin
   despedirte de nosotros?
   —¡Sin despedirme, no; hubiera ido a veros.   (JB, 959)

7. ... al poco tiempo se les unió la Angelita Porreras..., también con
   el corazón deshecho por el Paquito...
   —¡Caray con el Paquito, con la cara de infeliz que tiene!
   —¡Sí! ¡Para que se fíe usted de las apariencias!   (CJC, 1971: 442)

8. —Son cosas del negocio. Yo ya lo sabía cuando no era más que un
   simple albañil. Vaya que si lo sabía. Como que se hundió una
   [*casa*] en que yo trabajaba a destajo y no me aplastó porque el
   accidente ocurrió por la noche.   (AML, 1965: 905)

337

9. —Yo..., hoy invito yo... ¿Aceptas?
—¡Qué remedio!
—Nada.de que lo hagas a la fuerza.
—No, pequeña, si viene de ti, lo acepto complacido.
—Bueno, pues ya estás arreglándote, que tenemos que salir.
(JAZ, 1972: 983)

10. —Pues mire usted: la cosa será como lo dice, pero yo, ¡qué quiere!, no acabo de verlo claro.
—Ni yo, no crea. Se lo cuento tal cual me lo contaron, pero la verdad es que yo tampoco lo entendí nunca. (CJC, 1971: 865)

11. —Padre, de haberme muerto ayer, ¿me habría salvado?
—Hombre..., eso nadie lo puede decir; pero si su deseo de confesar sus pecados era sincero, ¿por qué le iba a faltar la Bondad divina? (JCS, 1962: 23)

12. —¿Y si el cuarto en que os encerrase no estuviera oscuro? ¿También tendríais miedo?
—No, papá; así, no.
—¿Cómo que no, Jorge? Igual os haría daño el hombre del saco, y las brujas y también los fantasmas, ¿no? (LO, 1958: 116)

13. —¿Cómo va esa salud, don Javier? A ver la barca, ¿no?
—Dando un paseo más bien. Y ¿los tuyos, Juan?
—El chico, regular, con las fiebres. Cosa del vientre, que le empieza llegando estos meses. Pero que no se le cura.
—Vaya, lo siento. (JGH, 77)

14. De pronto, apareció el guardabosque y lo cogió por una oreja...
—¡Todos los días igual! —gritaba, arrastrándole fuera de allí—. ¿Te creerás, a lo mejor, que vas a estar comiendo siempre la sopa boba? Ya te enseñaré yo a entrar en razón... ¡Tú te has creído que la vida es Jauja! (AMM, 1971: 79)

15. —¿A qué vienes?
—A comer, princesa.
—A comer, ¿eh? Toda la noche emborrachándote con mujeres, y a la hora de comer, a casita, a ver lo que la Rosa ha podido apañar por ahı.
—No te enfades, gatita.
—¡Sinvergüenza! ¡Perdido! ¿Y el dinero? ¿Y el dinero para comer?
(ABV, 1963: 48)

16. P: —Cállate y dime una cosa. ¿Vosotros cuándo os vais a casar?
M: —Él quiere cuanto antes. Los papeles ya están casi arreglados. Pero nos vamos a casar en el pueblo donde tiene la fábrica.
P: —¡Ah, vaya!
M: —Y lo hemos retrasado un poco, hasta que su madre se ponga buena. (MM, 1967: 343)

17. —Pero, señorita, si es que yo no quiero aprender el francés. De veras.
—¡Ay, qué rica! Eso es muy cómodo. Pero la cultura tiene que llegar a todos los sectores sociales.
—¿Es obligatorio?
—¡A ver! Por patriotismo.
—¡Huy!
—Hala, hala. Siéntate ahí.
—¡Ay, madre mía!   (VRI, 1970: 13)

18. —... y yo sin hacerle maldito caso, preguntándole a papá que si no se animaba a venirse conmigo, y ella dale que te pego: «Pero no comprendes que lo primero que va a hacer Eulalia en cuanto vea aparecer a cualquiera por allí va a ser ponerle cara de perro?»
(CMG, 1974: 95)

19. —Vivirá usted en alguna residencia de señoritas, ¿no?
—Yo vivo de pensión.
—¡Huy! ¡Pobrecita!
—¿Por qué pobrecita? Pues menuda habitación tengo.
(MM, 1967: 304)

20. —Si te digo que no es eso.
—Pues venga lo que sea.
—Es difícil.
—Por lo visto, te crees que puedo estar aquí perdiendo el tiempo.
—No te enfades.
—Si no me enfado. Es que...   (AS, 1967 a: 545)

21. —Ya tienes a Fry.
—Menudo pelma. No sé qué se ha creído ese mocoso. Ni que fuera, ¿qué sé yo?, Rock Hudson.
—Por cierto, que el otro día le vi en una película: estaba imponente.   (JAP, 68)

22. —Oiga usted, ¿y por qué lo titula «Agustina de Aragón», si era soltera?
—Porque me da la gana, ¡qué pasa!
—No, no; por pasar, no pasa nada. ¡Allá usted! ¡Por mí, como si lo titula usted «Robespierre»! ¡Pues sí que me importa!
(Sara Suárez Solís, 185)

23. —Esto de olvidarse de los nombres es algo que da mucha rabia; algo, también, que puede ponernos en muy desairados compromisos.
—¡Mire usted que es mala pata! ¿En qué diablos estaría pensando [yo]? ¿Por qué no lo habría apuntado en el momento, como siempre ha sido mi costumbre?   (CJC, 1971: 351)

24. Paquita Cuenca agarró de una oreja al Nandet:
—Bueno estás tú hecho. ¡Habráse visto mayor falta de caridad! ¡Torturar a los animales! ¿No te ha dicho nadie que es un pecado muy gordo? ... Para que lo sepas, son también criaturas de Dios... ¡Bah! Pero ¡qué vas a saber tú con el padre que tienes! A lo mejor ni siquiera has oído hablar de Dios...   (MS, 1968: 194)

25. —Abra el saco.
—No llevo nada.
—¡Que abra el saco, le digo! ¿Y este pollo?
—Es un regalo para el señor alcalde.
—¡Como si es para el gobernador! ¡Por este pollo tiene usted que pagar cinco reales!
—¿Y si no los tengo?
—Si no los tiene, los busca.   (CJC, 1971: 436)

26. —Y usted ... en sus correrías habituales inspeccionará todo lo que haya que inspeccionar, y desorden que me comunique, orden que estableceré; tumulto que descubra, tumulto que apaciguaré; injusticia que se tope, justicia que impondré.   (MBU, 125-126)

27. —Que yo no sé qué me pasa, chico, desde la última primavera. Proposición que hago... qué digo proposición, guiño de ojos que dirijo, hembra al bote. Pero así, sin titubeo.   (FGP, 1971 b: 129)

28. Cuando se despertó había otro hombre junto al «Sabueso» hablando con él.
—Mire, éste es «Cielín».
—Por muchos años.
«Cielín» no dijo esta boca es mía.   (JAZ, 1967: 269)

29. —Yo, como usted sabrá, llevo veinticuatro años de conserje. Figúrese la de cosas que habré visto en ese tiempo, la de tipos, la de hechos, la de ridiculeces y maldades que habré presenciado...
(FA, 1969: 122)

30. En la estación se juntaron tres docenas de amiguetes de los fetén. La vieja me hizo una escena que para qué. ... Cuando pitó el tren se abrazó a la Anita lo mismo que si la llevaran a la horca.
(MD, 1966: 182)

31. —Menos mal que Dios vela por todos y cada niño de ésos debe de tener un Ángel de la Guarda grande como un castillo, porque si no el cementerio se iba a quedar chiquito para tanta criatura.
(IA, 158)

32. Egisto mucho mandar a comprar velas para que no pasase sustos por los pasillos su amada Clitémnestra, pero de pagar, nada. Mi padre le fiaba, pero cuando yo heredé la tienda, le negué el crédito.
(ACU, 225-226)

33. —Sí, éste es el que ha tenido que ser. Menudo perro está hecho. Mucho andar con los curas a vueltas a todas horas y luego es capaz de denunciar a un compañero sin más ni más, simplemente por darle coba al burgués.   (IA, 207)

34. —La [sic] quedan ... cinco hijas feas, que quitando Angustias, la mayor, que es la hija del primer marido y tiene dineros, las demás, mucha puntilla bordada, muchas camisas de hilo, pero pan y uvas por toda herencia.   (FGL, 1966: 1442)

35. —¿Y a qué viene eso?
—¿Que a qué viene? Todo el santo día detrás de una, a mí ya me estás dejando tranquila.
—Me gustas.
—Pues nanai de la China, te has equivocado de número. Conmigo no vas a conseguir nada de lo que tú quieres.   (JMCB, 67)

36. Paco Sánchez estaba aquel día nerviosísimo; con decir que había rozado ya dos aletas y abollado un guardabarros, está dicho todo. En tantos años como llevaba aparcando, trayendo y llevando coches de todo tipo en su diario trabajo..., nunca le había sucedido nada semejante.   (ET, 234)

37. El *Cuba* y Julián Cobeña se disputaban sosegadamente la opulenta presa de la catalana.
—Aquí está sobrando uno —dijo el *Cuba*—...
—¿Y por qué regla de tres?
La catalana se arremolinó, una mano en cada muslo.
—Oye, muñeco, que yo no he venido aquí de turista. De modo que arreglar las cuentas prontito y si te vi no me acuerdo.   (JMCB, 62)

38. —Y nada, que se vino... Porque que si somos o no primos, que si tu madre y mi madre estuvieron de parto en el mismo día, que si cuando tu madre se vino a Madrid la mía estaba sirviendo en casa del médico ...; total que me encontré de improviso a toda la familia sobre mis hombros, como aquel que dice.   (LMS, 32)

39. El desmayo es el supremo recurso dialéctico de la mujer tradicional, de la hembra española alienada y feliz dentro de su alienación. Cuando se ha llegado a un punto de la disputa en que ya no sabe qué decir, va y se desmaya.
—Juanita, no me digas que vienes a estas horas de la peluquería. Y zas. El desmayo. No miente ni engaña ni nada. Se desmaya.
(FU, 1974: 243-244)

40. —¿Es que cree que alguna vez va a haber guerra por aquí, con lo tranquilo que es el pueblo?
—¿Quién sabe, señorita? Como las cosas vayan mal. . Si hay revo-

lución, como dicen que va a haberla, igual nos lían y tenemos que andar por donde no queremos. (IA, 157-158)

41. Tenía una hija trabajando en Alemania, un chico casado y otro menor soltero que vivía con ellos y les daba muchos disgustos porque era un vago y un golfo, ya no sabían qué hacer con él, cuidado que había pasado por oficios, pues nada, no duraba más de dos meses en ninguno, pero eso sí, el dinero le gustaba a rabiar y dejarse el pelo largo y llevar camisas de colores y montar en moto...
(CMG, 1976: 145)

42. La madre seguía hablando monótonamente:
—No sé adónde iremos a parar si las cosas siguen así. La verdad, no lo sé. La fruta está que no hay quien la toque. La que os estáis comiendo...
—¡Por Dios, mamá, que se nos va a indigestar! —le interrumpió Piluca, que saboreaba, una por una, las frases verdirrojas que le habían tocado en suerte.   (AML, 1965: 858)

43. —Bueno, ¿no os parece que es mejor dejar los comentarios para después? —intervino Agustín—. Estoy que no me tengo de hambre.
(AML, 1976: 59)

44. Que le pase alguna desgracia a *su hombre*, que alguien le insulte, e inmediatamente veréis surgir a una mujer que llora desesperadamente o ataca con uñas y dientes al enemigo. El mejicano no sabe ir a ninguna parte sin la *vieja*, apodo cariñoso que da a la mujer, aunque ésta tenga veinte años.   (VBI, 1961: 1499)

45. «Éstas son cosas de la dictadura, sabe usted. Venga a fomentar el ahorro, para que la gente sólo pensara en su dinero y no se ocupara de otras cosas. Lo repito: esto es una canallada de las muchas que se han hecho en España de este tipo.»
(*Cambio 16*, 7-9-81: 39)

46. «Me pone nervioso ver a tanto guardia [*civil*] y a tanta pasma, aunque noto que es necesario... Mi hija, que es muy asustona, venga a decirme que no saliera a la calle. Pues yo salgo y me voy a mi bar a tomarme mi cafetito y lo que haga falta, que a mí nadie me echa de la calle.»   (*Cambio 16*, 1-3-81: 31)

47. —Esto del carnaval debían suprimirlo, Manuel..., por lo menos en los pueblos. Se hacen muchas barbaridades... No digo yo que en las grandes capitales, a base de baile y batallas de flores, pero en los pueblos...
—Sí, lo de siempre, todas las diversiones para los ricos; los pobres, que son tan brutos, que los parta un rayo —respondió Maleza con su habitual acritud.   (FGP, 1968 *a*: 28)

48. —Te advierto, pa [= *para*] que lo tengas muy en cuenta, que la edaz pa [= *edad para*] ser gustoso de las señoras es la que yo tengo, o séase entre los treinta y cinco y los cuarenta y cinco ..., verás cuando los alcances.   (JAZ, 1972: 675)

49. —... el alcalde anda como encabronado. Dice que no cede el salón de sesiones ni a San Pedro bendito que baje del cielo, que nos arreglemos [*para el mitin político*] en el Teleclub...   (MD, 1978: 12)

50. Angustias miró para los edificios de la factoría...
—¡Ojalá no hubiéramos venido! —dijo amargamente—. ¡Ojalá no nos hubieras escrito nunca, Antonio!
Al rato sacaron el primer cuerpo en una camilla.   (ALS, 238)

51. Claro que, bien mirado, la tonta fui yo, o no tonta, vete a saber, el caso es que una tiene principios y los principios son sagrados, ya se sabe, que te pones a ver y nada como los principios.
(MD, 1967: 44)

52. —Bueno, no me. haga usted caso.
—Y si no quiere que le haga caso, ¿a santo de qué ha entrado usted aquí? Yo, para que lo sepa, hago media hora de gimnasia al levantarme desde mi más tierna infancia.   (JMB, 377)

53. —Lo más fácil es creer lo del accidente de carnaval, como usted dice,. pero la verdad es que le han pegado con mucha saña, don Onofre.
—Hay tanto bestia suelto por ahí... —dijo, haciendo un mohín de repugnancia.   (FGP, 1968 *a*: 31)

54. —La que más asco me da es ella, Tina. ¡Aguantar los cuernos así, a pie firme, apareciendo con el marido por todas partes, como si tal cosa...!
—Como si tal cosa, no. Lleva siempre una cara de mala uva...
(ET, 34)

55. —Déjeme usted la bayeta... Yo misma lo recogeré.
—Ah, eso sí que no... Hasta aquí podíamos llegar... Después del lío que me armó ayer... No faltaría más que le volviese a fallar el pulso...   (JG, 1964: 51)

56. Sentí en medio del alma que me pasara eso, porque llevaba ya tres meses sin que nada aconteciese, y en un mal momento lo estropeé todo. ¡Qué le vamos a hacer! ¡Cuidado que había luchado yo...! En fin, somos hombres y está visto que no nos podemos fiar de nuestras propias fuerzas.   (JLMV, 1971: 106)

57. —Te voy a contar el menú. Primero, entremeses, que eran ya una comida: jamón, salchichón, mortadela, lomo, ensaladilla, gambas y no sé cuántas cosas más. Después, a ver si me acuerdo de todo,

paella, empanada, bacalao con huevos cocidos..., chuletas con escarola, truchas y pollos asados. De postre, queso, brazo de gitano, flan, roscón... Y para remate café y coñá [= *coñac*]. El coñá es indispensable en estas ocasiones, es un antimicrobiano infalible.
—¿Y comiste de todo?
—Naturalmente.   (RC, 1979: 285-286)

58. Esta parte de Soria es soberbia... Estamos lejos de las llanuras ... y los páramos de ascetas de Machado. O no tan lejos, bien mirado. De todos modos, esto de la repoblación forestal es una de las cosas realmente positivas que se han hecho en el país en los últimos seis lustros.   (MD, 1972: 25)

59. —¿Qué piensas de todo esto, Manuel?
—Lo mismo que usted. Absolutamente nada.
—Pero algo imaginarás.
—Hombre, don Lotario, imaginar, imaginar, lo que se dice imaginar, sí que imagino. Pero la imaginación sin datos, sólo vale para escribir novelas... Todo esto es muy raro, pero que muy raro.
(FGP, 1968 *c*: 30)

60. —Oye, el dire [= *director del hotel*] no duerme, ¿te das cuenta? A cualquier hora te lo encuentras dispuesto a darte un ratito bueno.
—Sí, buenísimo: que si se ha roto una tubería y hay que sacar el agua a cubos, que si se está quemando un cable y líate a garrotazos con él, que si huele a gato muerto y busca dónde palmó el bicho y sácalo apestando, que si el levante sopla con ganas y corre a asegurar ventanas. Tengo ganas de que me llame un día para darme un billete aunque sea de mil pesetas.   (AP, 1972 *b*: 95)

61. «¡Vea usted, don Diego, qué escritura endiablada! ¡A ver qué le parece a usted!» El tal don Diego (que, dicho sea de paso, no es mal bicho) parece que tomó el papelito con mucha prosopopeya, lo depositó sobre el hule de la mesa, lo sometió a detenido examen allí junto a la taza del café y... ¡que si quieres! Al cabo de un rato va y se lo devuelve: que eso estaba escrito en extranjero...
(FA, 1969: 613)

62. —Tú eres masoquista...
—¡Ni hablar! Yo repelo el dolor como cualquiera. Mire usted, de pequeño a mí no me ponía una inyección ni el sursum corda que viniera. Pregúntelo a mi madre.   (JLMV, 1975: 100)

63. Joselín se levanta a asar nuevas sardinas. Vuelve el fuego a su chisporroteo jocundo. Un olor apetitoso mete en gresca todos los dientes. El [*vino de*] rioja pone en los gaznates suavidades de terciopelo.
—Están brutales —opina uno sin dejar de comer.
—Es la mejor sardina la de julio —apunta otro.   (JAZ, 1962: 91)

64. —¿Qué le hace a usted suponer que han escapado hacia el sur? —preguntó el coronel. —No se van a haber metido en el monte. En ese caso seguirían ahí. —¿Y por qué no han de seguir ahí? No tienen más que aguantar unos pocos días, hasta que se levante la vigilancia, y luego volver a casa como si tal cosa. (JBE, 32)

65. —¿Cuál será tu próxima publicación? —Espero que sea *El cuento de nunca acabar* si consigo romper el maleficio del título, porque llevo cinco años con él en danza. Como no disponga de seis meses libres no podré acabarlo. (*La Estafeta Literaria*, 1-10-78: 6 - CMG)

66. —Mira —le dice el tío Raposo a su ayudante cuando se quedan solos—, no tenemos prisa; hasta que nos tumbe el sueño, acá estamos bebiendo y haciendo lo que se nos antoje. Como si te apetecen más rosquillas; te levantas y las coges. (LR, 203)

67. —Hacen negocio con mi imagen. ¿Pero quién les ha dado permiso para hacer mi biografía? ... A mí me vienen a ver y me hablan de hacer esa biografía y yo les digo: «Hablemos». Y si me gusta, llegamos a un acuerdo y ganamos dinero todos. (*Cambio 16*, 29-6-81: 109 - Sara Montiel)

68. —Si te echo una perra [= *una moneda*] ahí, ¿la coges? Se encogió de hombros sonriendo a medias. Los compañeros le animaban, tiritando como él. —Bueno, tírela... La moneda revoloteó en el aire, desapareciendo bajo el agua. (JFS, 1967: 153)

69. ... la escasa afición de los españoles al ejercicio serio del pensamiento, de la investigación, de la ciencia, se debe a su falta de imaginación. No hay más que ver nuestra literatura para darse cuenta de lo escasos que andamos de ella. (GTB, 64)

70. —Pues es muy sencillo —le repliqué—, porque me tiene sin cuidado la tal Real Academia, y lo mismo me da que la presida don Alejandro que don Marcelino, que el portero o que nadie. (MU, 1958 *b*: 526)

71. —... Todas mis desgracias, Manuel —empezó la Reme mirando muy fijamente al guardia a los ojos—, vienen de una cosa que da risa. —Venga, dime qué cosa, que no me río. —¡Ay!, que no. Verá cómo se ríe. (FGP, 1981: 158)

72. —Aquí el que no trabaja no come. —Anda ya y que te zurzan... Yo no sé para qué habla una contigo.

—En mi casa, lo que es en mi casa, los flojos ya pueden ir cogiendo el portante..., ¿estamos?   (JMCB, 66)

73. —¿Así es que usted es el escritor Francisco Candel?
—Sí, señor.
—¿Don Francisco Candel Tortajada?
—Eso es.
—¡Vaya, vaya!
Y le daba a la cabeza.
—¿Y usted no me conoce a mí?
—Pues no.
Yo nada más andaba dándole vueltas vertiginosamente a mi memoria, a ver si localizaba y encasillaba aquel personaje que no me acababa de parecer muy mío, pues yo, personajes genuinamente hampones, tengo pocos, pero cualquiera sabía.
—Conque no, ¿eh? Vaya, vaya...
Y otra vez a la cabeza.
—O sea, que no me tiene visto. ¡Vaya, vaya!   (FC, 11)

74. En la Comisaría, con otros revoltosos, comparezco ante los glaciales, monolíticos, imperturbables agentes [*de policía*]. Para entenderme, trato de rescatar mi pobre inglés; a mi memoria vienen ráfagas desperdigadas, palabras inconexas... Pero soy para ellos doblemente inferior: sudamericano y de habla española. Toco mis bolsillos a ver si descubro mi enorme pasaporte azul; sí, lo tengo. Igual me encarcelan con los manifestantes.
(*Cuadernos Hispanoamericanos*, núm. 301, julio 1975, 72)

75. —¡Vaya unos modales! En París debíais haber caído. ¿Es que no sabéis lo que quiere decir «sil-vu-plé» [= *s'il vous plaît*]? *(Risas.)* A ver si aprendéis a tratar a los camareros como a ciudadanos.   (LO, 1981: 143-144)

76. ... se declaró en nuestra ciudad, concretamente en 1522, una de las más terribles epidemias de peste que ha padecido nuestra Málaga en todos los tiempos...
Dicho estornudo era de tal calibre que, si no la provocaba, era anuncio seguro de una muerte inmediata. Nada más natural, por tanto, que invocar el sacrosanto nombre de Jesús en momento tan supremo.
El apestado estornudaba y decía ¡¡Atchiss!!, que es lo único que se suele decir en tales ocasiones. Entonces, los que se encontraban en sus alrededores exclamaban ¡Jesús!, lo cual era una especie de viático oral para el que se marchaba de este mundo de tan airada manera.   (A. Quiroga, *Sur*, 2-11-78: 7)

77. —En el barrio se susurra —añadió, bajando la voz— que es medio comunista.
—Jesús, María y José —exclamó la visita—. No quiero ni imaginar lo que hubiera ocurrido si mi Melchor llega a averiguarlo. Con lo que llegó a sufrir durante los rojos: seis semanas encerrado en un sótano, a pan y agua...   (JG, 1964: 40)

78. —Anoche volviste a casa mucho después de cerrar [= *cerrarse*] el portal.
—¿Desde cuándo te ha entrao esa preocupación? ¿Acaso es la primera vez que llego con el portal cerrado?   (LO, 1981: 212-213)

79. En un pub de la calle Tuset, Manuel Vázquez Montalbán se sienta con retraso y [*delante del periodista*] pide agua mineral con gas. «Se agradece que te hayas fijado en eso. Vamos, que después de estar a régimen vengan a decirte que sigues igual, es para cabrearse» —dice.   (*Cambio 16*, 18-4-83: 143)

80. El capitán avanzó hacia la cómoda. Antes de abrirla:
—Bueno, vamos a ver, ¿cómo piensas arreglarte?
—Así.
Se despojó de la camisa y permaneció desnudo de medio cuerpo para arriba. Sacó del bolsillo de la chaqueta una doble página de periódico cerrada por una costura. La introdujo por la cabeza y la colocó bajo los sobacos, cubriéndose todo el tronco del cuerpo. El capitán, estupefacto:
—Pero todo eso, ¿para qué?
—Pues para no ensuciar de sudor la tela.
—Acabáramos. De modo que, ¿vas a ir fajado? Está bien.
(JAZ, 1962: 93)

Exercise 4.   Examples from Latin American Sources

1. *(Hay una pausa embarazosa entre los dos hombres.)*
Obedot: *(Repentinamente.)* —¡Así que ama usted a mi hija!
Castro: *(Seguro.)* —Sí, señor.
Obedot: —¡Ajá!   (SSB, 231)

2. —Cuando terminemos de trabajar, yo me iré al otro chalet.
—De ninguna manera —dijo Melgarejo—. El Mayor puede dormir en el otro chalet y nosotros nos quedamos aquí. ¿Por qué va usted a dejar su propio cuarto? ¡No faltaba más!   (EAI, 46)

3. —O sea, que ha venido a amenazarme.
—Nada de eso, al contrario.   (MVL, 1973: 137)

4. —¿Qué tienes? ... ¡La cara que traes, hijo, por Dios! ¿Te ha sucedido una desgracia?
—Tanto como eso, no.   (EB, 492)

347

5. —Novelas en esta época. Que las escriban, vaya y pase, ¡pero que las lean! (ES, 1965 *a*: 79)

6. —No, ya no se escuchan. Mira que he querido escucharlas, mira que he pasado los años con los ojos cerrados esperando su rumor. (CF, 1958: 331)

7. —Caramba, disculpa, pero se me hizo un poco tarde. No me hubieran esperado. (RMC, 30)

8. —Huesudo el crío. Pero no hay niño feo, ¿verdad? Yo, a veces, digo que es feo, pero no hay que hacerme caso. (SE, 61)

9. —Se le puede hablar por la mañana...
—Nada de hablar por la mañana. Le llevas ahora mismo el reloj, se lo pones en la mesa y le dices... (GGM, 1968: 49)

10. —Mi madre me tenía muy sujeto y no me dejaba salir a la calle por miedo de que me perdiera, en el recto sentido de la palabra. ¡Mire usted que si la pobre levantara ahora la cabeza! (JRR, 32)

11. —Porque es un auto sufrido como ninguno. Estoy seguro que hasta puede andar sin bencina.
—Mejor no hagas la prueba, papá. (SV, 8)

12. —... si cuento eso, no les va a gustar... Así que mejor escribo sobre las ventajas del cerebro electrónico. (MB, 1968: 32)

13. —Y el que venga atrás, que se las componga como pueda.
(CG, Mex., 50)

14. —¿Qué pasa?
—¿No lo estás viendo? (SE, 59)

15. —¿No pensará que además deberé soportar esto?
—Claro que no. ¿Por qué iba usted a tener que soportarlo? Es demasiado... (EW, 139)

16. —Ven, vamos a despertarlo.
—¿No irá a enojarse?
—No, hija, ¿cómo va a enojarse? (WC, 97)

17. —No tengo hambre, papá.
—Ya has de haber estado comiendo en la calle, niño, echándote a perder el estómago. (RU, 1964: 10)

18. —Partirán el jueves, en ómnibus, para que estén allí el viernes. No vaya a ser que se caiga el avión y no haya tiempo para reemplazarlos. (MVL, 1973: 247)

19. —Ya sabes, no le vayas a decir nada a Panta ni a la señora Leonor hasta dentro de dos o tres horas, no sea que llamen por radio y hagan regresar el avión. (MVL, 1973: 204)

20. —Dispongo de muy poco tiempo, señor... O me indica de una vez lo que quiere o me hace el favor de irse.   (MVL, 1973: 136)

21. —¡Me dio un susto! Creí que iba a disparar sobre alguien.
—¿Por qué iba a hacerlo? Solamente que estuviera loco.
—Está bastante loco, el pobre, no creas.   (CG, Mex., 30)

22. —¿Cuándo se acabará la guerra, para irme? Tan bien que estaba yo antes... Y van y me reclutan. «¡Para la guerra, a hacerse rico!» ¡Qué rico ni qué rico! Yo, hasta ahora, todo lo que he sacado es un tiro en una pata.   (AUP, 111)

23. —Les prometo que no saldrán con las manos vacías. Pero, ¡eso sí!, mucho ojo ahora y mucho cuidado con soltar la lengua, que si me han de hacer mal el favor, mejor no me lo hacen.   (MAA, 1970: 69)

24. —Fíjese, general, en que ahí no dice que haya sido muerte natural.
—¿Cómo iba a decirlo? ¿Acaso puede usted asegurar que el hombre no fue asesinado?   (RG, 154)

25. —¿Conque ahora te quieres llamar Caín, Caín Rodríguez? ¡No está mal, mira que no está mal! De veras te pega ese nombre.
(ECC, 1969: 100)

26. —Qué le pasa a tu marido que anda así... Tú y yo con el alma en un hilo por lo que ha pasado en esta ciudad, y él más alegre que un canario.   (MVL, 1973: 114)

27. —La señorita Reyes, ciertamente, se lo comía con los ojos. ¡Si lo sabría don Polo, pues más sabe el diablo por viejo...!
(ECC, 1969: 86)

28. —¿Y qué papel hago yo aquí, doctor Luzardo? Porque usted habla en tono que parece que fuera la autoridad.
—En absoluto, coronel.   (RG, 85)

29. —Hacía tanto que no teníamos una buena charla metafísica, ¿eh?   (JC, 1970: 216)

30. —Yo fui con mamá a la estación... Vi a los presos. Silvestre sangraba mucho de la pierna, pero lo mismo lo engrillaron.   (ARB, 136)

31. —Ya tengo tres años de trabajar en este maldito calor y todavía no me acostumbro.   (CP, 97)

32. —¿Quiere una taza de café?
—Muchas gracias, señorita, sí se la voy a aceptar; me servirá de descanso, ya tengo cerca de dos horas de andar avisando en las casas.   (FS, 248)

33. —¿Tú crees que van a venir?
    —¡Que no vengan! ¿Qué importa, pues? Ojalá que no vuelvan más y se acabó. (SG, 160)

34. Ahora sí doña Lola está enojada. Pesca al muchacho de un brazo y le da fuertes manazos...
    —Ándele, ¡váyase por fuera! A ver si no lo matan por sinvergüenza. (EV, 39)

35. Y viendo que su entrada en materia no me hacía maldita la gracia, cambió de tono... (RJP, 242)

36. —Lo que pasa, en fin de cuentas, es que uno ha vivido mucho, señora. Uno ha aprendido a conocer a la gente. A mí nadie me engaña. (SG, 195)

37. —Bueno, ya estamos viejos. Todos viejos. Hay que ver cómo uno se va acabando poco a poco. ¿Y los muchachos?
    —Bien, muchas gracias. (SG, 126)

38. —Acuérdate de Urbano Gómez... Acuérdate que le decíamos *el Abuelo* por aquello de que su otro hijo tenía dos hijas...
    (JR, 1967: 110)

39. —¡No tengo novio!
    —¿No? ¿Y por qué? No ha de ser por falta de pretendientes. Ya me imagino que andarán tras de usted como abejas. ¿O es usted muy exigente? (FS, 254)

40. —... con lo ricas que son [*estas tierras*]: aquí, algodón; aquí, caña de azúcar; aquí, tabaco; maíz ni se diga: usted ha visto las milpas que se doblan: hasta cuatro toneladas por hectárea sin riego ni fertilizantes ni maquinaria... (AY, 7)

41. —¿Cuánto tiempo hace que no visitás la cárcel...?
    —Lo hace Rey... Ha organizado un sistema perfecto de visitas. Con decirte que hasta se le ha ocurrido utilizar mujeres. (ML, 75)

42. —No me fijé en nada más y corrí a llamar a la Policía. De tan atolondrada, me olvidé del teléfono que había allí [*en la casa*]. (CMM, 1966: 11)

43. Lo pensé, tan sólo, y me lo juré a mí mismo. A decirlo, mi padre me da sin más trámite una zurra de no te muevas, en el arrebato de su impulsividad. (RJP, 54)

44. —Desgraciado —decía Julia a la hora de las remonstraciones—. Bien que entendías las instrucciones, pero te hacías el sonso para que yo te lo tuviera que explicar. (JC, 1970: 259)

45. El otro día llegaron juntitas tu segunda carta y la segunda de mi hermana. Claro que había una diferencia... y así fue que a [*sic*] tu

carta la leí como ochenta veces y la de mi hermana dos veces y chau, si te he visto no me acuerdo.   (MP, 107)

46. —¿Y si no me eligen?
—¡Cómo no lo van a elegir! Ya sabe cómo se hacen estas cosas. No hay cuidado. A la oposición se la mete en cintura.   (EAI, 45)

47. ... aseguraba que agua donde aquellos pájaros diabólicos metiesen el pico se transformaba en el líquido que apetecieran, y cristiano —quería decir humano— que luego la bebiese, inmediatamente recibía el daño a que otro estuviera sentenciado.   (RG, 90)

48. —Una mesa redonda sobre la literatura mexicana. Que si se debe hablar sobre los sarapes de Saltillo, que si Franz Kafka dependía del presupuesto de Wall Street, ... que si por más mexicanos más universales, que si debemos escribir como budistas o como marcianos. Mucha receta, y cero libros.   (CF, 1958: 358)

49. Pero, en este caso, ¿por qué no decirlo directamente, sin herirla...? Al fin de cuentas, mi conclusión de que ella era amante de Hunter, además de hiriente, era completamente gratuita; en todo caso, era una hipótesis que yo me podía formular con el único propósito de orientar mis investigaciones futuras.   (ES, 1965 a: 83-84)

50. —Oigan, ¿qué carajos traemos que hay que cuidarlo tanto?
—No lo sé.
—¿Será dinero que los políticos se están llevando a Suiza?
—Yo que tú, mejor me callaba.   (LS, 1973: 208-209)

51. —Había de venir a que lo mataran, nomás a eso...
—¡Pobre Gabriel!
—¡Tan ilusionado que vino, con sus regalos para toda la familia!   (CF, 1958: 420)

52. Sentí que mis piernas se aflojaban y que el frío y la palidez invadían mi rostro. ¡Y encontrarme así, en medio de la gente! ¡Y no poder arrojarme humildemente para que [ella] me perdonase y calmase el horror y el desprecio que sentía por mí mismo!
(ES, 1965 a: 74)

53. —Por allí vinieron... —extensión de su brazo y de su índice enguantado, el faro del coronel señala el ancho surco que el [avión] B-25 abrió entre los árboles antes de estrellarse contra el enredo de la maleza...—. Cien metros más y se van al barranco.
(LS, 1973: 37)

54. —¿Qué tiempo hace, general?
—Fresco, señor Presidente.
—Y Miguel sin abrigo...

—Señor Presidente...
—Nada, estás que tiemblas y vas a decirme que no tienes frío...
(MAA, 1970: 257)

55. —¿Que soy un viejo que tiene el cerebro en salmuera y el corazón más duro que Matilisguate? ¡Mala gente, mas está bien que lo digan! Pero que los mismos paisanos se aprovechen... de lo que yo he hecho por salvar al país de la piratería..., eso es lo que ya no tiene nombre. (MAA, 1970: 258)

56. Cuando me vio entrar, cerró el libro... Apagó la radio. Como diciendo: «Bueno, se acabó mi vida privada.» Hice como que no me daba cuenta. Yo no sabía de qué hablar. (MB, 1974 a: 100)

57. —¡Ah! Sos vos... En la cocina tenés verdura fría de hoy. No pretenderás que te haga de cenar después de haberme deslomado todo el día en tu servicio. Yo ya comí... Hoy estuve con la señora de Brinchiotti. ¿Sabés lo que me contó? Que las de Perrupatto van a veranear a los lagos... A propósito, ¿sabés lo que me preguntó la de Cortiletti, delante de la arpía de Sopatti, la menor?... (ACZ, 31)

58. —Es muy tenorio y con esa cara de gente decente y sus trajes elegantiosos engatusa fácil. Y como es guapito y chaparrito, le saca a una la ternura. Sólo después se entera una de cómo es en realidad. Primero habla muy bonito, pero después que agarra confianza se vuelve muy lépero. De todos modos, no me quejo. Fue como quien dice una experiencia y hasta le guardé cariño porque, la verdad, me dio buenos momentos. (CF, 1978: 77)

59. Si usted, ahora o mañana o cuando sea, me dice basta, no se habla más del asunto y tan amigos. (MB, 1974 a: 72)

60. —Le diré a Martincito que las novelas policiales te revientan —agregó Mimí...
—Yo no he dicho que me revienten; he dicho que me parecen todas semejantes.
—De cualquier manera, se lo diré a Martincito. Menos mal que no todo el mundo tiene tu pedantería. (ES, 1965 a: 70)

61. —Tienen poco tiempo de casados, ¿no?
—Dos años. (A. Rosenblat, 283)

62. —¿Y cuánto estás tú ganando aquí?
—Tres mil bolívares, o sea, no es sueldo fijo, yo ... tengo sueldo fijo e ... dos mil cuatrocientos y pico, ¿no?
—¿O sea, que te ibas a ir con menos sueldo? (A. Rosenblat, 319)

63. —... porque los marginados pueden ser... viejos, o...
—... adultos, sí...
—... que van a morir, y todo eso... (A. Rosenblat, 497)

BIBLIOGRAPHY

B.   = Barcelona
B. A. = Buenos Aires
L.   = London
M.   = Madrid
Mex.   = Mexico
N. Y. = New York

I. REFERENCE AND RESEARCH SOURCES

[NOTE: Apart from those already mentioned on the list of Abbreviations on page 11, these are referred to in the text by name and, where necessary, year of publication.]

ACADEMIA ESPAÑOLA: *Diccionario de la lengua española*, 19.ª ed., M. Espasa-Calpe, 1970.

ACADEMIA ESPAÑOLA (COMISIÓN DE GRAMÁTICA): *Esbozo de una nueva gramática de la lengua española*, M., Espasa-Calpe, 1973.

ALARCOS LLORACH, E. (1970): «¡Lo fuertes que eran!», in *Estudios de gramática funcional del español*, M., Gredos, 178-191.

— (1972): «Grupos nominales con /de/ en español», in *Studia in Honorem R. Lapesa*, M., Gredos, I, 85-91.

ALCINA FRANCH, J., and BLECUA, J. M.: *Gramática española*, B., Ariel, 1975.

ALONSO, A. (1925): «Español *como que* y *cómo que*», *Revista de Filología Española*, 12, 133-156.

— (1961): *Estudios lingüísticos. Temas españoles*, 2.ª ed., M., Gredos.

ALONSO, M.: *Evolución sintáctica del español*, 2.ª ed., M., Aguilar, 1964.

ARIZA, A. K., and ARIZA, I. F.: «Brief Grammatical Survey», in L. OLMO: *La camisa*, ed., A. K. Ariza and I. F. Ariza, L., Pergamon, 1968, 19-24.

ARUTIUNOVA, N. D. (1965): *Trudnosti perevoda s ispanskogo jazyka na russkij*, Moscow, Izdatel'stvo Nauka.

— (1966): «Sintaksicheskaja emfaza v ispanskom jazyke v sravnenii s drugimi romanskimi jazykami», in *Metody sravnitel'no-opostovitel'nogo izuchenija sovremennykh romanskikh jazykov*, Moscow, Izdatel'stvo Nauka, 3-24.

BARRERA-VIDAL, A.: *Parfait simple et parfait composé en castillan moderne*, Munich, Max Hueber, 1972.

BEINHAUER, W. [n. d.]: *Frases y diálogos de la vida diaria*, 3.ª ed., Leipzig, O. R. Reisland.
— (1960): *Spanische Unterrichtssprache*, Munich, Max Hueber.
— (1965): «Dos tendencias antagónicas en el lenguaje coloquial español (expresiones retardatarias, comodines, muletillas y expletivos)», *Español Actual*, n.º 6, 1-2.
— (1978): *El español coloquial*, 3.ª ed., M., Gredos.
BERSCHIN, H.: «A propósito de la teoría de los tiempos verbales. Perfecto simple y perfecto compuesto en el español peninsular y colombiano», *Thesaurus*, 30 (1975), 539-556.
BEYM, R.: *The Linguistic Category of Emphasis in Colloquial Spanish*, University of Illinois (Urbana), Ph. D. Thesis, 1952.
BIOY CASARES, A.: *Breve diccionario del argentino exquisito*, B. A., Emecé, 1978.
BOLINGER, D. L. (1946): «The Future and Conditional of Probability», *Hispania*, 29, 363-375.
— (1950): «En efecto Does Not Mean In fact», *Hispania*, 33, 349-350.
— (1953): «Verbs of Emotion», *Hispania*, 36, 459-461.
— (1959): «Gleanings from CLM: Indicative vs. Subjunctive in Exclamations», *Hispania*, 42, 372-373.
BRADFORD, W.: «Spanish and English Proverbs in Contrast as a Teaching Tool», in R. Nash and D. Belaval (eds.): *Readings in Spanish-English Contrastive Linguistics*, vol. II, San Juan, Puerto Rico, Interamerican University, 1980, 117-135.
Brend, R. M.: *A Tagmemic Analysis of Mexican Spanish Clauses*, The Hague, Mouton, 1968.
BROWN, L. K.: *A Thesaurus of Spanish Idioms and Everyday Language*, N. Y., Frederick Ungar, 1945.
CABALLERO, J.: *Guía-diccionario del Quijote*, Mex., Ed. España Errante, 1970.
CARBALLO PICAZO, A.: *Español conversacional. Ejercicios de vocabulario*, 3.ª ed., M., C.S.I.C., 1964.
CARNICÉ DE GALLEZ, E.: «Caracteres de la interjección», in *Actas de la Quinta Asamblea Interuniversitaria de Filología y Literatura Hispánicas*, Universidad Nacional del Sur, 1968, 84-90.
CARNICER, R. (1969): *Sobre el lenguaje de hoy*, M., Prensa Española.
— (1972): *Nuevas reflexiones sobre el lenguaje*, M., Prensa Española.
— (1977): *Tradición y evolución en el lenguaje actual*, M., Prensa Española.
CASADO VELARDE, M.: *Lengua e ideología. Estudio de «Diario Libre»*, Pamplona, Universidad de Navarra, 1978.
CASARES, J.: *Introducción a la lexicografía moderna*, M., C.S.I.C., 1950.
CECCHINI, M.: *Manual de sintaxis española*, Naples, Liguori Editores, 1968.
CELA, C. J.: *Diccionario secreto*, 2 vols., M., Alfaguara, 1968-1971.
CONTRERAS, Lidia: «Las oraciones condicionales», *Boletín de Filología*, 15 (1963), 33-109.
COSTE, J., and REDONDO, A.: *Syntaxe de l'espagnol moderne*, Paris, Sedes, 1965.
CRIADO DE VAL, M. [n. d.]: *Gramática del español*, 3.ª ed., M., S.A.E.T.A.
— (1980): *Estructura general del coloquio*, M., S.G.E.L.

Cuestionario para el estudio coordinado de la norma lingüística culta de las principales ciudades de Iberoamérica y de la Península Ibérica, IIi, Morfosintaxis, M., C.S.I.C., 1972.

Dictionary of Spoken Spanish, N. Y., Dover, 1958.

DONNI DE MIRANDE, N. E.: «Aspectos del español hablado en la Argentina», *Lingüística Española Actual,* 2 (1980), 299-346.

DUBSKÝ, J. (1966): «El infinitivo en la réplica», *Español Actual,* n.º 8, 1-2.

— (1967): «El aspecto estilístico de un fenómeno lingüístico», *Philologica Pragensia,* 10, 21-28.

— (1970): *Introducción a la estilística de la lengua,* Santiago de Cuba, Universidad de Oriente.

ESGUEVA, M. and CANTARERO, M. (eds.): *El habla de la ciudad de Madrid. Materiales para su estudio,* M., C.S.I.C., 1981.

FENTE GÓMEZ, R.. *Estilística del verbo en inglés y en español,* M., S.G.E.L., 1971.

FENTE GÓMEZ, R.; FERNÁNDEZ ALVAREZ, J., and FEIJOO, L. G. (1972 a): *Perífrasis verbales,* M., S.G.E.L.

— (1972 b): *El subjuntivo,* M., S.G.E.L.

FERNÁNDEZ, S.: «Oraciones interrogativas españolas», *Boletín de la Real Academia Española,* 39 (1959), 243-276.

FISH, G. T. (1958): «The Redundant Construction in Standard Spanish», *Hispania,* 41, 324-331.

— (1959): «The Position of Subject and Object in Spanish Prose», *Hispania,* 42, 582-590.

— (1962): «The Redundant Construction: Errata and Addenda», *Hispania,* 45, 94-95.

FLÓREZ, L.: «Apuntes sobre el español de Madrid. Año de 1965», *Thesaurus,* 21 (1966), 156-171.

FOLLEY, T.: *A Dictionary of Spanish Idioms and Colloquialisms,* L., Blackie and Sons, 1965.

GERRARD, A. B.: *Beyond the Dictionary in Spanish. A Handbook of Everyday Usage, revised and enlarged,* L., Cassell, 1972.

GILI GAYA, S. (1961): «¿Es que...? Estructura de la pregunta general», in *Homenaje a Dámaso Alonso,* M., Gredos, vol. II, 91-98.

— (1969): *Curso superior de sintaxis española,* 9.ª ed., B., Bibliograf.

— (1972): *Estudios de lenguaje infantil,* B., Bibliograf.

GÓMEZ DE IVASHEVSKY, A.: *Lenguaje coloquial venezolano,* Caracas, Universidad Central, 1969.

GÓMEZ DEL PRADO, G.: «Comments on Mr. G. Lovett's Notes», *Hispania,* 46 (1963), 381-383.

GONZÁLEZ OLLÉ, F.: *Textos para el estudio del español coloquial,* Pamplona, Universidad de Navarra, 1967.

GOOCH, A.: *Diminutive, Augmentative and Pejorative Suffixes in Modern Spanish,* 2nd ed., L., Pergamon, 1970.

GOROSCH, M. (1967): «Un sujeto indeterminado o general expresado por la segunda persona del singular: tú», in *Actes du 4.e Congrès de Romanistes Scandinaves dédiés à Holger Sten,* Copenhagen, Akademisk Forlag.

— (1973): *Le presento...,* L., Longman.

HAMPLOVÁ, S.: «Algunas observaciones acerca de las perífrasis modales en español», *Ibero-Americana Pragensia,* 3 (1969), 107-129.

HARMER, L. C., and NORTON, F. J.: *A Manual of Modern Spanish*, L., University Tutorial Press, 1935.

HATCHER, A. G. (1956 a): «On the Inverted Object in Spanish», *Modern Language Notes*, 71, 362-373.

— (1956 b): «Theme and Underlying Question. Two Studies of Spanish Word Order», *Word*, 12, Supplement, 1-53.

— (1957): «Casos se han dado», *Hispania*, 40, 326-329.

HERNÁNDEZ ALONSO, C. (1967): «El *que* español», *Revista de Filología Española*, 50, 257-271.

— (1980): «Comentario de un texto coloquial», *Hispanic Journal*, 1, 89-103.

IRIBARREN, J. M.: *El porqué de los dichos*, 4.ª ed., M., Aguilar, 1974.

JUMP, J. R.: *The Spaniard and His Language*, L., Harrap, 1951.

KAHANE, H., and KAHANE, R.: «The Position of the Actor Expression in Colloquial Mexican Spanish», *Language*, 26 (1950), 236-263.

KANY, C. E.: *American-Spanish Syntax*, 2nd ed., University of Chicago Press, 1951.

KENISTON, H.: *Spanish Syntax List*, N. Y., Holt Rinehart and Winston, 1937.

KLOE, D. R.: *A Bilingual Dictionary of Exclamations and Interjections in Spanish and English*, Miami, Universal, 1976.

KOVACCI, O.: «Acerca de la coordinación en español», *Boletín de Humanidades*, 1 (1972), 1-29.

KRUGER, F.: *El argentinismo «Es de lindo». Sus variantes y sus antecedentes peninsulares*, M., C.S.I.C., 1960.

LAMÍQUIZ, V.: «El superlativo iterativo», *Boletín de Filología Española*, nos. 38-39 (1971), 15-22.

LAPESA, R. (1962): «Sobre las construcciones *El diablo del toro, El bueno de Minaya, ¡Ay de mí!, ¡Pobre de Juan!, Por malos de pecados*», *Filología*, 8, 169-184.

— (1977): «Tendencias y problemas actuales de la lengua española», in R. Lapesa (ed.): *Comunicación y lenguaje*, M., Karpos, 203-229.

LEÓN, V.: *Diccionario de argot español*, M., Alianza, 1980.

LOIS, E.: «Las construcciones *lo buena que es y lo bien que canta*», *Filología*, 15 (1971), 87-123.

LOPE BLANCH, J. M. (1958): «Algunos usos de indicativo por subjuntivo en oraciones subordinadas», *Nueva Revista de Filología Hispánica*, 12, 383-385.

— (1961): «Sobre el uso del pretérito en el español de México», in *Studia Philologica. Homenaje a Dámaso Alonso*, M., Gredos, II, 373-385.

— (1968): «La reducción del paradigma verbal en el español de México», in *Actas del XI Congreso Internacional de Lingüística y Filología Románicas*, M., C.S.I.C., IV, 1791-1807.

— (1969): «El proyecto de estudio coordinado de la norma lingüística culta de las principales ciudades de Iberoamérica y de la Península Ibérica. Su desarrollo y estado actual», in *El Simposio de México, Actas, Informes y Comunicaciones*, Mex., U.N.A.M., 222-233.

— (1971) (ed.): *El habla de la ciudad de México. Materiales para su estudio*, Mex., U.N.A.M.

LORENZO, E.: *El español de hoy, lengua en ebullición*, 3.ª ed., M., Gredos, 1980.

LOVETT, G.: «Notes on Everyday Spanish, Madrid, 1962», *Hispania*, 45 (1962), 738-742.

Lozano, A. G.: *A Study of Spoken Styles in Colombian Spanish*, University of Texas Ph. D. Thesis, 1964.

Luque Durán, J. D.: *Las preposiciones*, 2 vols., M., S.G.E.L., 1973.

Macandrew, R. M.: *Translation from Spanish*, L., A. and C. Black, 1936.

McWilliams, R. D.: *The Adverb in Colloquial Spanish*, University of Illinois Ph. D. Thesis, 1951.

Magallanes, D. M.: «Oraciones independientes en el español de México», *Anuario de Letras*, 8 (1970), 235-239.

Martín, J.: *Diccionario de expresiones malsonantes del español*, M., Eds. Istmo, 1974.

Martín Zorraquino, M. A.: *Las construcciones pronominales en español*, M., Gredos, 1979.

Martínez Alvarez, J.: «Llorar, cualquiera llora», *Archivum*, 16 (1966), 35-38.

Martínez Amador, E. M.: *Diccionario gramatical*, B., Sopena, 1954.

Miquel i Verges, M. E.: «Fórmulas de tratamiento en la ciudad de México», *Anuario de Letras*, 3 (1963), 35-86.

Molina Redondo, J. A. de: *Usos de «se»*, M., S.G.E.L., 1974.

Moliner, María: *Diccionario de uso del español*, 2 vols., M., Gredos, 1966-1967.

Mondéjar, J.: «La expresión de la condicionalidad en español (Conjunciones y locuciones conjuntivas)», *Revista de Filología Española*, 49 (1966), 229-254.

Moreno de Alba, J. G.: *Valores de las formas verbales en el español de México*, Mex., U.N.A.M., 1978.

Morawski, J.: «Les formules rimées de la langue espagnole», *Revista de Filología Española*, 14 (1927), 113-133.

Navarro Tomás, T.: «Metodología lexicográfica del español hablado», *Revista Interamericana de Bibliografía*, 18 (1968), 375-386.

Navas, R.: «Pausa, base verbal y grado cero», *Revista de Filología Española*, 45 (1962), 273-284.

Oroz, R.: *La lengua castellana en Chile*, Universidad de Chile, 1966.

Parisi, G.: *Coordination in Spanish: A Syntactic-semantic Description of 'y', 'pero', and 'o'*, Georgetown University, Ph. D. Thesis, 1968.

Polo, J. (1968): «A propósito del *Diccionario de dudas* de Manuel Seco», *Revista de Filología Española*, 51, 243-265.

— (1969): «Casuística gramatical», *Boletín de Filología Española*, nos. 30-31, 45-58.

— (1971): *Las oraciones condicionales en español. Ensayo de teoría gramatical*, Universidad de Granada, C.S.I.C.

Py, B.: *La interrogación en el español hablado de Madrid*, Brussels, A.I.M.A.V., 1971.

Ramsey, M. M.: *A Textbook of Modern Spanish*, Revised by R. K. Spaulding, N. Y., Holt, Rinehart and Winston, 1956.

Regula, M.: «Contributions variées à la linguistique espagnole», in *Actas del XI Congreso Internacional de Lingüística y Filología Románicas*, M., C.S.I.C., 1968, IV, 1853-1863.

Roca Pons, J.: «Le sujet et le prédicat dans la langue espagnole», *Revue de Linguistique Romane*, 29 (1965), 249-255.

Rojas Nieto, C.: «Los nexos adversativos en la norma culta del español hablado en México», *Anuario de Letras*, 8 (1970), 103-124.

Roldán, M.: «Spurious Relative Clauses in Spanish», *Papers in Linguistics*, 5 (1972), 321-329.

Rona, J. P.: «Problemas del estudio del lenguaje hablado», in *El Simposio de Bloomington, Actas, Informes y Comunicaciones*, Bogotá, Instituto Caro y Cuervo, 1967, 268-274.

Rosenblat, A. (ed.): *El habla culta de Caracas. Materiales para su estudio*, Caracas, Universidad Central, 1979.

Rosengren, P.: *Presencia y ausencia de los pronombres personales sujetos en español moderno*, Göteborg, Acta Universitatis Gothoburgensis, 1974.

Sacks, N. P.: «Current Usage in Spain», *Hispania*, 40 (1957), 23-38.

Sala, R. (ed.): *The Language of Fifteen- and Sixteen-Year-Old Spanish Children*, University of York, Child Language Survey [n. d.].

Seco, M. (1967): *Diccionario de dudas y dificultades de la lengua española*, 5.ª ed., M., Aguilar.

— (1970): *Arniches y el habla de Madrid*, M., Alfaguara.

— (1973): «La lengua coloquial: 'Entre visillos', de Carmen Martín Gaite», in E. Alarcos Llorach *et al.: El comentario de textos*, M., Castalia, 357-375.

Skydsgaard, S.: *La combinatoria sintáctica del infinitivo español*, 2 vols., M., Castalia, 1977.

Smith, C.; Bermejo Marcos, M., and Chang-Rodríguez, E.: *Collins Spanish Dictionary*, L., Collins, 1971.

Spaulding, R. K. (1933): «Infinitive and Subjunctive with *hacer, mandar* and the Like», *Hispania*, 16, 425-432.

— (1934): «Two Elliptical Subjunctives in Spanish», *Hispania*, 17, 355-360.

— (1959): *Syntax of the Spanish Verb*, N. Y., Holt, Rinehart and Winston.

Spitzer, L.: «Notas sintácticas-estilísticas a propósito del español *que*», *Revista de Filología Hispánica*, 4 (1942), 106-126, 253-265.

Stamm, J. R.: «El empleo impersonal del 'tú'», *Romance Notes*, 9 (1967), 338-340.

Suárez Solís, Sara: *El léxico de Camilo José Cela*, M., Alfaguara, 1969.

Trinidad, F.: *Arniches. Un estudio del habla popular madrileña*, M., Góngora, 1969.

Urdiales Campos, J. M.: «Valores de 'ya'», *Archivum*, 23 (1973), 149-199.

Vallejo, J.: «Papeletas para el diccionario», *Boletín de la Real Academia Española*, 32 (1952), 361-412.

Vidal de Battini, B. E.: *El habla rural de San Luis*, Universidad de Buenos Aires, 1949.

Vigara Tauste, A. M.: *Aspectos del español hablado*, M., S.G.E.L., 1980.

Villanueva, D.: *'El Jarama' de Sánchez Ferlosio. Su estructura y significado*, Santiago, Universidad de Santiago de Compostela, 1973.

Voigt, B.: *Die Negation in der spanischen Gegenwartssprache*, Frankfurt, Peter Lang, 1979.

Weber de Kurlat, F.: «Fórmulas de cortesía en la lengua de Buenos Aires», *Filología*, 12 (1972), 137-192.

Wilson, R. E.: «Polite Ways to Give Orders», *Hispania*, 48 (1965), 117-118.

Woehr, R. (1972): «'Acaso', 'Quizá(s)', 'Tal vez'? Free Variants?», *Hispania*, 55, 320-327.

— (1975): «Grammar of the Factive Nominal in Spanish», *Language Sciences*, n.° 36 (Aug. 1975), 13-19.

Zamora Vicente, A.: «Una mirada al hablar madrileño», in *Lengua, literatura, intimidad*, M., Taurus, 1966, 63-73.

ZAVADIL, B.: «Medios expresivos de la categoría de modalidad en español», *Ibero-Americana Pragensia*, 2 (1968), 57-86.

ZIERER, E.: «Sobre los adverbios y expresiones modales del castellano y sus equivalentes en el idioma alemán», in *El Simposio de México. Actas, Informes y Comunicaciones*, Mex., U.N.A.M., 1969, 90-94.

ZULUAGA ESPINA, A.: «La función del diminutivo en español», *Thesaurus*, 25 (1970), 23-48.

2. LITERARY SOURCES OF EXAMPLES

NOTE: These are referred to in the text by initials, followed, where necessary, by the year of publication.

AB   A. BAREA: *La forja de un rebelde*, 4th ed., B. A., Losada, 1966. SPAIN.

ABE   A. BERLANGA: *Pólvora mojada*, B., Destino, 1972. SPAIN.

ABG   A. BLEST GANA: *El ideal de un calavera*, Santiago, Nuevo Extremo, [n.d.]. CHILE.

ABV   A. BUERO VALLEJO (1963): *Historia de una escalera*, ed. H. Lester and J. A. Zabalbeascoa, L., University of London Press.
— (1964): *Hoy es fiesta*, ed. J. Lyon and K. S. B. Croft, L., Harrap.
— (1966): *Aventura en lo gris*, in *Dos dramas de Buero Vallejo*, ed., I. Magaña Schevill, N. Y., Appleton-Century-Crofts.
— (1967): *Las cartas boca abajo*, ed. F. C. Ilárraz, New Jersey, Prentice-Hall.
— (1969): *Madrugada*, ed. D. W. Bleznick and M. T. Halsey, Waltham, Blaisdell.
— (1970): *El tragaluz*, M., Espasa-Calpe.
— (1976): *La doble historia del doctor Valmy; Mito*, M., Espasa-Calpe. SPAIN.

AC   A. CARPENTIER: *El derecho de asilo*, B,. Lumen, 1972. CUBA.

ACS   A. CASONA: *Los árboles mueren de pie*, ed. J. Rodríguez-Castellano, L., Harrap, 1963. SPAIN.

ACU   A. CUNQUEIRO: *Un hombre que se parecía a Orestes*, B., Destino, 1969. SPAIN.

ACZ   A. CUZZANI: *Una libra de carne*, B. A., Centro Editor de América Latina, 1967. ARGENTINA.

ADM   A. DE MIGUEL: *España, marca registrada*, B., Kairós, 1972. SPAIN.

AE   A. ESTORINO: *El robo del cochino*, in C. Solórzano (ed.), *El teatro hispanoamericano contemporáneo. Antología*, vol. II, Mex., F. C. E., 1964. CUBA.

AG   A. GALA (1964): *Los verdes campos del Edén*, M., Escelicer.
— (1970): *Teatro*, M., Taurus.
— (1973): *Los buenos días perdidos*, M., Escelicer.
— (1974): *Anillos para una dama*, M., Júcar. SPAIN.

AGC   A. GONZÁLEZ CABALLERO: *Señoritas a disgusto*, in A. Magaña Esquivel (ed.), *Teatro mexicano contemporáneo*, vol. V., Mex., F. C. E., 1970. MEXICO.

AGR   A. Grosso: *Inés Just Coming*, B., Seix-Barral, 1968.   SPAIN.
AGR/ALS   A. Grosso and A. López Salinas: *Por el río abajo*, Paris, Eds. de la Librarie du Globe, 1966.   SPAIN.
AL   A. de Laiglesia (1961): *Dios le ampare, imbécil*, 6th ed., B., Planeta.
   — (1966): *El baúl de los cadáveres*, B. Planeta.   SPAIN.
ALS   A. López Salinas: *La mina*, B., Destino, 1960.   SPAIN.
AMA   A. Marqueríe: *Novelas para leer en un viaje*, ed. J. Mallo and G. H. Miller, N. Y., Charles Scribners' Sons, 1963.   SPAIN.
AMG   A. Martínez Garrido: *El miedo y la esperanza*, B., Destino, 1965. SPAIN.
AML   A. M. de Lera (1965): *Novelas*, M., Aguilar.
   — (1966): *Con la maleta al hombro*, M., Editora Nacional.
   — (1973): *Se vende un hombre*, B., Planeta.
   — (1976): *Los que perdimos*, 7th ed., B., Planeta.   SPAIN.
AMM   A. M. Matute (1960): *Primera memoria*, B., Destino.
   — (1971): *Fiesta al noroeste*, ed. L. Alpera, New Jersey, Prentice-Hall.   SPAIN.
AP   A. Palomino (1972 a): *El César de papel*, B., Planeta.
   — (1972 b): *Torremolinos, Gran Hotel*, M., Alfaguara.
   — (1972 c): *El milagro turístico*, B., Plaza y Janés.
   — (1973): *Madrid, Costa Fleming*, B., Planeta.
   — (1975): *Todo incluido*, B., Planeta.   SPAIN.
APA   A. Paso (1961): *Preguntan por Julio César*, M., Escelicer.
   — (1965): *Los peces gordos*, M., Escelicer.   SPAIN.
ARB   A. Roa Bastos: *Hijo de hombre*, 3rd ed., B. A., Losada, 1967. PARAGUAY.
AS   A. Sastre (1967 a): *Obras completas*, vol. I, M., Aguilar.
   — (1967 b): *Escuadra hacia la muerte*, ed. M. Pasquariello, N. Y., Appleton-Century-Crofts.   SPAIN.
AUP   A. Uslar Pietri: *Las lanzas coloradas*, ed. D. D. Walsh, N. Y., W. W. Norton, 1944.   VENEZUELA.
AY   A. Yáñez: *La tierra pródiga*, 3rd ed., Mex., F. C. E., 1962.   MEXICO.
AZV   A. Zamora Vicente (1966): '¡Este tiempecito!', in F. García Pavón (ed.), *Antología de cuentistas españoles contemporáneos (1939-1966)*, 2nd ed., M. Gredos.
   — (1973): 'Se llevaba corbata', *Ya*, 20/5/73, pp. 27 and 31. SPAIN.
CA   C. Alós: *El caballo rojo*, B., Plaza y Janés, 1972.   SPAIN.
CAL   C. Alegría (1941): *El mundo es ancho y ajeno*, 3rd ed., Santiago, Ercilla.
   — (1945): *El mundo es ancho y ajeno*, ed. G. E. Wade and W. E. Stiefel, N. Y., Appleton-Century-Crofts.   PERÚ.
CF   C. Fuente (1958): *La región más transparente*, Mex., F. C. E.
   — (1967): *La muerte de Artemio Cruz*, 3rd ed., Mex., F. C. E.
   — (1970): *Todos los gatos son pardos*, Mex., Siglo XXI.
   — (1978): *La cabeza de la hidra*, B., Argos.
   — (1980): *Una familia lejana*, Mex., Era.   MEXICO.
CG(Arg.)   C. Gorostiza (1964): *Vivir aquí*, B. A., Talia.
   — (1971): *El puente; El pan de la locura; Los prójimos*, 2nd ed., B. A., Sudamericana.   ARGENTINA.

CG(Mex.) C. GOROSTIZA: *El color de nuestra piel*, ed. L. Soto-Ruiz and S. S. Trifilo, N. Y., MacMillan, 1966. MEXICO.

CJC C. J. CELA (1961): *Viaje a la Alcarria*, ed. P. Polack, L., Harrap.
— (1962): *Obra completa*, vol. I, B., Destino.
— (1963): *La colmena*, 5th ed., B., Noguer.
— (1969): *Obra completa*, vol. VII, B., Destino.
— (1971): *Obra completa*, vol. VIII, B., Destino. SPAIN.

CL C. LAFORET: *Nada*, 13th ed., B., Destino, 1960. SPAIN.

CM C. MUÑIZ: *Teatro*, 2nd ed., M., Taurus, 1969. SPAIN.

CMA C. MAGGI (1968): *El Uruguay y su gente*, 4th ed., Montevideo, Alfa.
— (1969): *El apuntador*, in C. Solórzano (ed.), *Teatro breve hispanoamericano contemporáneo*, M., Aguilar. URUGUAY.

CMG C. MARTÍN GAITE (1974): *Retahílas*, B., Destino.
— (1976): *Fragmentos de interior*, B., Destino. SPAIN.

CMM C. MARTÍNEZ MORENO: *La otra mitad*, Mex., J. Mortiz, 1966. URUGUAY.

CP C. PRIETO: *El jugo de la tierra*, in L. G. Basurto (ed.), *Teatro mexicano 1959*, M., Aguilar, 1962. MEXICO.

CR C. RENGIFO: *Teatro*, Caracas, Universidad Central, 1967. VENEZUELA.

CS C. SOLÓRZANO: *Las manos de Dios*, in C. Solórzano (ed.), *El teatro hispanoamericano contemporáneo. Antología*, vol. II, Mex., F. C. E., 1964. GUATEMALA.

DM D. MEDIO (1956): *Funcionario público*, B., Destino.
— (1965): *Nosotros, los Rivero*, 8th ed., B., Destino.
— (1967): *Bibiana*, B., Destino. SPAIN.

DS D. SUEIRO (1961): *La criba*, B., Seix Barral.
— (1965): *La noche más caliente*, B., Plaza y Janés. SPAIN.

EA E. ACEVEDO: *Cartas a los celtíberos esposados*, 6th ed., M., EMESA, 1971. SPAIN.

EAI E. ANDERSON IMBERT: 'El general hace un lindo cadáver', in E. Dale Carter and J. Bas (ed.), *Cuentos argentinos de misterio*, N. Y., Appleton-Century-Crofts, 1968. ARGENTINA.

EB E. BARRIOS: *Obras completas*, vol. I, Santiago, Zig-Zag, 1962. CHILE.

EBU E. BUENAVENTURA: *El menú*, in C. Solórzano (ed.), *El teatro latinoamericano actual*, Mex., Eds. de Andrea, 1972. COLOMBIA.

ECC E. CABALLERO CALDERÓN (1967): *El Cristo de espaldas*, ed. R. and C. Esquenazi-Mayo, N. Y., MacMillan.
— (1969): *Caín*, B., Destino. COLOMBIA.

EG E. GARRO: *La señora en su balcón*, in A. Magaña-Esquivel (ed.), *Teatro mexicano del siglo XX*, vol. V, Mex., F. C. E., 1970. MEXICO.

EGA E. GALVARRIATO: 'Final de jornada', in F. García Pavón (ed.), *Antología de cuentistas españoles contemporáneos (1939-1966)*, 2nd ed., M., Gredos, 1966. SPAIN.

EL E. LAFOURCADE: *Pena de muerte*, 2nd. ed., Santiago, Zig-Zag, 1964. CHILE.

EQ E. QUIROGA: *La sangre*, 3rd ed., B., Destino, 1963. SPAIN.

ES   E. SÁBATO (1965 a): *El túnel*, ed. L. C. Pérez, N. Y., MacMillan.
— (1965 b): *Sobre héroes y tumbas*, 10th ed., B. A., Sudaméricana. ARGENTINA.

ET   E. TARGIONI: *Madrid al desnudo*, B., Planeta, 1977. SPAIN.

EV   E. VALADÉS: *La muerte tiene permiso*, 5th ed., Mex., F. C. E., 1964. MEXICO.

EW   E. WOLFF: *Los invasores*, in C. Solórzano (ed.), *El teatro hispanoamericano contemporáneo. Antología*, vol. II, Mex., F. C. E., 1964. CHILE.

FA   F. AYALA (1969): *Obras narrativas completas*, M., Aguilar.
— (1971): 'El mundo en que vivimos', in *Revista de Occidente*, 32, 206-215. SPAIN.

FB   F. BENÍTEZ: *El agua envenenada*, ed. W. A. R. Richardson, L., Harrap, 1968. MEXICO.

FC   F. CANDEL: *A cuestas con mis personajes*, B., Laia, 1975. SPAIN.

FDP   F. DÍAZ-PLAJA (1971): *Los siete pecados capitales en Estados Unidos*, 7th ed., M., Alianza.
— (1972): *El español y los siete pecados capitales*, 15th ed., M., Alianza.
— (1975): *Mis pecados capitales*, B., Plaza y Janés. SPAIN.

FG   F. GRANDE: 'La prórroga', in F. García Pavón (ed.), *Antología de cuentistas españoles contemporáneos (1939-1966)*, 2nd ed., M., Gredos, 1966. SPAIN.

FGL   F. GARCÍA LORCA (1962): *La zapatera prodigiosa*, ed. J. and F. Street, L., Harrap.
— (1966): *Obra completa*, 11th ed., M. Aguilar. SPAIN.

FGP   F. GARCÍA PAVÓN (1968 a): *Historias de Plinio*, B., Plaza y Janés.
— (1968 b): *Los liberales*, 2nd ed., B., Destino.
— (1968 c): *El reinado de Witiza*, B., Destino.
— (1969): *El rapto de las Sabinas*, B., Destino.
— (1971 a): *Las hermanas coloradas*, B., Destino.
— (1971 b): *Una semana de lluvia*, B., Destino.
— (1973): *Voces en Ruidera*, B., Destino.
— (1981): *El hospital de los dormidos*, M., Cátedra. SPAIN.

FS   F. SANTANDER: *Luna de miel para... diez*, in L. G. Basurto (ed.): *Teatro mexicano 1959*, M., Aguilar, 1969. MEXICO.

FSI   F. S. INCLÁN: *Detrás de esa puerta*, in L. G. Basurto (ed.): *Teatro mexicano 1959*, M., Aguilar, 1962. MEXICO.

FU   F. UMBRAL (1966): *Travesía de Madrid*, M., Alfaguara.
— (1975): *España cañí*, B., Plaza y Janés. SPAIN.

GC   G. CASACCIA: *Los exiliados*, B. A., Sudamericana, 1966. PARAGUAY.

GCI   G. CABRERA INFANTE (1969): *Tres tristes tigres*, 3rd ed., B., Seix Barral.
— (1971): *Así en la paz como en la guerra*, B., Seix Barral. CUBA.

GGM   G. GARCÍA MÁRQUEZ (1968): *El coronel no tiene quien le escriba*, B. A., Sudamericana.
— (1970): *Cien años de soledad*, 12th ed., B. A., Sudamericana. COLOMBIA.

GTB   G. TORRENTE BALLESTER: *Cuadernos de La Romana*, 2nd ed., B., Destino, 1975. SPAIN.

HAM   H. A. MURENA (1965): *El pecado original de América,* 2nd ed., B. A., Sudamericana.
       — (1971): *Polispuercón,* B. A., Sudamericana. ARGENTINA.

HQ   H. QUIROGA: *Cuentos escogidos,* ed. J. Franco, L., Pergamon, 1968. URUGUAY.

IA   I. ALDECOA: *El fulgor y la sangre,* 3rd ed., B., Planeta, 1970. SPAIN.

ICC   I. CUCHI COLL: *La familia de Justo Malgenio,* 4th ed., M., 1974. PUERTO RICO.

IG   I. GARCÍA: *Fábula de los cinco caminantes,* in C. Solórzano (ed.), *Teatro breve hispanoamericano contemporáneo,* M., Aguilar, 1969. DOMINICAN REPUBLIC.

IM   I. MONTERO: 'Ron, ron y coca-cola', in F. García Pavón (ed.), *Antología de cuentistas españoles contemporáneos (1939-1966),* 2nd ed., M., Gredos, 1966. SPAIN.

IP   I. PALOU: *Operación dulce,* B., Planeta, 1975. SPAIN.

JAM   J. A. MASES: *Los padrenuestros y el fusil,* B., Plaza y Janés, 1964. SPAIN.

JAP   J. A. PAYNO: *El curso,* 6th ed., B., Destino, 1962. SPAIN.

JAZ   J. A. DE ZUNZUNEGUI (1962): *El chiplichandle,* M., Espasa-Calpe.
       — (1967): *La vida como es,* 6th ed., B., Noguer.
       — (1972): *Obras completas,* vol. IV, B., Noguer.
       — (1973): *La hija malograda,* M., Prensa Española. SPAIN.

JB   J. BENAVENTE: *Obras completas,* vol. III, 5th ed., M., Aguilar, 1958. SPAIN.

JBE   J. BENET: *El aire de un crimen,* B., Planeta, 1980. SPAIN.

JC   J. CORTÁZAR (1968 *a*): *Los premios,* 8th ed., B. A., Sudamericana.
       — (1968 *b*): *Ceremonias,* B., Seix Barral.
       — (1970): *Rayuela,* 12th ed., B. A., Sudamericana.
       — (1973): *Libro de Manuel,* 3rd ed., B. A., Sudamericana. ARGENTINA.

JCE   J. CORRALES EGEA: 'Cuestión de paisaje', in F. García Pavón (ed.), *Antología de cuentistas españoles contemporáneos (1939-1966),* 2nd ed., M., Gredos, 1966. SPAIN.

JCO   J. C. ONETTI: *Tierra de nadie,* 3rd ed., Montevideo, Eds. de la Banda Oriental, 1968. URUGUAY.

JCS   J. CALVO SOTELO (1954): *La visita que no tocó el timbre,* M., Espasa-Calpe.
       — (1962): *La muralla,* ed. R. E. Henry and E. Ruiz-Fornells, L., Harrap. SPAIN.

JD   J. DÍAZ: *Teatro,* M., Taurus, 1967. CHILE.

JDO   J. DONOSO: *El obsceno pájaro de la noche,* 2nd ed., B., Seix Barral, 1971. CHILE.

JFDS   J. F. DICENTA SÁNCHEZ: *La jaula,* M., Escelicer, 1972. SPAIN.

JFS   J. FERNÁNDEZ SANTOS (1957): *En la hoguera,* M., Arion.
       — (1967): *Los bravos,* ed. P. Polack, L., Harrap.
      —(1971): *Libro de las memorias de las cosas,* B., Destino.
       — (182): *Jaque a la dama,* B., Planeta. SPAIN.

JG   J. GOYTISOLO (1961): *La isla,* B., Seix Barral.
       — (1962): *Fin de fiesta,* B., Seix Barral.

— (1963): *Campos de Níjar*, B., Seix Barral.

— (1964): *Fiestas*, ed. K. Schwartz, N. Y., Dell.

— (1966): *Señas de identidad*, Mex., J. Mortiz.

— (1969): *Juegos de manos*, 4th ed., B., Destino. SPAIN.

JGH   J. GARCÍA HORTELANO: *Tormenta de verano*, 3rd ed., B., Seix Barral, 1966. SPAIN.

JGO   J. GOYTORTÚA: *Primitiva*, ed. D. D. Walsh, L., Harrap, 1947. MEXICO.

JI   J. IBARGÜENGOITIA: *Susana y los jóvenes*, in *Teatro mexicano contemporáneo*, 2nd ed., M., Aguilar, 1962. MEXICO.

JJA   J. J. ARREOLA: 'El guardagujas', in J. A. Crow and E. J. Dudley (eds.), *El cuento*, N. Y., Holt, Rinehart and Winston, 1966. MEXICO.

JLCP   J. L. CASTILLO-PUCHE: *Paralelo 40*, B., Destino, 1964. SPAIN.

JLMD   J. L. MARTÍN DESCALZO: *A dos barajas*, M., Escelicer, 1972. SPAIN.

JLMV   J. L. MARTÍN VIGIL (1971): *Hablan los hijos*, 4th ed., B., Juventud.

— (1975): *Y ahora qué, señor fiscal*, Oviedo, R. Grandio.

— (1976): *Un sexo llamado débil*, B., Juventud.

— (1981): *El rollo de mis padres*, B., Planeta. SPAIN.

JLP   J. L. PACHECO: *Central eléctrica*, B., Destino, 1958. SPAIN.

JLR   J. LÓPEZ RUBIO (1958): *La otra orilla*, ed. A. M. Pasquariello and J. V. Falconieri, L., Harrap.

— (1960): *Un trono para Cristy*, ed. G. E. Wade, N. Y., Dodd Mead.

— (1969 *a*): *Teatro selecto*, M., Escelicer.

— (1969 *b*): *Una madeja de lana azul celeste*, ed. V. A. Warren and N. A. Cavazos, New Jersey, Prentice-Hall. SPAIN.

JM   J. MARSÉ (1970 *a*): *Encerrados con un solo juguete*, 2nd ed., B., Seix Barral.

— (1970 *b*): *Esta cara de la luna*, B., Seix Barral. SPAIN.

— (1977): *Si te dicen que caí*, B., Seix Barral.

JMB   J. M. BELLIDO: *Milagro en Londres*, in *Teatro español, 1971-1972*, ed. F. C. Sainz de Robles, M., Aguilar, 1973. SPAIN.

JMCB   J. M. CABALLERO BONALD: *Dos días de setiembre*, 2nd ed., B., Seix Barral, 1967. SPAIN.

JMG   J. M. GIRONELLA (1961 *a*): *Los cipreses creen en Dios*, 27th ed., B., Planeta.

— (1961 *b*): *Un millón de muertos*, 3rd ed., B., Planeta.

— (1966): *Ha estallado la paz*, B., Planeta.

— (1968): *Todos somos fugitivos*, 4th ed., B., Planeta.

— (1972): *Condenados a vivir*, 2 vols., B., Planeta. SPAIN.

JMN   J. MANEGAT: *Cerco de sombra*, B., Planeta, 1971. SPAIN.

JMP   J. M. PEMÁN: *Obras completas*, vol. VI, M., Escelicer, 1964. SPAIN.

JMR   J. M. ARGUEDAS: *Todas las sangres*, 2nd ed., B. A., Sudamericana. PERÚ.

JMRM   J. M. RODRÍGUEZ MÉNDEZ: *Teatro*, M., Taurus, 1968. SPAIN.

JR   J. RULFO (1967): *El llano en llamas*, 8th ed., Mex., F. C. E.

— (1970): *Pedro Páramo*, ed. L. Leal, N. Y., Appleton-Century-Crofts. MEXICO.

JRO   J. RODRÍGUEZ: 'Secano', in F. García Pavón (ed.), *Antología de cuentistas españoles contemporáneos (1939-1966)*, 2nd ed., M., Gredos, 1966. SPAIN.

JRR   J. R. ROMERO: *La vida inútil de Pito Pérez*, ed. W. O. Cord, New Jersey, Prentice-Hall, 1972. MEXICO.

JS   J. SALOM (1962): *Verde esmeralda*, B., Planeta. SPAIN.
— (1965): *El baúl de los disfraces*, in *Teatro español, 1963-1964*, ed. F. C. Sainz de Robles, M., Aguilar.
— (1973): *La noche de los cien pájaros*, in *Teatro español, 1971-1972*, ed. F. C. Sainz de Robles, M., Aguilar, 1973.

JT   J. TORBADO (1968): *La construcción del odio*, M., Alfaguara.
— (1976): *En el día de hoy*, 4th ed., B. Planeta. SPAIN.

LGB   L. G. BASURTO: *Cada quien su vida*, in *Teatro mexicano contemporáneo*, 2nd ed., M., Aguilar, 1962. MEXICO.

LJH   L. J. HERNÁNDEZ: *Los frutos caídos*, in *Teatro mexicano contemporáneo*, 2nd ed., M., Aguilar, 1962. MEXICO.

LML   L. M. LINARES: *Juan a las ocho, Pablo a las diez*, 3rd ed., B., Juventud, 1977. SPAIN.

LMS   L. MARTÍN-SANTOS: *Tiempo de silencio*, 9th ed., B., Seix Barral, 1972. SPAIN.

LO   L. OLMO (1958): *Ayer: 27 de octubre*, B., Destino.
— (1968): *La camisa*, ed. A. K. and I. F. Ariza, L., Pergamon.
— (1981): *La camisa; English Spoken; José García*, M., Espasa-Calpe. SPAIN.

LR   L. ROMERO: *El cacique*, 8th ed., B., Planeta, 1969. SPAIN.

LS   L. SPOTA (1970): *Los sueños del insomnio*, 2nd ed., Mex., J. Mortiz.
— (1973): *Las cajas*, 2nd ed., Mex., J. Mortiz.
— (1977): *El primer día*, M., Grijalbo. MEXICO.

MA   M. AZUELA: *Los de abajo*, 8th ed., Mex., F. C. E., 1968. MEXICO.

MAA   M. A. ASTURIAS (1968): *Obras escogidas*, vol. II, 2nd ed., M. Aguilar.
— (1970): *El señor presidente*, 15th ed., B. A. Losada. GUATEMALA.

MAU   M. AUB: *Teatro*, M., Taurus, 1970. SPAIN.

MB   M. BENEDETTI (1968): *Gracias por el fuego*, 4th ed., Montevideo, Arca.
— (1970 a): *Cuentos completos*, Santiago, Ed. Universitaria.
— (1970 b): *El país de la cola de paja*, 8th ed., Montevideo. Arca.
— (1974 a): *La tregua*, 14th ed., Montevideo, Arca.
— (1974 b): *Letras del continente mestizo*, 3rd ed., Montevideo, Arca. URUGUAY.

MBA   M. BALLESTEROS: *El personal*, B., Destino, 1975. SPAIN.

MBU   M. BUÑUEL: *Un mundo para todos*, B., Plaza y Janés, 1962. SPAIN.

MD   M. DELIBES (1963): *El camino*, ed. Polack, L., Harrap.
— (1966): *Obra completa*, vol. II, B., Destino.
— (1967): *Cinco horas con Mario*, 2nd ed., B., Destino.
— (1968): *Obra completa*, vol. III, B., Destino.
— (1969): *Las ratas*, ed. L. Hickey, L., Harrap.
— (1972): *Un año de mi vida*, B., Destino.

— (1975): *El príncipe destronado,* 5th ed., B., Destino.

— (1978): *El disputado voto del señor Cayo,* B., Destino. SPAIN.

MF   M. FERRAND: *El negocio del siglo,* B., Planeta, 1977. SPAIN.

MGS   M. GÓMEZ-SANTOS: *El Cordobés y su gente,* M., Escelicer, 1967. SPAIN.

ML   M. LYNCH: *La alfombra roja,* 3rd ed., B. A., Losada, 1972. ARGENTINA.

MLG   M. L. GUZMÁN: *Obras completas,* vol. I, Mex., Compañía General de Ediciones, 1961. MEXICO.

MM   M. MIHURA (1964): *Mi adorado Juan,* ed. J. V. Falconieri and A. M. Pasquariello, Waltham, Blaisdell.

— (1967): *Teatro selecto,* M., Escelicer. SPAIN.

MOS   M. OTERO SILVA: *Obra humorística completa,* B., Seix Barral, 1976. VENEZUELA.

MP   M. PUIG: *Boquitas pintadas,* 5th ed., B. A., Sudamericana, 1970. ARGENTINA.

MS   M. SALISACHS (1968): *Una mujer llega al pueblo,* 4th ed., B., Planeta.

— (1975): *La gangrena,* B., Planeta. SPAIN.

MU   M. DE UNAMUNO (1956): *Niebla,* 7th ed., M., Espasa-Calpe.

— (1958 *a*): *Obras completas,* vol. II, M., Afrodisio Aguado.

— (1958 *b*): *Obras completas,* vol. VI, M., Afrodisio Aguado. SPAIN.

MVL   M. VARGAS LLOSA (1968): *La ciudad y los perros,* 5th ed., B., Seix Barral.

— (1972): *Conversación en la Catedral,* 6th ed., B., Seix Barral.

— (1973): *Pantaleón y las visitadoras,* B., Seix Barral.

— (1977): *La tía Julia y el escribidor,* B., Seix Barral. PERÚ.

MVM   M. VÁZQUEZ MONTALBÁN: *Los mares del sur,* B., Planeta, 1979. SPAIN.

OD   O. DRAGÚN: *Teatro,* M., Taurus, 1968. ARGENTINA.

OP   O. PAZ: *El laberinto de la soledad,* 7th ed., Mex., F. C. E., 1969. MEXICO.

PB   P. BAROJA (1947): *Obras completas,* vol. II, M., Biblioteca Nueva.

— (1954): *Aventuras, inventos y mixtificaciones de Silvestre Paradox,* 2nd ed., M., Espasa-Calpe.

— (1960): *Paradox, Rey,* 3rd ed., M., Espasa-Calpe. SPAIN.

RA   R. ARLT (1968 *a*): *Los lanzallamas,* B. A., Schapire.

— (1985 *b*): *Teatro completo,* vol. I, B. A. Schapire. ARGENTINA.

RAY   R. AYERRA: *La tibia luz de la mañana,* B., Laia, 1980. SPAIN.

RC   R. CARNICER (1964): *Donde Las Hurdes se llaman Cabrera,* B., Seix Barral.

— (1972): *También murió Manceñido,* B., Barral.

— (1979): *Todas las noches amanece,* B., Plaza y Janés. SPAIN.

RDO   R. DOMÉNECH: 'La buena suerte', in F. García Pavón (ed.), *Antología de cuentistas españoles contemporáneos (1939-1966),* 2nd ed., M., Gredos, 1966. SPAIN.

RG   R. GALLEGOS: *Doña Bárbara,* ed. L. Dunham, N. Y., Appleton-Century-Crofts, 1942. VENEZUELA.

RGI   R. Güiraldes: *Cuentos de muerte y de sangre*, B. A., Losada, 1960. Argentina.

RGS   R. García Serrano: *Plaza del castillo*, B., Planeta, 1981. Spain.

RJP   R. J. Payró: *Divertidas aventuras del nieto de Juan Moreira*, 5th ed., B. A., Losada, 1967. Argentina.

RJS   R. J. Sender (1970): *Siete domingos rojos*, B. A., Proyección.
— (1973): *Donde crece la marihuana*, M., Escelicer. Spain.

RM   R. Marqués (1964): *La muerte no entrará en palacio*, in C. Solórzano (ed.), *El teatro hispanoamericano contemporáneo. Antología*, vol. I, Mex., F. C. E., 1964.
— (1971 a): *Teatro*, vol. II, Río Piedras, Ed. Cultural.
— (1971 b): *Teatro*, vol. III, Río Piedras, Ed. Cultural. Puerto Rico.

RMC   R. M. Cossa: *Nuestro fin de semana*, ed. D. A. Yates, N. Y., MacMillan, 1966. Argentina.

RPA   R. Pérez de Ayala: *Tigre Juan*, M., Eds. Pueyo, 1926. Spain.

RRB   R. Rodríguez Buded: *La madriguera*, M., Escelicer, 1961. Spain.

RSF   R. Sánchez Ferlosio (1965): *El Jarama*, 6th ed., B., Destino.
— (1969): *Industrias y andanzas de Alfanhuí*, ed. S. and A. H. Clarke, L., Harrap. Spain.

RT   R. Tamames: *Historia de Elio*, B., Planeta, 1976. Spain.

RU   R. Usigli (1964): *El niño y la niebla*, ed. R. E. Ballinger, Boston, D. C. Heath.
— (1965): *El gesticulador*, ed. R. E. Ballinger, L., Harrap.
— (1969): *El gran circo del mundo*, in *Cuadernos Americanos*, 2/28, 38-96. Mexico.

SA   Salarrué: *Obras escogidas*, vol. II, San Salvador, Ed. Universitaria, 1970. El Salvador.

SB   S. Bullrich: *Teléfono ocupado*, 4th ed., B. A., Emecé, 1972. Argentina.

SE   S. Eichelaum: *Pájaro de barro*, 2nd ed., B. A., Ed. Universitaria, 1971. Argentina.

SG   S. Garmendia: *Los habitantes*, Caracas, Monte Avila, 1968. Venezuela.

SJAQ   S. and J. Alvarez Quintero: *Los galeotes*, ed. M. Mason, L., University of London Press, 1962. Spain.

SO   S. Ocampo: 'Mimoso', in *Cuentos argentinos de misterio*, ed. E. D. Carter and J. Bas, N. Y., Appleton-Century-Crofts, 1968. Argentina.

SSB   S. Salazar Bondy: *El fabricante de deudas*, in C. Solórzano (ed.), *El teatro hispanoamericano contemporáneo. Antología*, vol. I, Mex., F. C. E., 1964. Perú.

SV   S. Vodanovic: *Deja que los perros ladren*, Santiago, Ed. Universitaria, 1970. Chile.

TLT   T. Luca de Tena: *La mujer de otro*, B., Planeta, 1961. Spain.

TS   T. Salvador (1962): *División 250*, B., Destino.
— (1969): *Diccionario de la Real Calle Española*, M., Eds. 29.
— (1972): *Y*, B., Plaza y Janés.
— (1975): *Camaradas 74*, B., Plaza y Janés. Spain.

VA   V. ALBA: *Todos somos herederos de Franco*, B., Planeta, 1980. SPAIN.

VBI   V. BLASCO IBÁÑEZ (1958 *a*): *La barraca*, B., Planeta.
— (1958 *b*): *Sangre y arena*, B., Planeta.
— (1961): *Obras completas*, vol. II, 4th ed., M. Aguilar. SPAIN.

VL   V. LEÑERO: *Los albañiles*, in *Teatro mexicano contemporáneo*, 2nd ed., M., Aguilar, 1962. MEXICO.

VRI   V. RUIZ IRIARTE (1967): *Teatro selecto*, M., Escelicer.
— (1970): *El carrusell*, ed. M. P. Holt, N. Y., Appleton-Century-Crofts. SPAIN.

VS   V. SOTO: *La zancada*, 6th ed., B., Destino, 1967. SPAIN.

WB   W. BENEKE: *Funeral Home*, in C. Solórzano (ed.), *El teatro hispanoamericano contemporáneo. Antología*, vol. I, Mex., F. C. E., 1964. EL SALVADOR.

WC   W. CANTÓN: *Nosotros somos Dios*, ed. S. S. Trifilo and L. Soto-Ruiz, N. Y., Harper and Row, 1966. MEXICO.

XV   X. VILLAURRUTIA: *¿En qué piensas?; Parece mentira; Sea usted breve*, in *Teatro mexicano contemporáneo*, 2nd ed., M., Aguilar, 1962. MEXICO.

INDEX

+ *que* + verb, 2.16.1, 5.16.2; *lo* —
+ *que* + verb, 2.3.1, 2.4, 5.15; *por*
lo — + *que* + verb, 5.16.1; *(y/de)*
tan — + *que* + verb, 2.16.4, 5.16.3
advertir: Te advierto, que, 3.28 Note 1
affirmative responses, 1.8-1.10, 2.10
afortunadamente, 3.22
affixes, 5.11
agarra y, 4.21.3
agosto: En —, *frío en rostro,* 1.30.2
agradecido: muy —, 1.7.1
aguardar a que, 5.25 Note 2
¡ah!, 1.21
ahi: ¡— es/era nada!, 2.14; — *está*
(la madre del cordero/el busilis),
1.10; — *le duele,* 1.9; *¡— me las*
den todas!, 1.15; *¡hasta — podía-*
mos/podríamos llegar!, 1.26; *¡y*
— *queda eso!,* 3.30; *¡— va!,* 1.25.1
Ahora: — (*bien*), 3.13.1 Note 2; —,
que, 3.33.1
¡ajá!/ajajá!, 1.21
al fin de cuentas, 3.18.1
al fin y al cabo, 3.18.1
¡ala!/¡ale!, 1.21
¡alá!, 1.21
alguna, 5.1.6 Note 2
allá: — él/ella, 1.16; — *se las com-*
ponga/haya, 1.15
Aló, 1.2
alrededor nuestro, 5.19.4
¡alto!, 1.23.1
amable, 1.4, 1.7.1
amor: — (*mío*), 1.20; *de mil —es,*
1.7.3, 1.9; *el — y la muerte, a trai-*
ción, 1.30.2
amos (*anda*), 1.22.3 Note 1
andar: 4.3.4 Note; *anda/ande,* 1.22.1;
¡anda/ande ya y que te/le zurzan!,
1.22.1 Note 2; *anda que,* 2.7.1, 2.14;
anda (*que*) *si,* 2.10.2; *vamos anda/*
ande ya, 1.22.1, 1.13; *¡ándale!/¡án-*
dele!, 1.22.1; *¡andando!,* 1.22.7
animal, 1.20
¡ánimo!, 1.23.1
aquel (as noun), 5.22 Note 2
aquello: — de + noun/infinitive,
5.20.1; — *que,* 5.20.2
aquellos: de — de/que, 5.21

aquí: — + noun/pronoun, 5.22; *y —*
no ha pasado nada, 3.30; *y — paz*
y después gloria, 3.30
¡arre!, 1.21
article: definite —, 2.3.2, 2.16,
3.10.1, 5.19.1; indefinite —, 4.35.2,
5.7
así: 2.25, 5.25; *¿no es* —?, 3.24; —
como suena, 3.17.1; — *como lo/me*
oye(s), 1.10; — *como usted lo oye,*
3.17.1; — *de,* 5.14; — *que,* 3.26,
5.26.1; — *sea,* 1.15; — *y todo,* 3.33.1
¡atchis!, 1.21
¡atiza (*manco*)!, 1.22.6
aunque: 4.36.2; *ni —,* 2.23 Note,
4.34.4
¡aúpa!, 1.21; *de —,* 5.12.2
Ave María Purísima, 1.2 Note 3
aviados: estamos —, 1.26
¡ay!: 1.21; — *de* + noun/pronoun,
2.8
-azo, 5.11

¡bah!, 1.21
barbaridad: ¡qué —!, 1.25.2; *una —*
de, 5.13
bárbaro: 5.12.1, 5.19.2; *¡qué —!,*
1.25.2
bastante, 5.9
bastar: basta (*ya*) *de* + noun/infini-
tive, 4.29.3 Note 3
bendito: ¡— sea Dios!, 1.24, 1.29;
¡—s los ojos que te ven!, 1.29
bestia, 1.20
bestial, 5.12.1
bien: 1.9, 2.13.1, 5.24; — (*gracias*),
¿y tú/usted?, 1.2; — *mirado/consi-*
derado, 3.18.1; *mirándolo/conside-*
rándolo/pensándolo —, 3.18.1; *si*
— *se mira/si se considera —,*
3.18.1; — *que* + verb, 2.2.6; (*que*)
+ — + adjective + *que* + verb,
2.2.6; *ya está —* (*de* + infinitive),
2.15 Note 2
bledo: un —, 5.3.2
boca: en — cerrada no entran mos-
cas, 1.30; *por la — muere el pez,*
1.30.1
bomba, 5.12.1

—!, 1.22.2 Note 1; *¡bendito sea —!,*
1.24; *¡Santo —!,* 1.24; *¡— nos coja
confesados!,* 1.24; *¡no lo quiera/
permita —!,* 1.24; *— se lo pague,*
1.7.1; *— le/la ampare, hermano/
hermana,* 1.7.3 Note; *¡— me libre!/
¡líbreme —!,* 1.13; *¡— lo maldiga!,*
1.27; *¡gracias a — que!,* 4.19.1; *costar — y ayuda,* 5.13 Note 3; *A —
rezando y con el mazo dando,*
1.30.2; *— los cría y ellos se juntan,*
1.30.1; *— aprieta pero no ahoga,*
1.30.1; *Amanecerá — y medraremos,* 1.30.1
disculpar: discúlpame/discúlpeme,
1.6
dislocation, 2.9
*dispensar: dispénseme usted/usted
dispense,* 1.6
divino, 5.12.1
donde: 5.23; *— fueres, haz lo que/
como vieres,* 1.30.1
duda: sin — (alguna), 1.9; *¿qué —
cabe?,* 1.9; *no cabe —,* 1.9
*dueño eres/es usted muy dueño
(de* + infinitive), 1.15 Note

¡ea!, 1.21
efectivamente, 1.9, 3.7.2
¿eh?, 3.24
¡ele (mi niño)!, 1.21 Note 1
emphasis, 2.9, Chapter 3 *(passim),*
3.19
en + time expression, 5.3.1
en absoluto, 1.12, 3.7.4
en contra nuestro/nuestra, 5.19.4
en cualquier caso, 3.33.1
en cuanto que, 5.25
en derredor suyo, 5.19.4 Note
en efecto, 1.9, 3.17.2
en fin: 1.3 Note 3, 3.13.1 Note 1;
(Pero) —, 3.33.1
en frente mío, 5.19.4
en paz: y —, 3.30
en realidad, 3.18.1
en todo caso, 3.33.1
en torno suyo, 5.19.4
en su/tu lugar, 4.34.3
en una palabra, 3.34

encantado, -a (de conocerle/lo/la),
1.2
encima mío, 5.19.4
endearments, 1.20
*enemigo: A(l) — que huye, puente
de plata,* 1.30.2
enhorabuena, 1.5
*entendedor: Al buen —, pocas pa-
labras,* 1.30.2
entender: ¿entiendes?, 3.29
*enterarse: para que se entere/te en-
teres,* 3.29; *¿te enteras?,* 3.29
entonces: 3.26, 5.26.1; *pues —,* 3.13
Note 4
¡epa!, 1.21
es: see under *ser*
esas: ¡Conque — tenemos!, 3.26 Note 1
ese, esa, etc.: 5.22; *— sí que* + verb,
3.7.2
eso: — de + noun/infinitive, 5.20.1;
— de que, 5.20.2; *de —, nada/nada
de —,* 1.13; *— sí,* 1.10, 3.33.2; *— sí
que no,* 1.12; *¿no es —?,* 3.24; *y —
que,* 5.26.3; *y —, ¿qué?,* 1.16
esos: de — de/que, 5.21
esperar: — a que, 5.25 Note 2; *espera que espera,* 4.11; *de (los de)
aquí te espero,* 5.12.3
esta servidora, 5.1.4
estar: 4.4.1, 4.11, 4.12, 4.22.3 Note 1;
— de un + adjective/noun, 5.7.2;
(no) — para, 5.9.2; *para ... estoy,*
2.13.2; *— para que,* 5.9; *— que* +
verb, 5.7.1; *¿estamos?,* 3.29; *está
bien,* 1.9; *ya está,* 1.26 Note 2; *ya
está bien (de* + infinitive), 2.15
Note 2; *y ya está,* 3.30; *está visto
que,* 4.17; *¡está(s) listo!,* 1.13, 2.15;
¡estaría bueno!, 1.13, 1.26, 2.15;
medrados estamos, 1.26; *estamos
aviados,* 1.26
este: 3.15, 5.22; *— cura/cristiano/
servidor,* 5.1.4; *—/estos,* 2.27
esto: — de, 5.20.1; *— de que,* 5.20.2;
ni —, 5.1.4 Note 2
estupendo, 5.12.1
euphemisms, 1.28
exactamente, 1.9
exacto, 1.9

infinitive, 4.7.2; — *de eso*, 1.13; *¡ahí es —!*, 2.14; *de —*, 1.7.2; *para —*, 3.7.4; *pues —*, 3.15
¡Naranjas (chinas/de la China)!, 1.13
¡Narices!, 1.13, 3.10.3
naturalmente, 1.9
negative(s): 1.11 - 1.13; 2.11, 2.14, 3.18.2, 5.2-5.3; see also under *nada*, *ni* and *no*
ni: — + noun/infinitive, 4.7.1; — + noun + *que/ni* + adjective, 4.34.4; — *aunque*, 4.34.4, 2.23 Note; — *que*, 2.23, 4.34.4; *¡qué ... — qué* + noun, etc., 2.11.1
¡ni a la de tres!, 3.7.4
¡ni a tiros!, 1.13
ni caso, 4.7.1
¡ni en sueños!, 1.13
¡ni hablar!, 1.13
ni mucho menos, 1.13
ni na, 2.14
ni nada, 2.14
ni papa, 5.1.4 Note 2
¡ni pensarlo!, 1.13
¡ni por asomo!, 1.13, 3.7.4
¡ni por el forro!, 3.7.4
¡ni por ensoñación!, 1.13
¡ni por ésas!, 1.13
¡ni por pienso!, 1.13
¡ni por un remedio!, 1.13
ni se diga, 5.26.2
niño, -a, 1.19 Note 1
no: 1.12, 2.14, 5.3-5.4; — *cabe duda*, 1.9; — *es nada*, 1.7.2; *¿—?/¿— es verdad?/¿— es así?/¿— es eso?*, 3.24; — *... que digamos*, 3.18.2; *¿a que —?*, 4.18
noise words, 1.21
nones: (decir) que —, 4.5
noun/noun phrase: 1.23.1, 2.1-2.9; 4.36.2, 5.6-5.16, 5.17-5.22; — + *que*, 5.18.2

o, 4.35
o sea (que), 3.26, 3.34, 5.26.1
object pronouns, 5.1
obras: — son amores, que no buenas razones, 1.30.1

¡oh!, 1.21
oír: oye/oiga(n), 1.14, 1.22.6; *como me/lo oye(s)*, 1.10; *así como usted lo oye*, 1.10; *¿me oye(s)? / ¿lo oye(s)?*, 3.29
ojalá, 2.25, 4.3.4
¡ojito! : 1.23.1; — *con*, 2.6.2
ojo: 1.23.1; — *con*, 2.6.2; *El — del amo (engorda el caballo)*, 1.30.3; *¡dichosos los —s (que te ven)!*, 1.29
¡olé!, 1.5, 1.21
-ón, 5.11
oro: No es — todo lo que reluce, 1.30.1
¡ostra(s)!, 1.24 Note 3
-ote, 5.11

padre: 5.12.1; *¡tu —!*, 1.28; *de — y (muy) señor mío*, 5.12.2
¡paf!, 1.21
pagador: Al buen — no le duelen prendas, 1.30.1
pajolero, 3.10.2
palabra: 3.17.1; *ni una —*, 4.7.1; *A —s necias, oídos sordos*, 1.30.2, 1.30.3
¡pam!, 1.21
pan: A falta de — buenas son tortas, 1.30.1; *Al —, — y al vino, vino*, 1.30.2; *Contigo, — y cebolla*, 1.30.2
paño: El buen — en el arca se vende, 1.30.1
panza: De la — sale la danza, 1.30.1
papa: ni —, 5.1.4 Note 2
para: — *acabar de arreglarlo*, 3.32; — *colmo*, 3.32; — *el* + noun/*lo que* + verb, 2.24; — *más/mayor inri*, 3.32; — *más señas*, 3.34; — *mí (que)*, 3.21.2; — *muchos años*, 1.2 Note 4; — *nada*, 3.7.4; — *postre*, 3.32; — *remate*, 3.32; — *yo* + infinitive, 4.31 Note 1
para que: — *lo sepa(s)*, 3.29; — *te enteres/se entere*, 3.29; — *luego* + subjunctive, 2.19; *¡— veas!*, 1.25.1
parar: y para/pare usted de contar, 3.30
parecer: 5.24; conditional t e n s e,

questions: see under 'interrogative sentences'
¡Quia!/¡Quiá!, 1.13
quien: — *calla, otorga*, 1.30.1; — *mal anda, mal acaba*, 1.30.1; — *mucho abarca, poco aprieta*, 1.30.1; — *canta, sus males espanta*, 1.30.1; — *se pica, ajos come*, 1.30.1; *A* — *madruga, Dios ayuda*, 1.30.1
¡Quién!, 2.25, 4.3.4
¡Quihúbole!, 1.2 Note 1
quitar: *¡Quita (allá/de allí)!*, 1.13; *¡Quite usted (allá/de allí)!*, 1.13; *Ni quito ni pongo rey*, 1.30.1

rábano: un —, 5.3.2
rabiar: a —, 5.12 Note 1
rápido, 5.19.2
rato: un — (de), 5.13
re-, 5.11
realmente, 3.18.1
recontra, 5.11
recordar: que yo recuerde, 3.21.2
Recuerdos a su (esposa, etc), 1.3 Note 3
reflexive pronouns, 5.1
regio, 1.9
regla: ¿por qué — de tres?, 3.10.3
repajolero, 3.10.2
repetition, 3.9, 4.36.2 Note, 5.10
requete-, 5.11
respeto: ¡un —!, 1.23.1
rete-, 5.11
rey: *A — muerto, — puesto*, 1.30.2; *Ni quito ni pongo —*, 1.30.1
río: *Cuando el — suena, agua lleva*, 1.30.1; *A — revuelto, ganancia de pescadores*, 1.30.2

saber: *— +* subjunctive, 4.32.1; conditional tense, 4.26.2; *sin yo —lo*, 4.31 Note 1; *cualquiera (lo) sabe*, 1.17; *¡no lo sabe(s) bien!*, 1.10; *¡no lo sabe usted bien!*, 1.10; *¡no quiera usted saber!*, 1.10; *¡no voy a saberlo!*, 1.10; *para que lo sepa(s)*, 3.29; *¿puede saberse?*, 5.13 Note 1;

que se sepa / yo sepa / sepamos, 3.21.2; *¡qué sé yo?*, 1.17; *¿se puede saber?*, 5.13 Note 1; *¡si lo sabría él!/¡si lo sabré yo!*, 1.10; *¡váyase usted a saber(lo)!/¡vete tú a saberlo!*, 1.17; *¡(y) yo qué sé!*, 1.17
salir: *— a pedir de boca*, 5.12 Note 1
salud: *¡(a tu) —!/¡— y pesetas (y tiempo para gastarlas)!*, 1.5
San Pedro: ni —, 5.1.4 Note 2
santo: 3.10.2; *¡— Dios!*, 1.24; *¿a — de qué?*, 3.10.3 Note 1; *y santas pascuas*, 3.30
sayings, 1.30
se, 5.1.3, 5.1.6
seguir: *El que la sigue, la mata*, 1.30.1
seguramente: 3.21.3; *— que*, 4.18
seguro: 3.21.3; *— que*, 4.18
señor, -a, 1.19 Note 1
¡Señor!, 1.24
sentir: *lo siento*, 1.6
ser: 3.18.2, 4.4.2; future tense, 2.21, 4.25.1 Note; *— de un +* adjective/noun, 5.7.2; *dicho sea de paso*, 3.28 Note 2; *— como para +* infinitive, 5.9 Note 1; *es de +* infinitive, 5.9 Note 2; *es decir*, 3.34; *es difícil que*, 4.17; *es fácil que*, 4.17; *es igual*, 1.15; *lo que es*, 3.19.3; *es para + infinitive/noun*, 5.9; *es que*, 3.7.5, 3.14, 3.25; adjective *+ q u e + es (uno)*, 5.19.3; *si es que*, 3.2.3 Note; 3.7.5; *¿es que?*, 3.25; *¡lo que son las cosas!/¡las cosas como son!*, 1.25.1 Note 3; *malo será/sería que*, 4.17; *¡(mira) quién fue a hablar!*, 1.26; *no sea que*, 4.28.1; *no fuera/fuese a +* infinitive, 4.28.1 Note; *no fuera/fuese que*, 4.28.1 Note; *no ser para +* past participle, 4.4.2 Note 2; *o sea (que)*, 3.26, 3.34, 5.26.1
servidor: *este/un —*, 5.1.4; *— de usted*, 5.1.4 Note 1
servidora: *esta/una servidora*, 5.1.4
si: 2.25, 2.26.1, 3.2.3, 4.21.5, 4.23.1, 4.30.4, 4.35.2, 4.36.2; *— +* conditional and future tenses, 2.21.1, 4.25.1 Note; *— +* subjunctive, 4.32.1; *—*

noun + *va*, noun + *viene*, 4.12 Note 3; *¿a qué viene eso?*, 5.5.2 Note 1; *venga* + noun, 1.22.4 Note 1; *venga*, 1.22.4; *venga (a/de)* + infinitive, 4.12; *venga (ya)*, 1.13; *venga ya de* + noun, 2.11.1 Note; *vengan* + noun, 1.22.4 Note 1, 2.11.1 Note, 4.12 Note 1

ver: a —, 1.2, 1.10; *a* — + noun, 1.23.2; *a* — + interrogative clause, 4.15 Note; *a — qué pasa*, 4.8.2 Note 4; *a — si*, 4.15; *hay que* —, 1.25.1, 2.7.2; *¡vivir para* —*!*, 1.25.1; *a lo que se ve*, 3.21.2; *ya ve(s)*, 3.15; *estoy viendo*, 4.22.3; *(pues) verás/ verá usted*, 3.15; *veremos a ver*, 4.25 Note; *¡habráse visto!*, 1.26; *y usted que lo vea*, 1.7.1; *no vea(s)*, 1.25.1, 2.7.2; *no vean*, 2.7.2; *para que veas*, 1.25.1; *vieras*, 2.26.1; *está visto que*, 4.17; *por lo visto*, 3.21.2

verdad: 3.17.1; *la — es que*, 3.14.2 Note 1; *¿no es —?/¿—?/¿— que?*, 3.24; *¿—, usted?*, 3.24 Note 2

vez: de una —, 3.7.3

vocatives, 1.19

vos, 5.1 Note

vosotros, 4.7.2

wishes, 1.5, 2.25

word order, 2.9, 5.1.7

y, 3.3, 2.7.1, 4.11, 4.35, 4.36

¿y?, 3.6, 4.6.1

y (a mí/eso), ¿qué?, 1.16

Y a mucha honra, 1.10

y a otra cosa (mariposa), 3.30

y adivina quién te dio, 3.30

y ahí queda eso, 3.30

y aquí no ha pasado nada, 3.30

y aquí paz y después gloria, 3.30

¡y bueno!, 3.30 Note 2

Y claro, 1.9

y colorín colorado, este cuento se ha acabado, 3.30 Note 3

y conste que, 3.28 Note 1

y cuidado que, 2.7.1

¡Y dale!, 1.22.5

¡Y dale con!, 2.6.1

y en paz, 3.30

¿y eso?, 4.6.1 Note 3

y eso que, 5.26.3

y gracias, 1.7.1 Note 1

y listos, 3.30

y mira/mire que, 2.7.1

y no digamos, 5.26.2

y no se diga, 5.26.2

y pare usted de contar, 3.30

Y que (no) + subjunctive, 2.18

Y (a mí/eso), ¿qué?, 1.16

y sanseacabó, 3.30

y santas pascuas, 3.30

y se acabó, 3.30

¿y si?, 4.6.1

Y tan + adjective/adverb, 2.10.1

Y tanto, 1.10

Y tanto que, 2.10.1

y tengamos la fiesta en paz, 3.30

y todo, 3.7.7

y todos tan amigos, 3.30

¿y tú?/¿y usted?, 1.2

¡Y un jamón!, 1.13

Y usted que lo vea, 1.7.1

y ya está, 3.30

ya: 1.10, 3.5; — + present progressive tense, 4.22; — *está*, 1.26; — *está bien (de* + infinitive), 2.15 Note 2; *y — está*, 3.30; *que — es decir*, 3.5 Note; — *lo creo*, 1.9; — *no digamos/se diga*, 5.26.2; — *ve(s)*, 3.15

yo: 5.1.1, 5.1.4; — *de usted/tú*, 4.34.3; — *que tú*, 4.34.3

¡zape!, 1.21

¡zas!, 1.21

¡zis!, 1.21